Intelligent Connected Vehicle

智能网联汽车核心技术丛书

智能网联汽车磁流变技术

肖平 著

化学工业出版社
·北京·

内容简介

《智能网联汽车磁流变技术》系统介绍了磁流变材料的基本特性、力学模型及其在汽车关键系统中的创新应用。本书以磁流变技术在汽车线控转向、发动机扭振抑制、保险杠缓冲和智能悬架系统中的应用为核心，突出多学科交叉与工程实践结合的特点，兼具理论深度与实用价值。书中涵盖结构设计、磁路优化、建模仿真及实验验证全过程，反映了当前智能材料在车辆工程中的前沿进展。

本书适合车辆工程、机械电子、智能材料等领域的科研人员、工程师及相关专业高年级学生和研究生阅读，为从事汽车智能控制系统设计与开发的读者提供重要参考。

图书在版编目（CIP）数据

智能网联汽车磁流变技术 / 肖平著. -- 北京 : 化学工业出版社，2025. 10. --（智能网联汽车核心技术丛书）. -- ISBN 978-7-122-49351-4

Ⅰ. U463.67；TB381

中国国家版本馆CIP数据核字第2025MZ3544号

责任编辑：雷桐辉　　文字编辑：宋　旋
责任校对：王　静　　装帧设计：王晓宇

出版发行：化学工业出版社
（北京市东城区青年湖南街13号　邮政编码100011）
印　　装：三河市君旺印务有限公司
787mm×1092mm　1/16　印张15　字数298千字
2025年12月北京第1版第1次印刷

购书咨询：010-64518888　　售后服务：010-64518899
网　　址：http://www.cip.com.cn
凡购买本书，如有缺损质量问题，本社销售中心负责调换。

定　　价：89.00元

前言

PREFACE

随着科技的飞速发展，汽车工业正经历着前所未有的变革。智能网联汽车作为未来出行的重要发展方向，正以其智能化、网联化、电动化和共享化的特征，重塑着我们的交通方式和生活方式。而磁流变技术作为一种新兴的智能材料技术，凭借其响应迅速、可控性强、能耗低等优势，在智能网联汽车领域展现出巨大的应用潜力，为提升汽车性能、安全性和舒适性提供了全新的解决方案。

本书旨在系统介绍磁流变技术的基本原理、关键技术及其在智能网联汽车领域的应用现状和发展趋势。本书共分为六章，内容涵盖了磁流变材料、磁流变理论、磁流变技术在智能网联汽车关键系统中的应用以及未来发展方向等方面。

第 1 章是绪论，首先介绍了磁流变技术的基本概念，包括磁流变材料的定义、分类、研究发展历程以及应用领域。随后，重点阐述了国内外在磁流变脂、磁流变缓冲装置和磁流变阻尼器等方面的研究现状，为读者了解磁流变技术的发展脉络和应用前景奠定基础。

第 2 章是磁流变理论，深入探讨了磁流变液和磁流变脂的基本特性，包括力学特性、温度特性等，并详细介绍了磁流变材料的工作模式和力学模型。本章内容为读者理解磁流变技术的核心原理和设计方法提供了理论支撑。

第 3 章是磁流变技术在线控转向系统中的应用，聚焦于磁流变技术在提升线控转向系统性能和驾驶体验方面的应用。本章详细阐述了线控转向系统的工作原理、力反馈机制以及旋转磁流变阻尼器的结构设计和优化方法，并介绍了基于磁流变技术的路感模拟装置设计方案和实现方法。

第 4 章是磁流变技术在汽车发动机中的应用，重点介绍了磁流变技术在发动机曲轴系扭振减振和悬置系统中的应用。本章内容涵盖了曲轴系扭振减振器的建模仿真，磁流变减振器的原理分析、结构设计和实验验证，以及磁流变悬置的结构、工作原理和动特性研究，为读者展示了磁流变技术在提升发动机平顺性和 NVH 性能方面的巨大潜力。

第 5 章是磁流变技术在汽车保险杠中的应用，探讨了磁流变技术在提升汽车被动安全性能方面的应用。本章内容涵盖了磁流变脂缓冲器的结构设计、仿真分析和实验验证，展示了磁流变技术在降低碰撞冲击、保护乘员安全方面的优势。

第 6 章是磁流变技术在汽车悬架中的应用，系统介绍了磁流变阻尼器的类型、工作原理、结构设计和建模与仿真方法，并重点阐述了基于磁流变阻尼器的半主动悬架系统控制算法研究。本章内容为读者理解磁流变技术在提升汽车操控稳定性和舒适性方面的应用提供了理论指导和实践参考。

本书的编写力求做到理论联系实际，既注重基础理论的阐述，又强调实际应用的分析，力求为读者提供一本系统、全面、实用的参考书籍。本书适用于从事智能网联汽车、汽车电子、智能材料等领域的研究人员、工程技术人员以及高等院校相关专业的师生阅读参考。

智能网联汽车的发展离不开新技术的突破和应用。磁流变技术作为一种极具潜力的智能材料技术，将在未来智能网联汽车的发展中扮演越来越重要的角色。相信随着研究的不断深入和技术的不断进步，磁流变技术必将为智能网联汽车带来更加安全、舒适、智能的驾乘体验，开启未来出行新篇章。

著者

目录

CONTENTS

第 1 章
绪论

1.1 磁流变技术的基本概念

随着科技的飞速发展，新型智能材料的研究与应用成为材料科学领域的重要方向。磁流变液（magnetorheological fluid，MRF）作为一种特殊的智能流体，因其独特的磁流特性而备受关注。本书旨在概述磁流变技术的研究现状，为后续的研究提供背景和基础。

1.1.1 磁流变材料的概念与分类

MRF 作为一种新型科技智能材料，相比较其他非磁流变材料主要有如下几处优点：

① 较高的屈服强度。制备性能优良的磁流变液并在外加较强的磁场的作用下，其屈服强度高达 100MPa，是电流变等屈服流体的 10 倍多。

② 阻尼调幅宽。在无外加磁场的作用下，MRF 的黏度较低，表现为流动性良好的牛顿流体。当处于外加磁场作用下时，MRF 呈 Bingham 半固体，黏度非常高。所以阻尼性能有很大程度范围的可调。

③ 反应迅速。MRF 在外加磁场的作用下可实时调节其性能，在毫秒级时间内可以在牛顿流体与半固体间变化。

学者利用磁流变液制成的磁流变阻尼器是一种耗减运动能量、提供运动阻力的装置。其克服了电流变阻尼器的剪切屈服强度过低、对温度和杂质敏感、工作电压要求高等缺点，且具有结构紧凑、功耗少、反应迅速、可控性强、外部输入能量小等优点。现如今，这种新型智能材料已经广泛地应用于各行各业中，例如，航空航天、汽车、船舶、医疗、建筑、精密加工等领域。

磁流变材料凭借其抗剪切屈服强度大、对污染不敏感、驱动电压低以及工作温度范围宽等优越的特性受到了各国学者的广泛关注，并竞相展开了对磁流变材料及器件的研究，进而加速了磁流变材料的研究进展。目前磁流变材料已经发展为众多分支材料，包括磁流变液、磁流变弹性体（MR elastomer）、磁流变胶泥（MR cement）、磁流变泡沫（MR foam）、磁流变脂（MR grease）等。

磁流变弹性体（MR elastomers，MRE）：它采用橡胶类材料作为基体。与磁流变液、磁流变泡沫不同的是，磁流变弹性体采用的基体一般为橡胶类材料（如天然橡胶、硅橡胶、顺丁橡胶、聚氨酯），将微米尺度的可磁化粒子掺入橡胶基体并在外加磁场中固化而成。

磁流变胶泥（MR cement）：需要确定合适的羰基铁粉颗粒粒径与体积分数，同时需要对应规划载体液 HVLP（High Viscosity Linear Polysiloxane，高黏度线性聚硅氧烷）的黏度，将计量好的羰基铁粉和载体液 HVLP 混合，充分地搅拌至完全均匀即可，无其他任何添加剂。

磁流变泡沫（MR foam）：磁流变泡沫是从磁流变液进一步发展而来的，它将磁流变液吸附在海绵类物质中，海绵类物质起到将磁流变液固定的作用。磁流变泡沫一般为固态，相比于磁流变液缓冲装置，不需要密封装置，且结构更加简单，所以能够应用于更多的场合。磁流变泡沫在磁流变液的基础上克服磁流变易沉降的问题，同时无须密封。

磁流变脂（MR grease）：按比例称量润滑脂并放入烧杯加热至合适温度，并利用搅拌器充分搅拌，再将羟基铁粉加入烧杯，继续搅拌，冷却后即得到类似于黄油脂状物的磁流变脂。

1.1.2 磁流变材料的研究与发展

磁流变效应由 Jacob Rabinow 于 20 世纪 40 年代发现。1948 年，Rabinow 将磁流变液作为一种新材料应用于离合器技术。磁流变液以非磁化悬浮液、添加剂为基底，加入可磁化颗粒，其中最常用的磁化颗粒材料是羰基铁粉、钴粉、Fe_3O_4 等，因为它们具有较高的饱和磁化水平。

磁流变液是一种具有流变特性的流体，具有从自由流动的线性黏性流体可逆地转变为半固态的能力。当磁场为零场强状态时，磁流变液呈现流动性较好的牛顿流体；在强磁场作用时，可以在毫秒级时间内改变自身流变特性变成一种类固体材料。对于磁流变液材料的特性，国内外进行了大量的研究和工程应用。

1995 年，Lord 公司研发出数款磁流变阻尼器，引出了磁流变液应用于减振器设计的磁路设计、材料沉降等问题的解决方法；俄罗斯的 Kordonsky 等对磁流变液抛光应用、磁流变液微观特性和宏观流变、材料屈服应力探测等方向进行了大量的实验研究。

国内，高春甫、周崇秋在磁流变液的温控条件对其性能影响的研究中，通过实验证明磁流变液软磁性颗粒的磁导率及载液的黏度会随温度的升高而降低。刘旭辉、简震为探究温度指标对磁流变液阻尼器减振性能的影响设计了相关实验，实验证明阻尼器输出阻尼力与温度升高呈负相关。李小光、佟昱研制出离子液体基磁流变液，并通过实验证明零磁场环境中其黏度高于硅油基磁流变液。但是磁流变液在应用于阻尼器等工程场景时，其中磁性颗粒会因长时间静置而逐渐沉降，造成其流变特性降低。

为改善磁流变液材料易沉降的问题，研究学者在磁流变材料领域持续深耕，相继研制出磁流变脂、磁流变弹性体等材料。美国 Lord 公司 K・安德鲁・金茨等通过改变材料基液，以溶胶作为连续相的母液，将微米级的磁性颗粒均匀地分散到其中而研制出磁流变脂。相关实验验证磁流变脂未出现磁响应粒子沉降的现象，其黏度在常温下大于 1000cP[❶]，改善了磁流变液材料久置沉降缺陷。

❶ cP（厘泊）是动力黏度的最小单位，1cP=10^{-3}Pa・s。

Gordaninejad 等于 2007 年设计出磁流变脂离合器，提高了离合器的输出扭矩。Mohamad 等通过改变磁场等条件研究了羰基铁磁流变脂的流变特性，结果表明，在高剪切速率下，磁流变脂的动态屈服应力与 Bingham 塑性流变模型相当，磁流变效应较好。在国内，浙江大学祝长生通过实验验证了剪切型磁流变脂阻尼器可以充分发挥阻尼器的减振特性，较好地控制转子系统的振动影响。重庆大学廖昌荣和东南大学马涌泉分别设计出以磁流变脂为填充材料的阻尼器，在轨道交通和道桥减振领域进行了实验研究，在磁流变脂工程应用中取得一定的突破性成果。

1.1.3 磁流变材料的应用

磁流变液是一种智能材料，在磁场的作用下，可以改变自身状态。当磁流变液周围存在磁场时，磁流变液会由最初的液体状态改变成半固体状态，且改变程度大小与磁场大小有关，磁场强度越大，其固态效果越明显，磁场强度越小，固态效果就越不明显。磁流变液在液体状态和半固体状态具有不同的特性，自身参数也会随之改变，这种现象称为磁流变效应。

磁流变效应可以在毫秒之间完成，这就决定了磁流变液可以在多个领域发挥优势。同时磁流变效应可在较大范围内进行变化，因而受到诸多学者的关注。当磁流变液外部没有磁场时，铁磁颗粒在内部随机自由分布，当磁流变液周围存在一定强度的磁场时，内部铁磁颗粒会在磁场的作用下有序排列整齐，形成链状结构，从而使自身状态和性质发生改变，这说明了该材料具有良好的可控性，且这种控制过程具有反应迅速和可逆性等特点。

目前，磁流变材料应用较多的有磁流变液、磁流变弹性体、磁流变胶泥和磁流变脂等，结合磁流变材料设计的阻尼器应用在多个领域中，其中包括汽车悬架、汽车保险杠、汽车线控转向装置、汽车发动机等。

近年来，许多研究常用的磁流变材料是磁流变液，但随着研究的深入，发现磁流变液存在易泄漏、易沉降的缺陷，同时在复杂动力载荷作用下，当磁流变液减振器承受较大的瞬时冲击力作用时，对于系统的密封性提出了更高的要求。这种缺陷使得磁流变液很难适用于各种工况当中。

而磁流变脂呈胶体状态，不存在磁性颗粒在长时间静置中的沉降问题，不易发生沉降、板结现象，同时非液态状态的脂质材料也使得减振器的密封较为简便，可简化结构设计，有利于减振器的工程化应用。因此，设计新型磁流变脂缓冲装置，研究磁流变脂在复杂动力环境下的作用机理，对解决复杂动力学环境下减振缓冲问题意义重大且十分迫切。

磁流变脂是在磁流变液的基础上进一步研究配制而成的，在磁场的作用下，同样具有磁流变效应。与磁流变液相比，磁流变脂具有以下应用优势：

① 高抗沉降性和稳定性；

② 基于磁流变脂的减振器结构设计较为简单；

③ 剪切屈服应力较大。

图 1-1 为磁流变脂的制备流程。

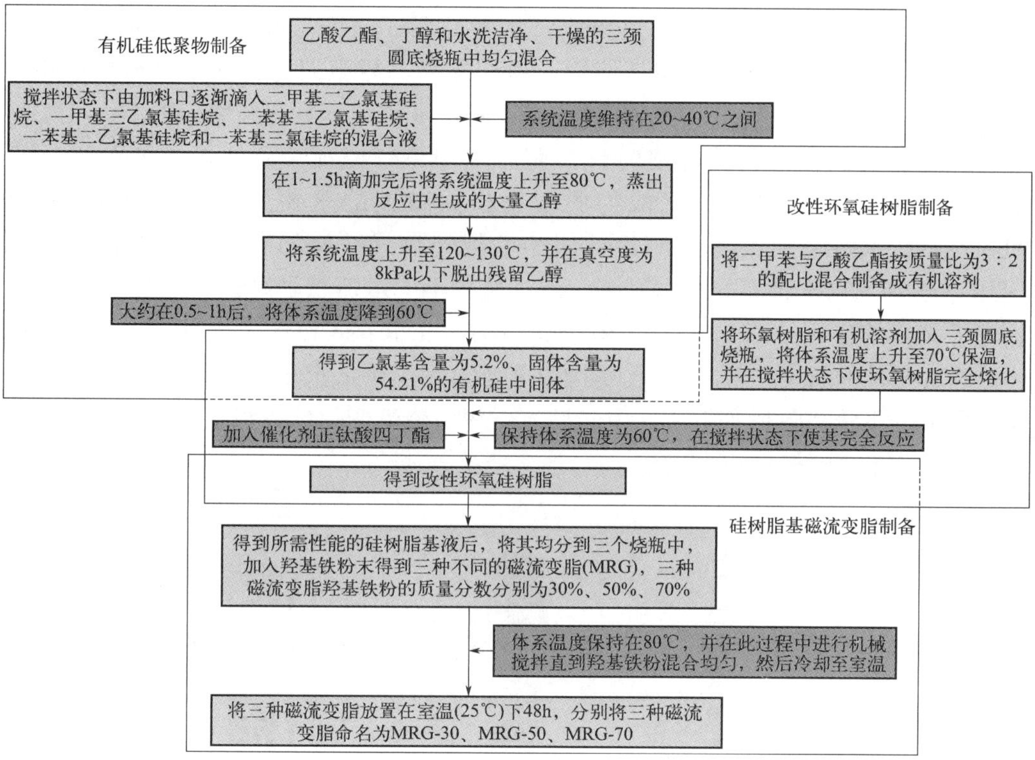

图 1-1 磁流变脂的制备流程

磁流变脂在静置一段时间后，并无明显的沉降现象，因此，磁流变脂相对于磁流变液更有利于工程上的应用。

在磁流变材料被发明后，国外多家公司迅速展开对磁流变材料的探索和实验，终于在 1998 年，美国 Lord 公司率先发明了一种新型的磁流变材料，该公司的 K·安德鲁·金茨等通过不断地努力与尝试，设计出了磁流变脂的原型——“海绵状体”磁流变材料，并在 2001 年 9 月申请了专利。其中指出，该磁流变脂主要由增稠剂（占总组合物的 30% ～ 90%）、磁响应粒子和载流体等材料组成，增稠剂由多种材料混合而成，磁响应粒子可以为铁、氧化铁、铁合金和钢等许多铁含量高于 95% 的材料，载流体即为矿物油、链烷烃油或其他混合物，其所组成的磁流变脂并未出现磁响应粒子沉降的现象，它的黏度在 25℃时大于 1000cP，很好地解决了磁流变液材料易沉降的问题。

2007 年，美国 Nevada 大学的 Gordaninejad、Barkan M.Kavlicoglu 等将磁流变

脂应用于离合器中，其输出扭矩比磁流变液高 75%。2008 年，印度的 Sukhwani 也展开了磁流变脂的探索，他对磁流变液刹车系统和磁流变脂刹车系统进行了比较，获得了一个重大的发现——磁场强度对两种类型磁流变材料的扭矩输出影响非常大，他提议将它们用在不同的领域。Byung O. Park 等研究了磁流变脂中的磁性颗粒分布情况，同时利用流变仪对它的流变特性进行了研究，得到了不同磁场范围下（0 ～ 342kA/m）磁流变脂的剪切应力、剪切黏度、屈服应力和弹性等材料性能参数，并得出结论：磁流变脂材料属性决定了其在零磁场下具有屈服应力。

得益于磁流变材料的流变特性，将磁流变液、磁流变脂、磁流变弹性体应用于扭振减振器的研制中已成为曲轴系扭振减振的重要方向。在国外，Ehab Abouobaia、Ramin Sedaghati 等设计出一款旋转盘式结构的磁流变液扭振减振器（图 1-2 所示）用于轴系的扭振减振，通过施加不同电流激励测试产生的阻尼力矩，验证了模型的优化策略。Ernesto Rocca、Riccardo Russo 设计了一种以磁流变弹性体为弹簧元件的新型扭转减振器（图 1-3 所示）用于降低汽车传动系统的扭转振动。该装置由主飞轮和阻尼盘组成，中间插入一些由磁流变弹性体组成的弹簧单元，在相对角位移下进行横向应力工作。

图 1-2 旋转盘式磁流变液扭振减振器

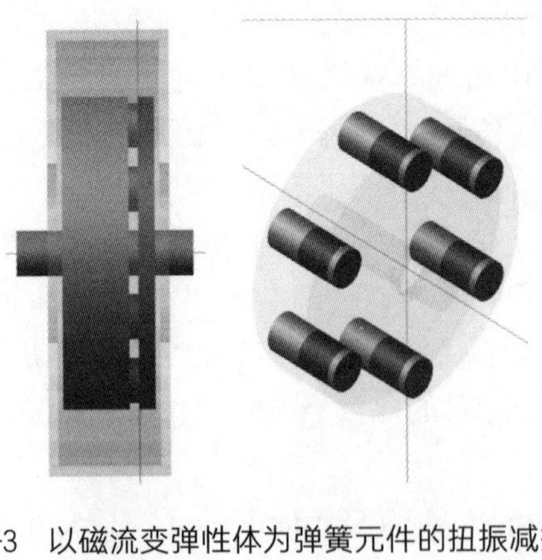

图 1-3 以磁流变弹性体为弹簧元件的扭振减振器

在国内，舒歌群、王斌等使用磁流变材料在曲轴系变阻尼扭振减振器方向上进行了大量探究，王斌设计了一款应用于柴油机曲轴减振的磁流变液扭振减振器，并且对比分析了采用传统硅油减振器和磁流变液扭振减振器对于轴系抑振效果的特性差异，得出后者性能更加优良。

毛阳、孙宁等为了改善传统双质量飞轮阻尼单一、摩擦过热等局限性问题，采用磁流变液设计出变阻尼的双质量飞轮用于传动系扭振隔振。张召振针对某六缸直列发动机曲轴进行扭振减振分析，对比定阻尼扭振减振器得出磁流变液扭振减振器能够达到变阻尼的效果，能够使轴系多个主谐次下的扭振明显降低。

潘成望、汪旭宏等针对传动系设计出一款磁流变变刚度变阻尼扭转减振器，如图 1-4 所示，通过弹簧机构与磁流变材料结合达到变刚度变阻尼半主动控制，经过传动系实验分析，验证了磁流变扭振减振器的变阻尼变刚度效应能够进一步降低传动系扭转振动。

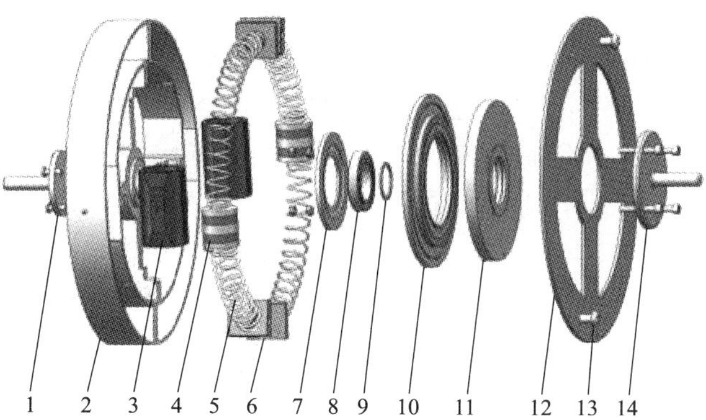

图 1-4　磁流变变刚度变阻尼扭转减振器结构

1—输入轴；2—壳体；3—缸筒；4—活塞；5—弹簧；6—弹簧连接块；
7—轴承卡盘；8—轴承；9—轴向挡圈；10—磁流变单元左盘体；
11—磁流变单元右盘体；12—盖板；13—螺钉；14—输出轴

张林、钟广顺分别使用磁流变液和磁流变脂设计出与传统硅油扭振减振器相结合的磁流变曲轴扭振减振器，同时提出了相应的结构设计方案与参数优化策略，在曲轴系多个谐次下的扭振中起到抑振作用。高普、刘辉、项昌乐等创新性地设计出采用磁流变弹性体的模块化扭振减振器，并将其应用于传动系统隔振与吸振中，其具体结构如图 1-5 所示。将扭转隔振模块和吸振模块组合成减振器安装到传动系统中，利用仿真及实验验证其优良的减振性能。

重庆大学廖昌荣等提出了基于磁流变橡胶与磁流变脂的自愈合密封装置及往复机构的新结构，并申请了专利。该发明解决了现有橡胶密封体因橡胶老化和磨损，以及磁密封体由于液体剪切强度低等因素产生密封间隙，导致密封失效和磁性液体泄漏的问题。利用膏状体的磁流变脂材料，使得自愈合密封装置的密封具有自愈合性，从而实现高压差、高运行速度的环境下的长期可靠的动密封。

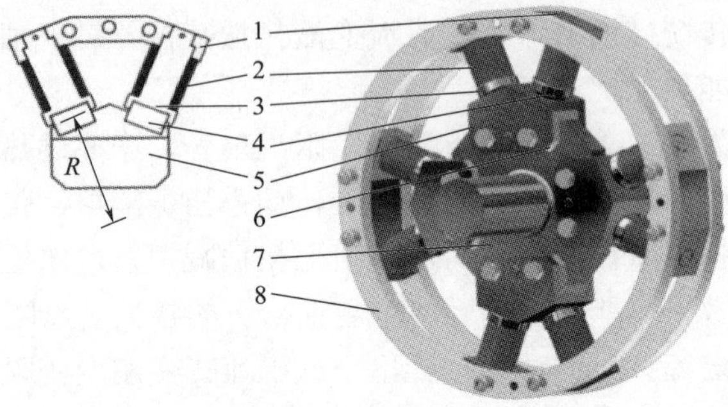

图 1-5 磁流变弹性体扭振减振器结构

1—上轭架；2—励磁线圈；3—铁芯；4—磁流变弹性体；
5—下轭架；6—磁阻板；7—连接盘；8—圆板

盛鹏程等设计了以无沉降的磁流变脂为工作介质的挤压式磁流变脂阻尼器，采用在同一振幅、不同频率激励条件下，对主控线圈输入电流与阻尼器输出阻尼力之间的宏观特性关系方面进行了试验及示功图分析。分析指出了磁流变脂阻尼器最大有效励磁电流和最大有效激振频率，以及示功图的变化规律，在激振频率 20Hz 以内示功图饱满，示功特性连续且稳定。

重庆交通大学闵峰等也设计了挤压式磁流变脂阻尼器并进行了示功特性试验，试验结果同样表明，在高频激振下（15 ～ 20Hz），示功曲线发生畸变，耗散能量无明显变化。而在同一激振频率下，随着电流增加，示功面积先增加后趋于稳定。

浙江大学的祝长生教授对剪切型磁流变脂阻尼器转子系统的动力特性进行了研究，他利用一个低压线圈产生磁场，并对磁流变脂阻尼器进行调控。结果表明，在选定的磁场条件下，剪切型磁流变脂阻尼器能够更好地抑制转子系统的振动。

重庆大学的何国田教授等对磁流变脂材料的机理进行了研究，建立了磁流变脂的剪切应力描述模型。他们根据羟基铁粉的浓度，构建了体心立方柱状模型，进而分析了磁流变脂的机理和特性，并根据模型分别介绍了剪切应力与磁场大小、相应粒子间的关系及零场下的剪切力，最后发现推论与实验结果相符。

胡志德等在磁流变脂的制备方面进行了大量研究，对稠化剂含量对磁流变脂的屈服应力、储能模量、损耗模量及磁流变效应的影响进行了研究。之后研究了具有阻尼功能的锂基磁流变脂的稳定性及流变性能，考察了制备工艺条件对其基本性能和流变性能的影响，以及在不同剪切速率下，磁场强度对磁流变脂剪切应力的影响。

从 2016 年到现在，有更多的院校投入到了对磁流变脂的研究之中，其中重庆交通大学、北京理工大学、武汉理工大学、上海交通大学、广州大学等都对磁流变脂进行了研究，主要集中在阻尼减振方面。现如今，除了对磁流变脂材料本身的研究和探索之外，对磁流变脂阻尼器的研究是最广泛的。有单独用磁流变脂设计结构的，也设计了许多复合型的阻尼器，另外也有将其延伸运用到冲击缓冲领域中的，将其设计为磁流变脂缓冲器等。

磁流变脂对阻尼方向上的控制研究在近些年也开始慢慢出现，如现在所发现的基于磁流变脂的半主动式阻尼器，使用了开关算法对磁流变脂的阻尼性能进行了参数优化，提高了其阻尼的控制效果。此外，北京理工大学实验室的常辉等对磁流变脂下的微型磁电发电机控制进行了研究，他们通过反馈式的电流对其线圈产生作用，从而产生磁场并控制磁流变脂的黏度，以此来达到控制电机转速的目的。

磁流变脂目前在逐步地被应用在减振行业之中，正如20世纪磁流变液慢慢出现在人们的视线范围之内一样，现如今其已经被广泛地研究和应用，磁流变脂也是如此，有着很好的应用前景和研究价值。

1.2 国内外磁流变技术的研究现状

1.2.1 磁流变缓冲装置的研究现状

磁流变装置在汽车悬架减振、桥梁斜拉索减振、座椅悬架减振、建筑隔振、发动机隔振，以及磁流变抛光等领域得到了广泛的研究与应用。这些应用领域有一个共同的特征，即磁流变装置的活塞头的最大运动速度都不高，也就是说，磁流变装置工作在“低速”状态。随着低速应用环境下磁流变技术的逐渐成熟，更多的专家和学者开始研究磁流变装置在冲击环境下的应用，即“磁流变缓冲装置”，其工作在冲击环境的“高速”状态下。磁流变缓冲装置主要应用于飞机起落架缓冲、建筑抗振、汽车碰撞缓冲等领域。

起落架是飞机着陆过程中吸收和耗散冲击能量的主要部件，必须耗散掉足够多的能量以便最小化机身上的动态应力来提高飞行员的操作稳定性与重要仪表的安全性。目前应用于起落架的缓冲装置主要采用被动吸能方式，这些装置的阻尼和刚度等特性参数是在特定的着陆设计条件下确定的，一旦飞机着陆条件偏离了设计条件，其缓冲性能很难满足要求。磁流变缓冲装置由于其阻尼连续可调、动态范围宽等优点，为实现系统刚度和阻尼自适应调节的缓冲装置提供了可能，受到了专家学者们的重视。

Khani 等着重研究了起落架系统搭载的磁流变冲击支架的建模与半主动控制方法，以便减弱动态载荷和着陆冲击对飞机起落架的损伤。将磁流变冲击支架与起落架系统集成建模为 2 自由度系统，并导出运动控制方程以模拟不同冲击条件下系统的动力学行为。Mikutowski 等针对飞机起落架的缓冲系统，设计了一款基于磁流变液的自适应冲击缓冲器。缓冲系统采用磁流变缓冲器与环形弹簧并联的结构来实现缓冲功能，并且使用了不同的控制策略。大量的落锤冲击试验结果显示，自适应磁流变缓冲系统较好地实现了对冲击能量的吸收作用。

磁流变缓冲装置在建筑物防震方面具有极为重要的应用前景。针对建筑结构抗震，Spencer 研制出了最大阻尼力为 200kN 的全尺寸磁流变阻尼器，并对磁流变阻尼器的特性进行了系统性的实验研究。2001 年，SanwaTekki 公司使用 Lord 公司生产的磁流变液研发出两台 300kN 磁流变阻尼器，并将其安装在东京博物馆中用于建筑防震，这是磁流变阻尼器首次在土木工程结构中应用。2003 年，SanwaTekki 开发的 400kN 磁流变阻尼器再次安装在日本庆应大学的住宅楼用于防震。

在汽车碰撞过程中，为了更好地保护乘客安全和减少财产损失，一些研究人员尝试在汽车碰撞缓冲装置中使用磁流变技术，目的是提高缓冲装置的吸能能力并具备自适应调节特性。

Browne 等主要研究了磁流变缓冲装置中一个最重要的关键问题，即验证这种装置在车辆碰撞的速度下是否具有可控性。在这项研究中，磁流变缓冲装置采用混合模式——剪切和流动模式，结果表明：在所测试的冲击速度范围内，磁流变缓冲装置的冲击力以及能量吸收能力皆依赖于所施加的磁场强度，因此磁流变缓冲装置在车辆碰撞速度下是可以响应磁场调节的。另外发现，磁流变缓冲装置的动态范围会随着冲击速度增大而减小，无场峰值力随着速度的增大而急剧增大。

Woo 等提出了一种适用于车辆可控保险杠系统的磁流变冲击阻尼器。Hu 等开发了一种磁流变能量吸收器为地面车辆的机组座椅提供合适的行程载荷，用来保护乘员免受冲击载荷的影响。

Delivorias 研究了磁流变液和电流变液在汽车碰撞方面的应用，得出磁流变液在汽车碰撞方面效果更佳。Khairul 结合磁流变阻尼器，设计了一种汽车碰撞保险杠装置，将磁流变阻尼器安装在保险杠中，可以有效地吸收碰撞产生的部分冲击，达到缓解冲击的效果。

在国内，重庆大学的董小闵教授等设计了一种活塞式汽车碰撞磁流变液缓冲器，并结合遗传算法对其进行了优化设计，优化后具有更好的磁路以及可以缩短磁流变的响应时间。屈贤等在此结构的基础上进行了碰撞仿真分析，结果显示，该磁流变液阻尼器可以有效降低碰撞对人的伤害，提高了汽车的安全性。丁飞耀进一步完成了对该磁流变液阻尼器的落锤冲击试验和控制研究。落锤试验表明，该磁流变液缓冲器具有良好的缓冲效果，通过仿真验证，使用 PI 控制和模糊控制都能使得该磁流变阻尼器达到良好的控制效果。付本元结合磁流变胶泥，设计了一种磁流变胶泥缓冲装置，利用波纹管的压缩使得磁流变胶泥流经阻尼通道，建立了力学模型，并通过试验验证了该模型的正确性和磁流变缓冲器在汽车碰撞方面的可行性。

虽然磁流变阻尼器得到了广泛的应用，但在汽车碰撞方面的研究还相对较少，基本集中在理论仿真方面，并且大都是基于磁流变液设计的阻尼器，对磁流变脂的研究还处于新的阶段。因此针对磁流变脂的优越性，结合汽车碰撞缓冲，开展对汽车碰撞磁流变脂缓冲装置的研究，具有重要的理论意义与工程应用价值。目前，磁流变阻尼器存在磁场利用率低和吸能方式单一等缺陷，再者，磁流变脂相比于磁流变液较为黏稠，如何结合磁流变脂材料设计适合汽车碰撞的磁流变缓冲装置是一个新的挑战，需要对结构进行全新的改进与研究，从而进一步提高其在工程应用方面的可行性。

1.2.2 磁流变阻尼器的研究现状

随着磁流变材料和控制技术的不断发展，磁流变材料越来越有利于工程上的应用。磁流变材料制成的阻尼器是一种性能优良的半主动控制装置，并且控制简单，只需控制电流大小即可控制磁流变阻尼器阻尼力大小，即使在失效的情况下也可看作被动器件，适合于多个领域，具有很强的可靠性和适用性。国内外学者对此进行了大量的研究。

在国外研究方面，美国 Ahmadian 尝试将磁流变阻尼器应用在火炮冲击方面，以此来缓冲火炮产生的冲击力，并对其进行了实验研究。实验结果表明，使用磁流变缓冲器可以有效减小火炮冲击力，且通入不同的电流，可以得到不同的后坐力，验证了磁流变缓冲器在火炮冲击方面的可控性和可行性。图 1-6 所示为磁流变阻尼器在火炮冲击方面的应用。

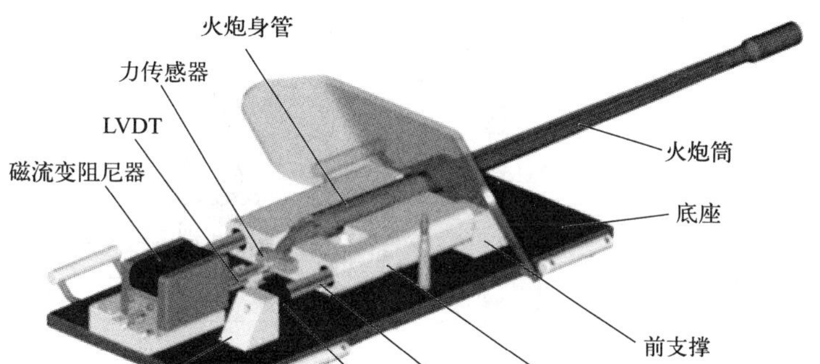

图 1-6 磁流变阻尼器在火炮冲击方面的应用

Mikutowski 等将磁流变阻尼器与飞机起落系统结合，设计出一款自适应磁流变阻尼器，用于缓冲飞机降落对人产生的冲击力。实验结果表明，通过多种落锤实验验证，该自适应磁流变缓冲器具有良好的吸能效果。

Urvesh Kabariya 等针对汽车悬架系统，运用磁流变技术开发了一种混合智能悬架系统，同时可完成能量采集，应用于轻量化电池以驱动汽车。该磁流变阻尼器的开发有助于提高清洁能源的收集，并可以提高未来电池驱动汽车的性能。

Strecker 等利用半主动控制算法对磁流变阻尼器控制时，发现其具有较长的时间延迟性。为了解决这个问题，他们研究了短时间响应的磁流变阻尼器设计方法和消除长时间响应问题的方法。结果表明，使用电流控制器和当活塞由铁氧体材料制成时，时间响应迅速改善。Spencer 等将磁流变阻尼器与建筑抗震系统相结合，采用多级线圈设计出高阻尼力的磁流变阻尼器，从而达到半主动控制效果，实验结果表明，该阻尼力最高可达 200kN，可满足工程上的使用。

磁流变阻尼器在半主动控制方面的优越性也吸引了国内诸多高校和学者的关注，其中包括西安交通大学、南京理工大学、哈尔滨工业大学以及武汉理工大学等。

西安交通大学王剑等基于神经网络对磁流变阻尼器进行力学建模，结合汽车悬架模型，采用杂交建模方式建立了磁流变悬架模型，并对其进行了仿真研究。结果表明：相比滞回模型，杂交建模方式计算量小、模型更加准确。吴莹等针对磁流变阻尼器具有非线性动力特性，难以准确建立阻尼器悬架模型的问题，采用数值方法研究磁流变阻尼器悬架模型，并进行仿真分析，该模型为磁流变阻尼器的车身振动控制提供了理论指导。孙清等研制了双出杆流动型磁流变阻尼器，如图 1-7 所示，并建立阻尼器非线性模型，能够反映磁流变的滞回特性，并通过实验验证了该模型的准确性。

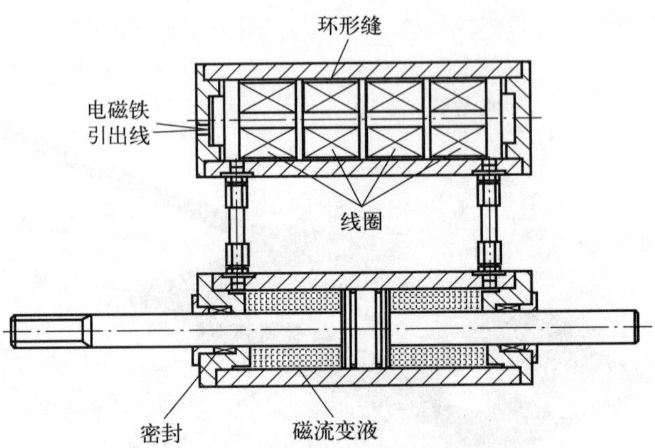

图 1-7 双出杆流动型磁流变阻尼器

南京理工大学宋春桃针对汽车座椅的舒适性，设计了适合汽车座椅的磁流变液阻尼器，并建立了数学模型。仿真结果表明，该磁流变液阻尼器减振效果良好，具有实用价值，可以改善座椅的动态特性，提高乘坐舒适性。马伟佳等针对磁流变弹性体进行了减振以及控制研究，并对其进行了实验分析。实验结果表明，在不同的激励下，磁流变弹性体具有良好的减振效果。侯保林等为了使磁流变阻尼器能够满足工程上的需要，达到实时控制的效果，设计了双通道磁流变阻尼器，如图 1-8 所示，并研究了各个环节的响应时间，建立了准确的时间响应模型。

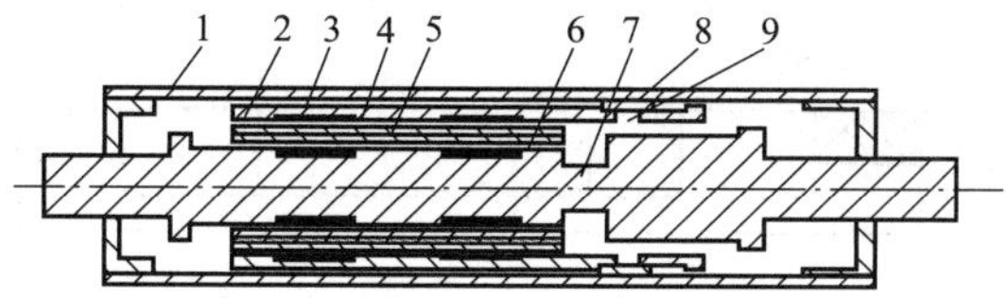

图 1-8 双通道磁流变阻尼器

1—外筒；2—软磁材料；3—线圈；4—外流道；5—隔磁环；6—内流道；7—活塞杆；8—活塞铜环；9—泄流口

哈尔滨工业大学的王洁为了提高直升机着陆的安全性，设计了直升机座椅的磁流变缓冲器，如图 1-9 所示，以软着陆为控制目标，分别比较 BangBang、PID 和模糊控制策略对磁流变缓冲器的控制效果。研究发现，模糊控制策略效果较好。申天宇将磁流变阻尼器与下假肢相结合，设计了剪切模式磁流变阻尼器，并对其进行了仿真研究。研究结果表明，磁流变阻尼器下假肢虚拟样机性能良好。董致臻等为了提高磁流变阻尼器力学模型的精准性，利用粒子群优化算法进行了多项式力学建模。研究表明，该模型相比于其他模型，误差有所降低，满足了工程上的需要。

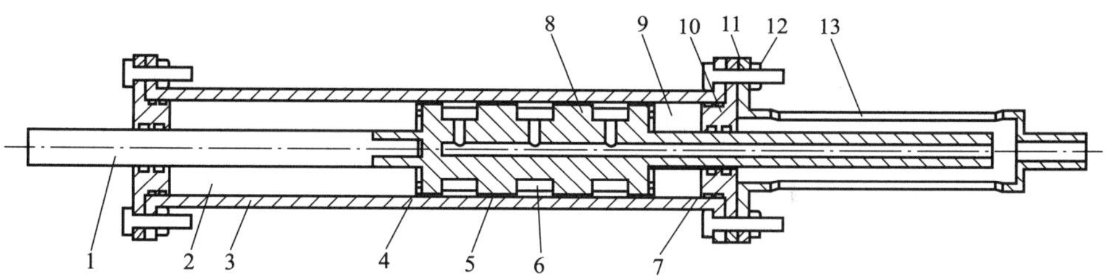

图 1-9 直升机座椅磁流变缓冲器

1—上活塞杆；2—左室；3—液压缸；4—活塞端盖；5—环形间隙；6—线圈；7—O 形环；8—活塞和下活塞杆；9—右室；10—密封盖；11—M6 螺栓；12—M6 螺母；13—缸基座

武汉理工大学在磁流变方面也有一定的研究，王贡献等以筒式磁流变液联轴器为研究对象，建立了多种参数的非线性动力学模型，为进一步研究磁流变阻尼器奠定了基础。张晓鹏针对磁流变液在高温情况下易失效的缺陷，对耐高温磁流变液进行了研究，通过分析温度对材料的影响，改变材料之间的配比，制备出耐高温的磁流变液，且具有良好的稳定性，为磁流变液在高速高温下的使用奠定了基础。

罗至机针对目前磁流变液阻尼器具有易泄漏的缺陷，基于磁流变脂材料，利用黏弹性材料和硫化固接技术设计了一种防泄漏磁流变脂阻尼器，如图 1-10 所示，分析了黏弹性材料和硫化固接技术对阻尼力的影响，通过实验验证了该结构具有良好的密封性。

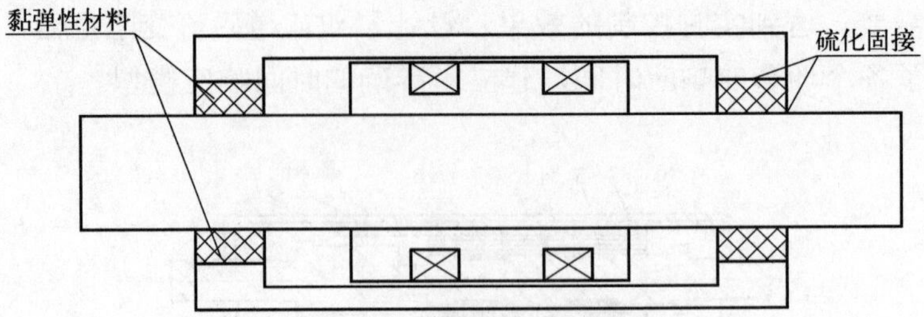

图 1-10 防泄漏磁流变脂阻尼器

第2章 磁流变相关理论

2.1 磁流变液的基本特性

磁流变液和形状记忆合金作为新型智能材料，能够自动感知外部的温度、磁场和应力场变化，并据此调整其性能。磁流变液由微米级铁磁性颗粒分散在基液中形成悬浮液，通常表现为牛顿流体特性。然而，当施加外部磁场时，磁流变液中会出现屈服应力，只有在剪切应力超过此屈服应力时，液体才会开始流动。其性能受到温度和磁场的显著影响。而形状记忆合金则能够响应外部刺激（如温度、应力和应变），主要通过热相变实现形状记忆效应和伪弹性。

20 世纪 40 年代，磁流变液的磁流变效应被美国研究者 Ranbinow 首次发现。当液体环境中没有磁场时，磁性颗粒物的分布具有随机性、无规律性，但在磁场作用下，磁性颗粒物的排列表现为有规则的线性链状结构，这个过程被称为磁流变效应，可在极短的时间内发生，且具备可逆性。

现阶段，国内外尚未出现公认的测试方法和评判标准来作为磁流变液性能的评价指标，但在一般情况下，表现良好的磁流变效应离不开液体剪切屈服应力的支撑，剪切屈服应力也因此被普遍认为是磁流变效应的力学基础。

图 2-1 为磁流变液的剪切应力响应剪切应变的变化规律。不难看出，当磁流变液从静止状态过渡到流动状态时，剪切应变不断发生变化，液体内部剪切应力状态也随之经历了三个主要阶段，即屈服前区、屈服区和屈服后区。随着剪切应变的增加，磁流变液的剪切应力最终会稳定在屈服后区。在同一剪切应变下，磁流变液所在环境的磁场强度越大，剪切屈服应力也相应增大。

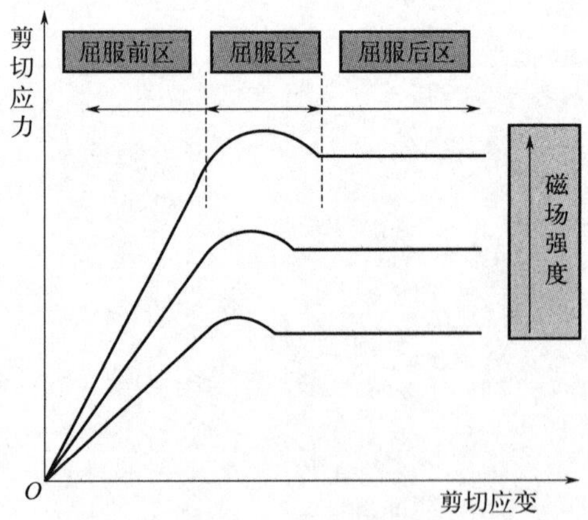

图 2-1 剪切应力与剪切应变的关系

在外部磁场的作用下，磁性颗粒的表面会发生极化，形成磁偶极子，并产生磁偶极矩。这些磁偶极子克服热运动的干扰，沿着磁场方向排列成链状或柱状结构。

随着外加磁场强度的增强，相邻粒子之间的吸引力增加，促使这些链状或柱状结构进一步聚集，形成复杂的团簇结构。这种微观结构的变化直接引起了磁流变液流变特性的显著变化。当磁场强度达到某一临界值时，磁偶极子之间的相互作用力超过热运动的影响，从而限制了磁化颗粒的热运动，此时，磁流变液展现出固体特性。

图 2-2 展示的是磁流变效应的零场状态和磁场中链化状态。当磁流变脂材料静置于磁场强度为零的常态空间中时，其内部磁性颗粒以悬浮状态在胶体中无序游离，可以在一定压力差的作用下自由流动；在特定方向施加的磁场空间中，磁流变脂材料在静置过程中，其内部的磁性颗粒以毫秒级的速率自发形成与磁场方向一致的链状结构，从而表现出固态特性，显著增加了空间中两极板间的黏滞力。

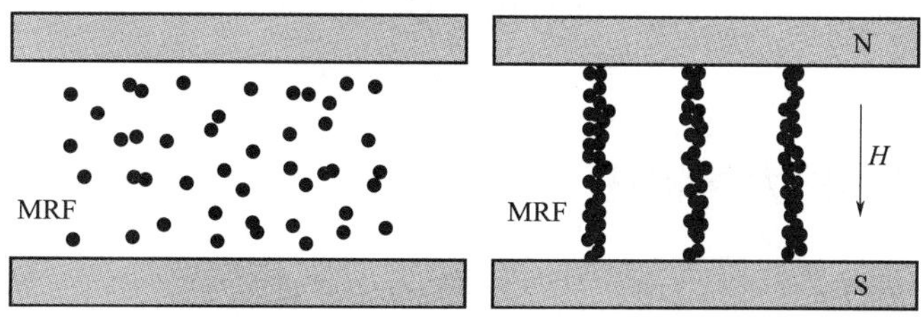

图 2-2　磁流变效应图示

此外，一旦磁场撤去，磁流变脂能在极短时间内解除固态链状结构，恢复到零磁场状态下的悬浮胶体状态。这种磁流变流体特性的转变，为通过调节磁场强度以调整极板间阻尼力提供了理论支持。

2.2　磁流变脂的基本特性

与磁流变液相比，磁流变脂（magnetorheological grease，MRG）的研究起步较晚，直到 1999 年才首次提出其概念。从上一节的知识可以看出，磁流变液作为最早被发现的基础磁流变材料，在零磁场条件下表现为自由流体。施加适当强度的磁场后，液体中的铁磁性微粒被磁化，形成相互吸引的链状结构，这种特性不仅使其在形态上发生显著变化，同时也大幅提升了其力学性能。

虽然磁流变液的化学成分在短时间内相对稳定，但在物理性质上存在一些局限。例如，长时间存放后，铁磁性颗粒可能因重力沉积，导致设备内部堵塞等问题。磁流变脂则是在磁流变液的基础上引入润滑脂作为基载液，润滑脂是一种高黏度的半固体材料，通常处于非液态状态。

图 2-3 展示了磁流变脂的微观结构示意图，其复杂的网状纤维结构能够有效支撑铁磁性颗粒，防止颗粒沉降和板结，从而解决了沉降问题。此外，呈现非液态的磁流变脂几乎不存在泄漏风险，且通过添加增稠剂、磁响应粒子和载流体等成分，

显著减缓了长期沉积带来的不利影响。

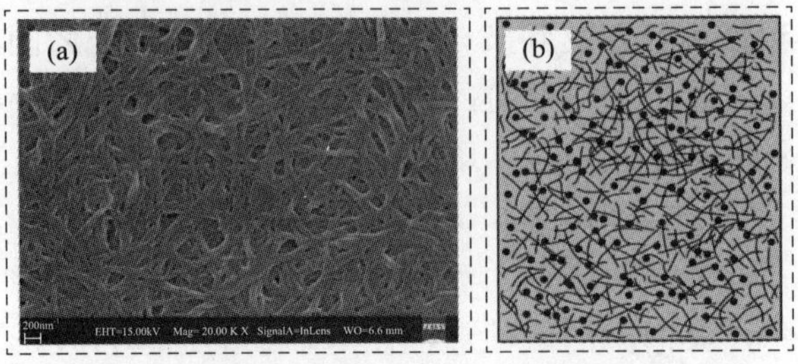

(a) 皂纤维结构骨架　　(b) 磁性颗粒分散情况

图 2-3　磁流变脂微观结构

2.2.1　磁流变脂的力学特性

当磁流变脂处于磁场环境中，磁流变脂的流变特性在忽略剪切稀化或稠化影响时，可以用 Bingham 模型进行描述。图 2-4 是牛顿流体与 Bingham 流体两种模型的关系示意图。

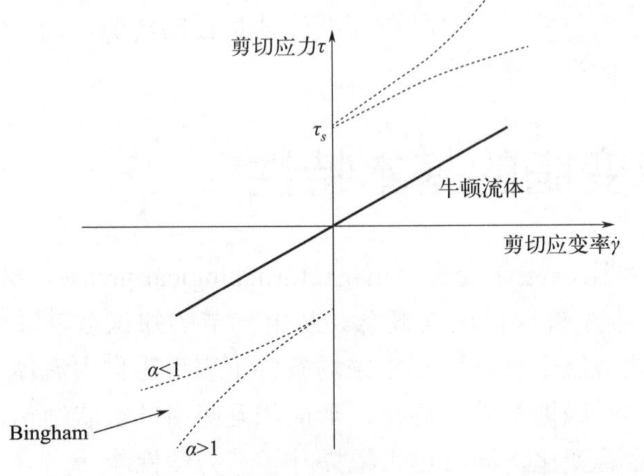

图 2-4　两种流体模型的关系示意图

对磁流变液施加磁场，当磁场处于关闭状态时，磁流变液为牛顿流体；打开磁场，当外加磁场越来越大时，磁流变液的黏度随之越来越大。当外加磁场达到一定程度时，磁流变液由液体变为固体，并且此时磁流变液不再随磁场的增大而发生变化。

这种特性可用 Bingham 模型表示。当剪切应变率为零时，表明此时磁流变液的屈服应力比剪切应力大；当屈服应力小于剪切应力时，磁流变液的剪切应变率可表示为：

$$\begin{cases} \tau = \tau_1(\boldsymbol{B})\operatorname{sgn}\gamma + \eta\gamma, & |\tau| \geqslant \tau_1(\boldsymbol{B}) \\ \gamma = 0, & |\tau| \leqslant \tau_1(\boldsymbol{B}) \end{cases}$$

式中，τ为剪切应力；$\boldsymbol{B}$为感应磁场强度；η为磁流变脂屈服后的黏度系数；$\tau_1(\boldsymbol{B})$为剪切屈服应力；γ为剪切速率。

当剪切应力大于剪切屈服应力时，磁流变脂发生流动，若为零场强情况，剪切力则与剪切速率成正比；当剪切应力小于屈服应力时，磁流变脂则呈现固态特性，剪切速率为零。

图 2-5 是剪切应力与磁场强度的关系，在磁场强度 0 ～ 0.4T 区间，剪切应力随磁场强度增加而增加，说明随着磁场强度的提升，磁流变脂的链状磁性颗粒之间的作用力逐步增强，所需剪断磁链的剪切力也不断增加。而当磁场强度超过 0.4T 后，磁流变脂的磁性颗粒逐渐趋于饱和，颗粒间作用力也趋于稳定，所需的剪切力也同步稳定。

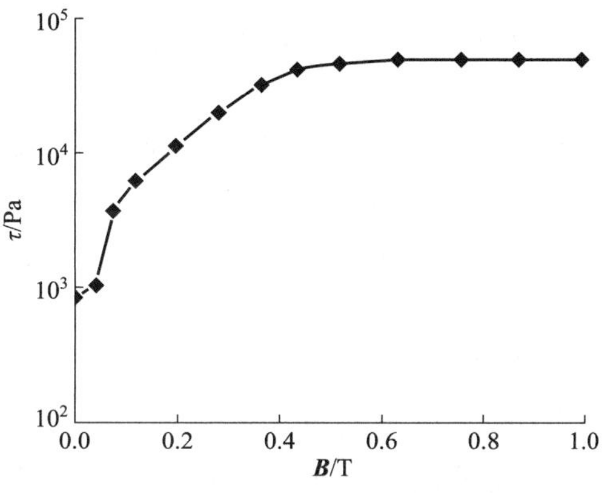

图 2-5　剪切应力与磁场强度的关系

2.2.2　磁流变脂的温度特性

温度对磁流变脂的影响体现在多个方面：温度升高通常会导致黏度降低，从而增强流动性，但这可能会减弱其承载能力。同时，屈服应力也会随之降低，使材料更易流动，这会对快速响应的应用方面产生影响。在高温条件下，颗粒的热运动增强可能导致颗粒分散，而在低温下则可能出现聚集现象，进一步影响流动性能。

（1）无磁场条件下磁流变脂的热流变特性

图 2-6 展示了在无磁场条件下，磁流变脂的剪切应力随温度和剪切速率变化

的曲线。可以看出，在 20℃时，基载液润滑脂的剪切应力高于磁性颗粒质量分数为 30% 的磁流变脂，这表明添加磁性颗粒会稀释原有胶体结构，导致剪切应力降低。

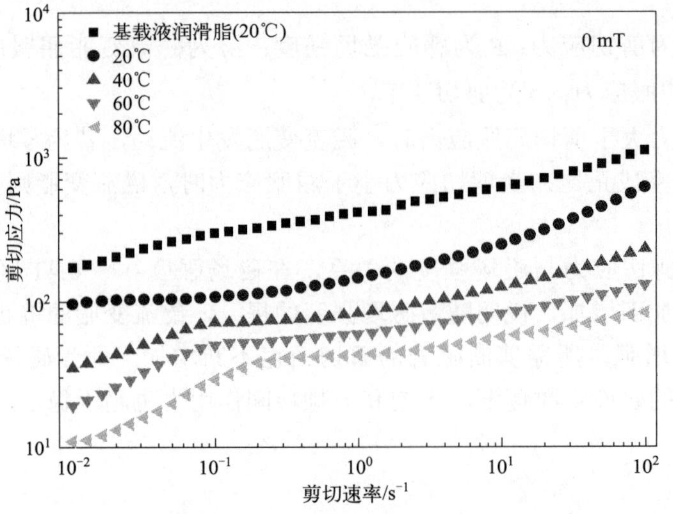

图 2-6 温度和剪切速率对磁流变脂剪切应力的影响

在测试过程中，随着剪切速率的逐步增加，磁流变脂在各温度条件下的剪切应力呈非线性增大趋势。在低剪切速率下，磁流变脂表现出明显的剪切屈服现象。在屈服现象出现之前，材料主要以弹性变形为主，而在屈服后则转为黏性流动。

此外，在无磁场条件下，随着温度升高，磁流变脂的流动曲线逐渐降低。图 2-7 显示了磁流变脂的表观黏度随温度和剪切速率变化的曲线，表明其具有明显的剪切稀化现象。这主要是因为在无磁场的情况下，磁流变脂的流变特性主要受基载液润滑脂的影响。剪切作用使润滑脂的皂纤维结构发生重新排列，从而改变剪切应力与剪切速率之间的关系，出现剪切稀化特性。

此外，润滑脂的皂纤维结构在加热时会发生解缠，尤其在高温下，这一现象会导致润滑脂的流动阻力降低。为进一步探讨温度对磁流变脂流变特性的影响，下面将结合黏弹性特性试验进行分析。

图 2-8 给出了不同温度下磁流变脂和基载液润滑脂的黏弹特性曲线。润滑脂在剪切作用下，既存在弹性变形，也存在黏性流动。在小振幅振荡剪切过程中，储能模量（G'）是润滑脂发生弹性变形所储存的能量，损耗模量（G''）则是因为黏性流动而消耗的能量。各温度下磁流变脂储能模量均高于损耗模量，这说明在该温度范围内磁流变脂呈现出固体不流动特性。储能模量和损耗模量随温度升高而降低，表明基载液润滑脂的皂纤维缠结程度随温度上升而逐渐降低。

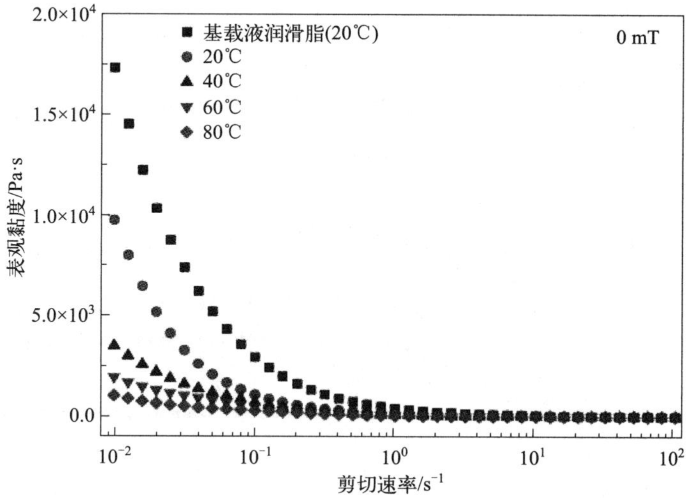

图 2-7 温度和剪切速率对磁流变脂表观黏度的影响

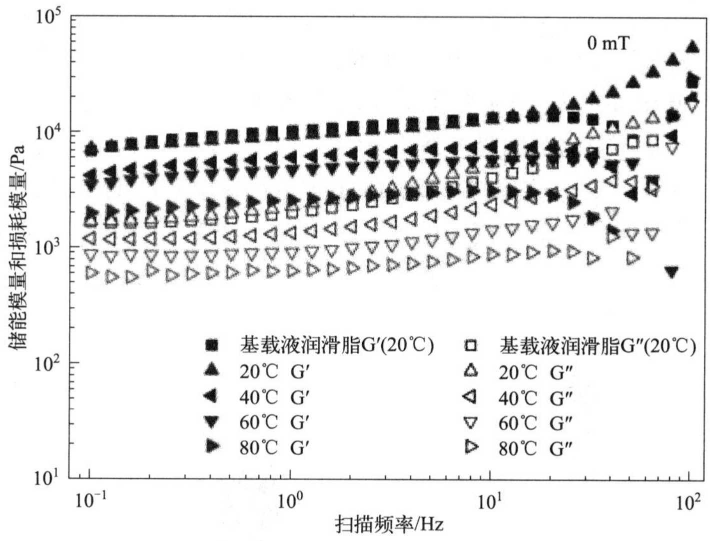

图 2-8 温度在无磁场条件下对磁流变脂黏弹特性的影响

（2）无磁场条件下磁流变脂的热流变特性

图 2-9 给出了磁流变脂剪切应力随温度和磁场强度的变化规律。由该图可见，随着磁场强度增强，剪切应力逐渐增加至最大值后保持不变。磁性颗粒在磁场作用下，受磁场牵引沿着磁场方向形成磁链。磁场强度越强，磁性颗粒成链数目越多，并最终达到饱和。基载液润滑脂在恒定剪切速率（$10s^{-1}$）下的剪切应力基本保持不变。

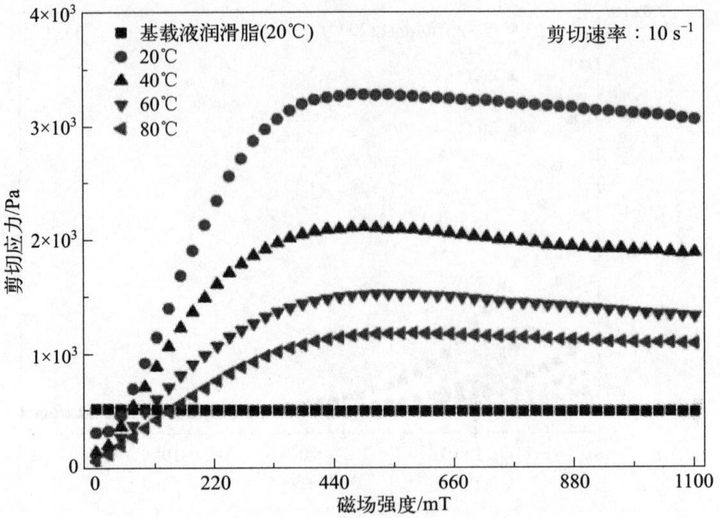

图 2-9 不同温度下磁流变脂的磁场扫描曲线

随着温度上升，磁流变脂的剪切应力会逐渐减小，但各温度下磁流变脂的最大剪切应力均出现在磁场强度为 440mT（饱和磁场强度）左右。在饱和磁场强度下，温度由 20℃上升至 40℃时磁流变脂剪切应力迅速下降，而随温度进一步上升，磁流变脂剪切应力下降的幅度明显放缓。

图 2-10 给出了无磁场条件和饱和磁场强度下磁流变脂的剪切应力。由该图可见，无论磁场是否存在，磁流变脂的剪切应力均会随温度的升高而降低，并且饱和磁场强度下磁流变脂剪切应力下降幅度较为明显。

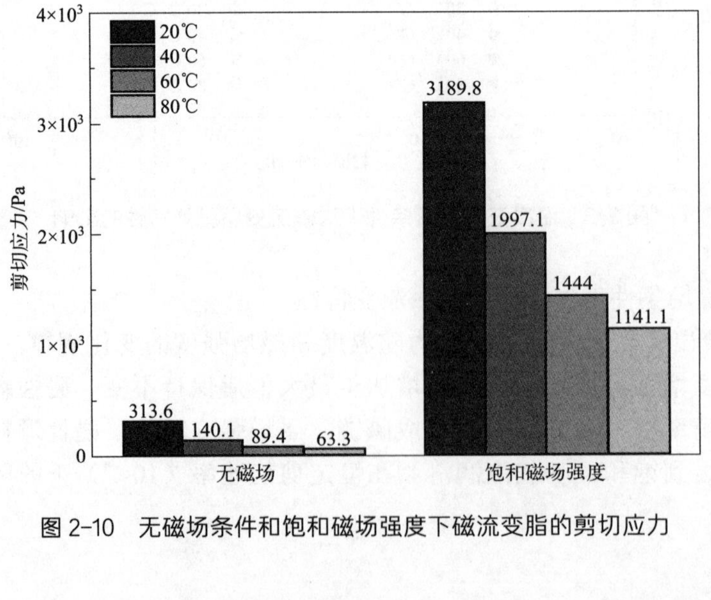

图 2-10 无磁场条件和饱和磁场强度下磁流变脂的剪切应力

尤其是温度由 20℃上升至 40℃阶段，剪切应力在该阶段的下降幅度甚至是无磁场条件下和温度为 20℃时磁流变脂对应剪切应力的 3.81 倍。这说明，温度对磁流变脂流变特性的影响不仅体现在对基载液的影响上，还会使得磁流变脂结构强度整体出现显著降低。剪切应力越大意味着磁流变脂在工作过程中可提供的阻尼力越大。

2.3　磁流变材料的工作模式

磁流变材料被广泛应用于减振器、主动悬挂系统和智能阻尼器等领域。这些应用利用材料的工作模式，使其能够在不同工况下达到最佳性能，从而提升系统的舒适性和安全性。本节将以磁流变脂缓冲器为例，探讨磁流变材料的工作模式。

磁流变缓冲器都是基于以下三种基本模式设计的：流动模式、剪切模式、挤压模式。磁流变流体的工作模式如图 2-11 所示。

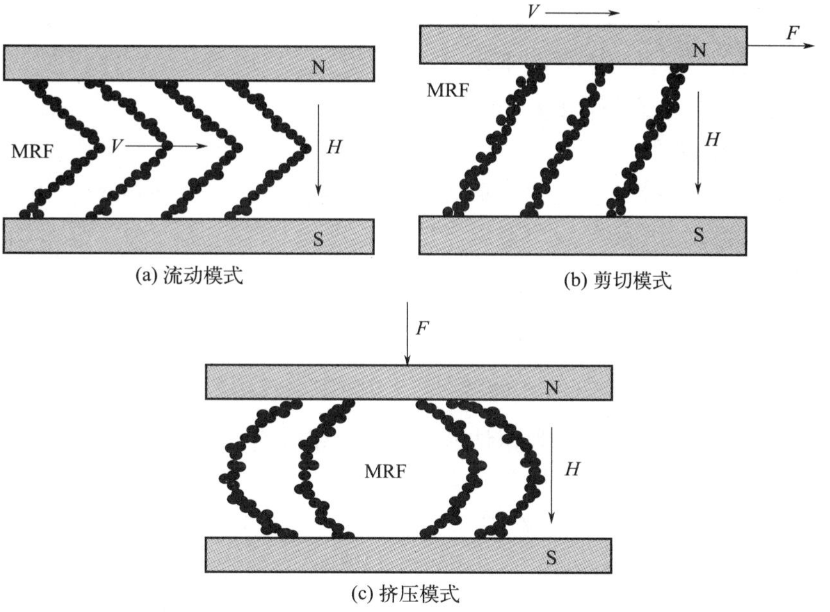

图 2-11　磁流变材料的三种工作模式

流动模式如图 2-11（a）所示，在外部压力的作用下，磁流变材料由于压差的作用被迫通过阻尼通道，磁场垂直穿过阻尼通道时，阻尼通道内的磁流变材料会因为磁场的作用改变自身黏度，从而产生较大阻尼力。

剪切模式如图 2-11（b）所示，磁流变材料存在于两个极板之间，其中一个极板对于另一个极板产生相对运动，从而使得磁流变材料产生剪切力，在磁场的作用下，可以控制剪切力的大小，在旋转阻尼器中使用较多。

挤压模式如图 2-11（c）所示，磁流变材料同样存在于上极板和下极板中间，当上极板或下极板受到外界压力作用时，两板之间发生相对位移，从而会挤压磁流变液，使得磁流变液向两端移动，该工作模式发生的相对位移较小，只适用于小位移的工程应用。

综上所述，磁流变材料在不同工作模式下展现出灵活的应用潜力。流动模式通过调整黏度产生有效的阻尼力，适应各种外部压力；剪切模式允许精确控制剪切力，广泛应用于旋转阻尼器；而挤压模式则适用于小位移工程应用，充分利用材料在极板间的挤压特性。这些工作模式的多样性使磁流变材料在减振和阻尼系统中具备显著的优势。

2.4 磁流变材料的相关力学模型

由于磁流变脂的流变机理尚未被研究明确，且其应力-应变关系极为复杂，流变后动态本构关系难以描述，因此难以建立精确的动力学模型。无数专家学者做了大量的研究工作，提出了许多动力学模型，如 Bingham 塑性模型、Herschel-Bulkley 模型、双黏度模型、Eyring 模型等。

（1）Bingham 模型

Bingham 模型是最早被提出的磁流变脂本构模型，它由 Bingham 在 1922 年提出，Bingham 模型简洁且有效，被广泛应用于理论与工程实际中，其本构方程表达式为：

$$\begin{cases} \gamma = 0, & |\tau| < \tau_y \\ \tau = \operatorname{sgn}(\gamma)\tau_y + \eta\gamma, & |\tau| \geqslant \tau_y \end{cases}$$

式中，γ 为剪切应变率；τ 为剪切应力；τ_y 为屈服剪切应力；η 为流体动力黏度。

（2）Herschel-Bulkley 模型

Herschel-Bulkley 模型在强磁场与高速情况下，磁流变脂会发生剪切稀化现象，Herschel 和 Bulkley 据此便提出了该模型用以描述磁流变脂产生屈服流动过程中的剪切稀化-稠化效应。Herschel-Bulkley 模型被广泛应用于描述高浓度流体或高速工况下流体的流变性质，其本构方程表达式为：

$$\begin{cases} \gamma = 0, & |\tau| < \tau_y \\ \tau = \operatorname{sgn}(\gamma)\tau_y + K(\gamma)^n, & |\tau| \geqslant \tau_y \end{cases} \tag{2-1}$$

式中，K、n 均为磁流变脂与磁场相关的流变参数。当 n=1 时，该本构模型退化为 Bingham 模型；当 $n > 1$ 时，表明流体黏度随剪切率增大而减小，可以描述为磁流变脂的剪切稠化效应；反之，当 $n < 1$ 时，可表示为磁流变脂的剪切稀化效应。

（3）双黏度模型

Bingham 模型与 Herschel-Bulkley 模型虽然简化了计算而简洁易用，却忽视了流体屈服前区的流体特性，使其无法完整地表达磁流变脂应力应变过程。双黏度模型扩展了 Bingham 模型，对磁流变脂低速情况下的本构关系进行了完整的描述，其本构方程表达式为：

$$\begin{cases}\tau=\eta_1\gamma & ,|\tau|<\tau_y\\ \tau=\operatorname{sgn}(\gamma)\tau_b+\eta\gamma, & |\tau|\geqslant\tau_y\end{cases}\tag{2-2}$$

式中，η_1 与 η 分别为磁流变脂屈服前后黏度，η_1 远大于 η，通常屈服前后两区域的黏度系数有两个以上数量级的差别。τ_b 与 τ_y 满足以下关系式：

$$\tau_b=\tau_y(1-\frac{\eta}{\eta_1})\tag{2-3}$$

（4）Eyring 模型

从上述模型中可以看出，Bingham 模型无法表示磁流变脂屈服前区的本构关系，而双黏度模型屈服前后存在突变现象，它们都无法准确描述磁流变脂的流变行为。而基于反双曲正弦函数的 Eyring 模型则有效地解决了屈服前区与屈服区磁流变脂黏度无法圆滑过渡的问题。其本构方程表达式为：

$$\tau=\frac{1}{K(B)}\operatorname{ar\,sinh}\frac{\gamma}{\xi(B)}\tag{2-4}$$

式中，$K(B)$ 与 $\xi(B)$ 均为磁流变脂流变特性参数。

第3章 磁流变技术在线控转向系统中的应用

3.1　转向系统的工作原理

3.1.1　线控转向系统结构原理

转向系统的作用是将驾驶员的转向意愿传递到轮胎，从而使汽车改变方向。驾驶员直接操纵的部件称为转向盘，它的旋转运动通过转向轴传递至转向器，变为往复运动，这个往复运动再通过转向横拉杆和转向器传递至轮胎。

转向盘与转向柱相连，因此当驾驶人转动转向盘时，转向柱便跟着转动。通过转向节和转向中间轴，转向力矩传递至转向器的输入轴。输入轴的转动被齿轮齿条式转向器转换为往复运动或直线运动，推动或拉动转向杆系及转向节，使转向轮（前轮）偏转一定角度。

液压转向器连接到车辆的液压系统，该系统由液压泵、液压油箱和液压管路组成。液压泵通过发动机带动，从油箱中抽取液压油，并将其压力增加以供应给转向器。当驾驶员转动转向盘时，转向器会感应到这一动作。

转向系统结构简图如图 3-1 所示，机械转向系统和动力转向系统是传统转向系统的两大重要分支。其中，操纵机构直接与驾驶者接触，并将驾驶者的输入指令传达给转向器。转向器的内部由一组齿轮机构组成，这组齿轮将操纵机构传递来的旋转运动转变成简单的直线运动或者近似直线运动，同时转向器也能起到减速传动的重要作用。

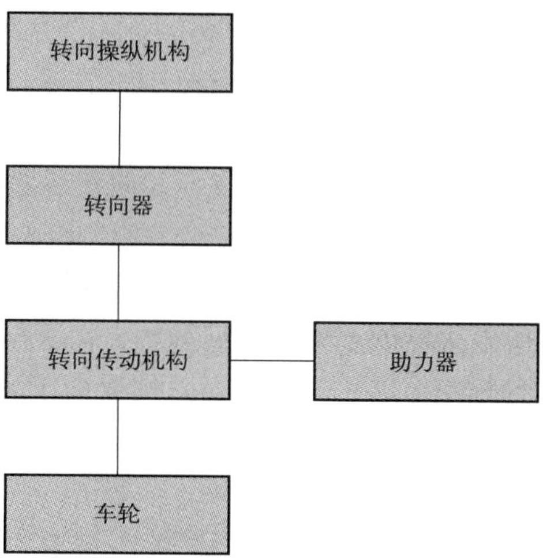

图 3-1　转向系统结构简图

传动机构接收转向器所传递的指令并传递给转向节，使两侧转向轮发生偏转，最终得到理想的两个转向轮的偏转角。汽车在转向的时候，为保证行驶安全，相对滑动要尽可能地小。助力器是用于帮助驾驶员做汽车行驶方向调整的装置，为驾驶员减轻一定的打转向盘的作用力，不仅在减轻驾驶员的疲劳强度方面起到一定作用，而且还在汽车行驶过程中的安全性和经济性上也起到了一定的保障作用。

3.1.2 线控转向系统的应用现状

国外学者们主要是在机械结构和控制上进行研究与实验。2002年，法国雷洛公司的研究员们采用LQ（linear quadratic control）与PD（proportional-derivative control）两种控制来对线控转向系统进行控制研究，并验证其稳定性。

德国学者Kasselmann等通过导线连接转向盘与转向前轮，但是由于当时环境的制约，在实车上一直无法实现。Ahmet Kirli等设计出了一种基于最佳转向感觉的转向模型，并对其进行了测试，效果显著。Craig E. Beal研究了地面摩擦对轮胎的作用，并进行了实验研究。

日本的Koyo研究所研究出了一种离合器，当线控转向系统正常工作时，离合器不动，当线控转向系统发生控制失败时，使用离合器，从而恢复到机械传动，增加安全性。学者们运用几种滑模控制与终端滑模控制的方法，从而建立起基于滑模的控制器，来控制线控转向系统的前轮转角或路感装置。

澳大利亚伍伦贡大学的彭翟等在线控转向系统（SBW）中运用变传动比的控制，实现路感力矩的反馈。学者们针对前轮转角开发了一种优化控制算法，来提高汽车行驶时的稳定性与可靠性。

学者Salem Haggag等在伊利诺伊大学中搭建了SBW系统的试验平台，并对容错机构进行了研究。Kasselmarnn和Keranen等研究出了一种利用横摆角速度反馈来控制SBW系统的主动转向的方法，并在试验中进行验证，得出在该种方法下，汽车稳定性显著提高。

在国外学者的研究中，大部分都是基于线控转向系统的控制器方面的研究，并优化以前的控制器使其反应更加快速、可靠。有些学者则设计出一种新的转向感觉，并优于之前的线控转向系统等，对线控转向系统的机构优化设计较少。

在国内，南京航空航天大学的王春燕、柯登等提出了一种运用在SBW系统中的综合鲁棒控制器，此种控制器能更好地且有效地提高车辆行驶时的操纵稳定性。辽宁工业大学的程艳硕士研究出了一种控制策略与控制器，并将其运用在SBW系统中，实验表明系统中的稳定性增强。

南京航空航天大学的周栋等对前轮转角控制以及稳定性控制等关键问题展开研究。南京航空航天大学的谷霄月硕士采用柔性连接来改善传统转向系统中的力与位移耦合之间的问题。

哈尔滨工业大学的刘培文等研究出了一种抑制在转向过程中的干扰同时提升转角跟踪性能的方法。辽宁工业大学的石晶教授提出可变转向角传动比的概念并提出了针对不同的优化方法对横摆角速度增益值进行优化分析，从而最终确定出较为理想的可变传动比的计算方法。

2010 年，同济大学首次用电子转向系统代替传统机械轴并成功研制出了国内首辆装备电子转向系统的概念车“春晖三号”，其结构简单，驾驶安全，高效节能。北方工业大学的王海岚建立基于 ADAMS 的线控转向系统模型，并建立 SBW 系统的硬件在环试验台并进行分析。中国的学者们主要偏向于应用这方面，做出实物进行分析。

3.2 线控转向系统的力反馈

3.2.1 转向盘力矩的数学模型

目前，现有的线控转向系统都是由路感电机匹配指定的减速机构共同工作来模拟汽车行驶时路面的即时路感。由于其组合结构比较庞大、复杂，所以其占用空间比较大，存在不可避免的冲击、耗能较高以及电机安全隐患等不足。将旋转磁流变阻尼器应用在线控转向系统的假设被提出，由阻尼器通入电流的强弱无级调节阻尼器产生力矩的大小，实时阻碍转向盘，为驾驶者提供合适的路感。图 3-2 是以阻尼器为力反馈装置的线控转向系统简图，它主要由转向盘、转向轴、力矩转角传感器、力反馈装置、主控制器以及回正装置组成。

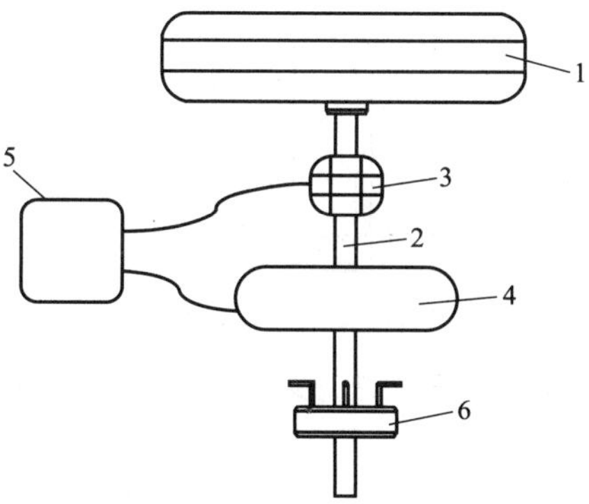

图 3-2 基于阻尼器的线控转向系统简图

1—转向盘；2—转向轴；3—力矩转角传感器；4—力反馈装置；5—主控制器；6—回正装置

力反馈装置是路感获取的关键一环，其作为整个系统的重要组成部分，是本节的主要研究对象。图 3-3、图 3-4 是常见的力反馈装置的具体结构，磁流变液充满于转子和装置的外壳的间隙（即工作间隙）之中。

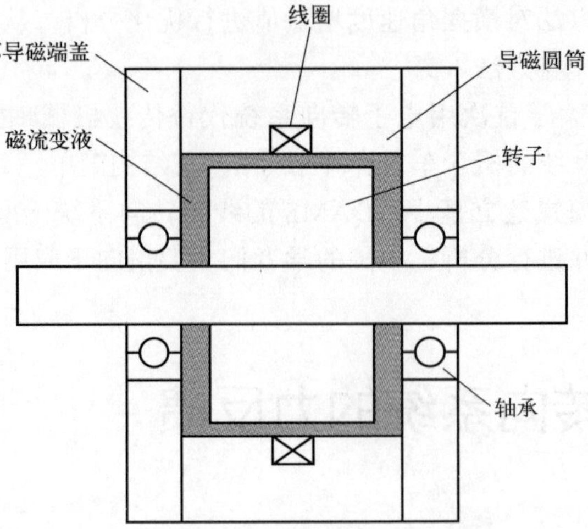

图 3-3 筒式磁流变阻尼器的工作原理

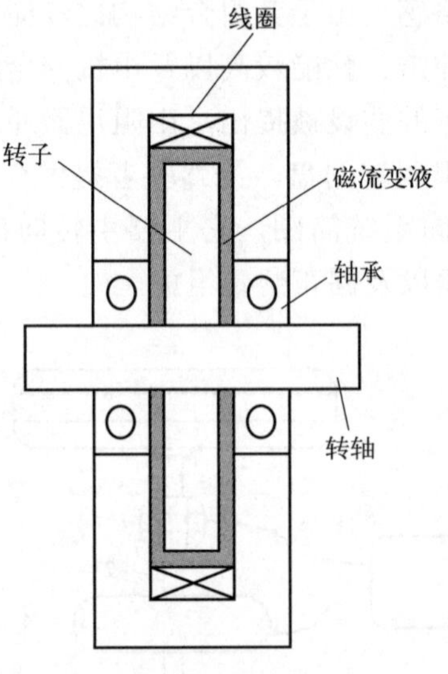

图 3-4 盘式磁流变阻尼器的工作原理

系统需要提供路感时，导线通电为装置内的线圈施加电流，线圈产生一定的电磁场。由于装置内部结构的导磁材料以及不导磁材料的引导，磁感线基本垂直于工作间隙分布。控制通入电流的强弱改变线圈产生的磁场强弱，这种变化作用于磁流变液使得其黏度发生变化，最终改变力反馈装置输出给驾驶者的阻尼力矩，实时反馈给驾驶者汽车的行驶状态以及路况信息。

当前，现有的旋转磁流变阻尼器由于其选定的工作模式，普遍存在提供的阻尼力矩偏小且力矩的密度不理想等问题。

无论汽车在哪种工况下，只要驾驶员对汽车的转向盘进行相应的操作，首先都要克服作用在汽车转向盘上的回正力矩、摩擦力矩等阻力矩。在传统机械转向系统中，路面与轮胎之间相互作用生成的回正力矩经过机械传递最终使车轮回正。由于机械转向系统的受力主体不一样，回正力矩又可分为以下三种：第一种是转向过程中轮胎与地面作用产生的力矩；第二种是转向车轮的自身参数产生的力矩；第三种是转向系本身属性引起的力矩。摩擦力矩又可分为以下两种：第一种是由内部运动而产生的摩擦力矩；第二种是汽车不运动，转动转向盘，此时车轮做转向运动，轮胎只受滑动摩擦力，产生的力矩被称为静态转向力矩。

路感简单来说就是驾驶员在操作转向盘时需要克服的相应阻力矩，主要由回正力矩以及摩擦力矩作用的相应阻力矩组成。轮胎的回正力矩由路面和前轮的相互作用所产生的相应轮胎力和拖距决定；前轮的定位产生的回正力矩的大小，由前轮的主销定位角以及相应的轮胎力决定；摩擦力矩是由连接的各部分部件间相互摩擦作用所产生的相应力矩。若车辆行驶在较差的路面时，摩擦力矩又可以减少驾驶员感应到的路面产生的干扰。故在研究机械转向系统的力反馈性能时，要先以轮胎的拖距以及主销的后倾拖距为研究对象，分析它们作用在转向盘上的回正力矩。图 3-5 所示为汽车转向时前轮的结构简图，其中，p_1、p_2 分别是主销后倾拖距的数值以及轮胎拖距的数值，则可得力矩的表达式为：

$$M_L^* = (F_{yVl} + F_{yVr})(p_1 + p_2) \tag{3-1}$$

式中，F_{yVl} 为作用在汽车左前轮上的一个侧向力；F_{yVr} 为作用在汽车右前轮上的一个侧向力。

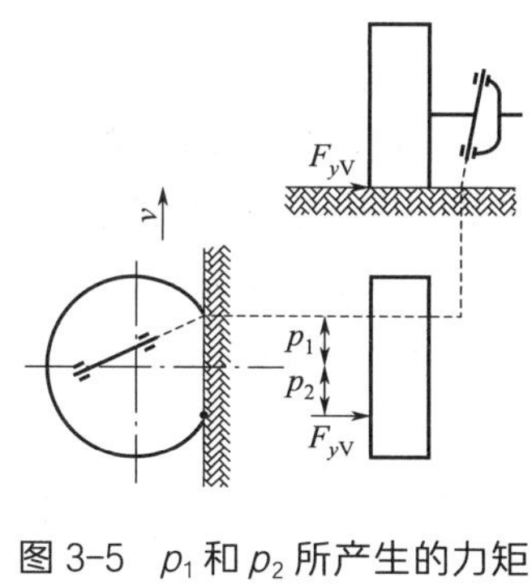

图 3-5 p_1 和 p_2 所产生的力矩

一般来说，力矩 M_L^* 数值等于转向盘所受的力矩 M_L 和汽车转向系统中所有转向传动部件传动比的总和 i_L 的积，如果使用了助力器，还要再乘以 V_L，最后的乘积值应该与 M_L^* 的数值相等，即：

$$M_L = \frac{M_L^*}{i_L V_L} \tag{3-2}$$

因为在汽车转向的过程中，地面作用在轮胎上的侧向力与汽车转向时汽车所受的离心力是作用力与反作用力的关系，大小相等，方向相反。通常以计算汽车所受的离心力来代替计算地面作用在轮胎上的侧向力，即地面作用在轮胎上的侧向力可表示为：

$$F_{y\mathrm{V}}=\frac{mv^2}{R}\times\frac{l_{\mathrm{H}}}{l} \tag{3-3}$$

式中，R 为汽车转弯的半径；m 为汽车的质量总和；v 为汽车的速度；l_{H} 为汽车质心与其后轴的距离；l 为轴距的大小。

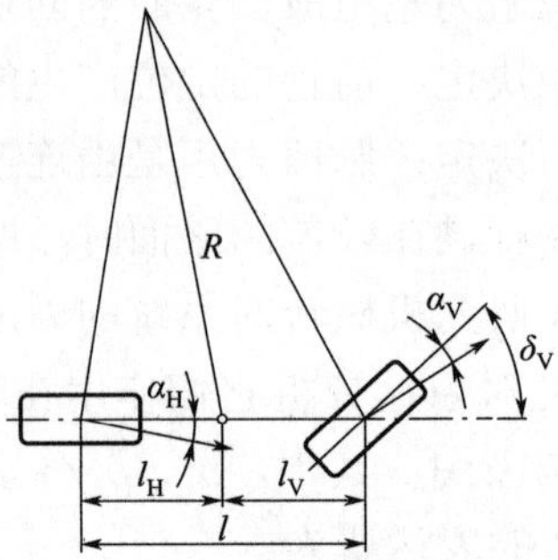

图 3-6 相关结构的具体示意图

选取某款汽车的主要结构参数如图 3-6 所示，即可得知：

$$R=\frac{l}{\delta_{\mathrm{V}}-(\alpha_{\mathrm{V}}-\alpha_{\mathrm{H}})} \tag{3-4}$$

式中，δ_{V} 为前轮转角；α_{V} 为前轮侧偏角；α_{H} 为后轮侧偏角。

若所选汽车轮胎的 c_α 为常量，则计算式可表达为：

$$F_y=c_\alpha\alpha \tag{3-5}$$

式中，c_α 为侧偏刚度；α 为侧偏角。则：

$$\alpha_{\mathrm{V}}=\frac{F_{y\mathrm{V}}}{c_{\alpha\mathrm{V}}}=\frac{1}{c_{\alpha\mathrm{V}}}\times\frac{mv^2}{R}\times\frac{l_{\mathrm{H}}}{l} \tag{3-6}$$

$$\alpha_{\mathrm{H}}=\frac{F_{y\mathrm{H}}}{c_{\alpha\mathrm{H}}}=\frac{1}{c_{\alpha\mathrm{H}}}\times\frac{mv^2}{R}\times\frac{l_{\mathrm{V}}}{l} \tag{3-7}$$

所以前、后轮 α 的差值为：

$$\alpha_{\mathrm{V}}-\alpha_{\mathrm{H}}=\frac{c_{\alpha\mathrm{H}}l_{\mathrm{H}}-c_{\alpha\mathrm{V}}l_{\mathrm{V}}}{c_{\alpha\mathrm{H}}c_{\alpha\mathrm{V}}l}m\frac{v^2}{R} \tag{3-8}$$

于是，得汽车转向的半径 R 为：

$$R=\left(l+m\frac{c_{\alpha\mathrm{H}}l_{\mathrm{H}}-c_{\alpha\mathrm{V}}l_{\mathrm{V}}}{c_{\alpha\mathrm{H}}c_{\alpha\mathrm{V}}l}\right)\Big/\delta_{\mathrm{V}} \tag{3-9}$$

若 $F_{y\mathrm{Vl}}$ 和 $F_{y\mathrm{Vr}}$ 数值上相等，联立式（3-1）、式（3-2）、式（3-3）与式（3-9），可得最终的 M_{L} 为：

$$M_{\mathrm{L}}=\frac{1}{i_{\mathrm{L}}V_{\mathrm{L}}}\times\frac{mv^2l_{\mathrm{H}}}{\left(l^2+m\frac{c_{\alpha\mathrm{H}}l_{\mathrm{H}}-c_{\alpha\mathrm{V}}l_{\mathrm{V}}}{c_{\alpha\mathrm{H}}c_{\alpha\mathrm{V}}}v^2\right)}(p_1+p_2)\delta_{\mathrm{V}} \tag{3-10}$$

接着，研究主销的内倾角和主销的内移量，并计算其相互作用而产生的回正力矩。在汽车转向时，主销对于前后轮所在直线有向车身内侧一定角度的倾斜，该倾斜角度即为汽车的主销内倾角。当以主销作中心进行车轮回转时，车轮与路面相切的点将出现在路面下面，但实际上不可能出现这种情况，相反的是，这个现象作用在车轮以及车身的前部，使它们被抬起，而汽车本身的重力会产生一个抵抗车身抬升的力，从而保持转向车轮不动，因此转向盘比较容易复位。另外，主销的内倾角可以减小汽车转向时转向盘上所需要的力矩的大小，使汽车的转向操纵轻松方便，也在一定程度上减少不必要的冲击力。其计算简图如图 3-7 所示。

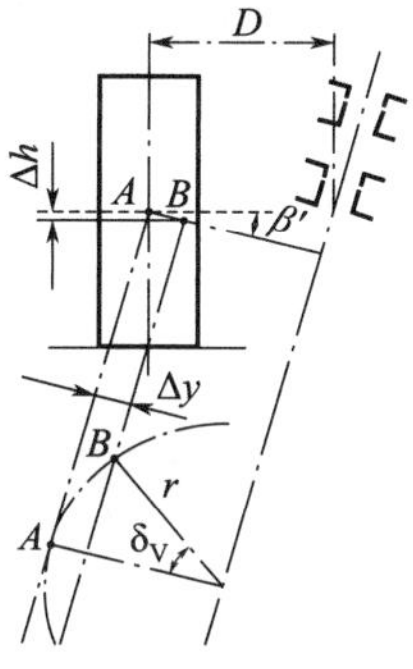

图 3-7　主销内倾产生的力矩

假设汽车车轮的转角为 δ_{V}，轮胎的印迹中心从 A 点转移至 B 点，横向水平的移动量可表示为：

$$\Delta y=r\left(1-\cos\delta_{\mathrm{V}}\right) \tag{3-11}$$

假设胎面是一个以 A 点为中心的标准球面，则：

$$\Delta h=\Delta y\sin\beta'=r\left(1-\cos\delta_{\mathrm{V}}\right)\sin\beta' \tag{3-12}$$

由于 $r=D\cos\beta'$，对应的位能增量可表示为：

$$\Delta u = Q\Delta h = QD\left(1-\cos\delta_{\mathrm{V}}\right)\sin\beta'\cos\beta' \tag{3-13}$$

式中，Q 为轮荷。由于回正力矩是位能对 δ_{V} 的导数，故得：

$$M_{\mathrm{A}}^{*} = \frac{\mathrm{d}(\Delta u)}{\mathrm{d}\delta_{\mathrm{V}}} = \frac{QD}{2}\sin(2\beta')\sin\delta_{\mathrm{V}} \tag{3-14}$$

在 δ_{V} 较小时

$$M_{\mathrm{A}}^{*} \approx \frac{QD\sin(2\beta')}{2}\delta_{\mathrm{V}} \tag{3-15}$$

回正力矩 $M_{\mathrm{A}}{}^{*}$ 作用在转向盘上后，其力矩为：

$$M_{\mathrm{A}} = \frac{M_{\mathrm{A}}^{*}}{i_{\mathrm{L}}V_{\mathrm{L}}} = \frac{1}{i_{\mathrm{L}}V_{\mathrm{L}}} \times \frac{QD\sin(2\beta')}{2}\delta_{\mathrm{V}} \tag{3-16}$$

M_{A} 和由轮胎的拖矩与主销后倾的拖距产生的 M_{L} 有着不同的特点。M_{L} 和地面作用在轮胎上的侧向力成正比，与汽车所受的离心力关系亦是如此；而 M_{A} 和地面作用在轮胎上的侧向力没有关系。由于转向盘的生成的力矩 M_{A} 和汽车的运动速度没有关系，所以无论车速高低，M_{A} 都保持同样的力矩值。

当汽车处于静止状态时，驾驶者转动一定角度的转向盘，车轮围绕着轮胎的主销进行相应的转向动作，此时就会产生静态的轮胎力矩 M_{Sch}。M_{Sch} 会受到汽车的转弯半径 R、汽车轮胎的载荷大小以及轮胎实际的压强大小变化的影响。轮荷增加的同时，胎压会有所下降，M_{Sch} 会明显地上升。其中，车轮在刚开始转弯时车轮的转弯半径又对 M_{Sch} 的影响比较小，故 M_{Sch} 的值也可用以下公式表示：

$$M_{\mathrm{Sch}} \propto \mu\frac{F_{\mathrm{Z}}^{1.5}}{\sqrt{p}} \tag{3-17}$$

式中，μ 为摩擦因数；F_{Z} 为轮胎载荷；p 为轮胎压强。

汽车的型号以及路况确定，则转向系统摩擦力的表达式为：

$$M_{\mathrm{f}} = F_{\mathrm{w}}\sin\dot{\delta}_{\mathrm{V}} \tag{3-18}$$

式中，F_{w} 是受车型和路况等影响的常数。

传统汽车转向系统中，转向轮的转角与转向盘的转角关系式为：

$$\delta_{\mathrm{h}} = i_{\mathrm{L}}\delta_{\mathrm{V}} \tag{3-19}$$

结合式（3-10）、式（3-16）和式（3-18），参考相关的转动惯量以及阻尼系数，可得到转矩表达式为：

$$M_{\mathrm{h}}=\frac{J_{\mathrm{w}}\ddot{\delta}_{\mathrm{h}}+B_{\mathrm{w}}\dot{\delta}_{\mathrm{h}}}{V_{\mathrm{L}}}+M_{\mathrm{L}}+M_{\mathrm{A}}+M_{\mathrm{f}} \tag{3-20}$$

式中，δ_{h} 为转向盘转角；J_{w} 为转向轴近似的转动惯量；B_{w} 为阻尼系数；M_{h} 为反馈力矩；i_{L} 为传动系统传动比总和；V_{L} 为转向系统的助力系数。

在汽车转向时，驾驶员所接收到转向盘反馈的信息必须与路面状况相符，所以摩擦力矩的数值越小越好，以减少其干扰。然而在线控转向系统是没有机械连接的，所以可以忽略摩擦力对转向盘反馈力矩数值大小的影响。则式（3-20）又可表达为：

$$M_{\mathrm{h}}=\frac{J_{\mathrm{w}}\ddot{\delta}_{\mathrm{h}}+B_{\mathrm{w}}\dot{\delta}_{\mathrm{h}}}{V_{\mathrm{L}}}+M_{\mathrm{A}}+M_{\mathrm{L}} \tag{3-21}$$

测量汽车车速以及汽车的转向盘转角，然后通过上述公式就可以计算出转向盘的力矩值。通过这种方法，可以使用一个力回馈设备代替传统结构向驾驶员提供反馈力矩，从而模拟实际的路感。对于汽车转向系统的研究，选定某款汽车参数之后，根据汽车运动状态的车速 v 以及转向时需要转动的前轮角度，便可得到具体的转向系统所反馈的力矩的数值大小。由此可见，转向系统所反馈的力矩数值大小与转向系统中某些机构以及汽车具体的运动状态有着密切的关系。

3.2.2　转向盘力矩的模型仿真

经过一系列的公式推导，此处建立了转向系统的数学模型，在 MATLAB/Simulink 软件中创建并得到相关的仿真模型。在仿真模型中，前轮转角设置为 20°，车速设置为 30m/s。按照表 3-1 给出的某车型相关参数的数值，分别在仿真模型中取多组不同的车速 v 以及前轮转角 δ_{V} 的数值，就可以计算得出不同条件下相对应的反馈力矩的情况。

表3-1　仿真具体参数

参数名称	对应符号	参数值	参数名称	对应符号	参数值
整车质量 /kg	m	2080	前轮侧偏刚度 /（N/rad）	$c_{\alpha\mathrm{V}}$	67000
轴距 /m	l	3.1	后轮侧偏刚度 /（N/rad）	$c_{\alpha\mathrm{H}}$	62000
拖距 /m	p_1、p_2	0.07	转向轴的转动惯量 /kg·m²	J_{sw}	0.531
质心到前轴距离 /m	l_{V}	1.432	转向轴的阻尼系数	B_{sw}	0.447
质心到后轴距离 /m	l_{H}	1.568	助力系数	V_{L}	25
主销内倾量 /m	D	0.2	转向系的传动比	i_{L}	16.3
主销内倾角 /rad	β	0.14			

从图 3-8 中可以看出，在车速恒定为 30m/s 时，作用在转向盘上的力矩随着前轮转角的增大而逐渐增大，并且可以看出，前轮的转角越大，作用在转向盘上的力矩递增得也就越快。

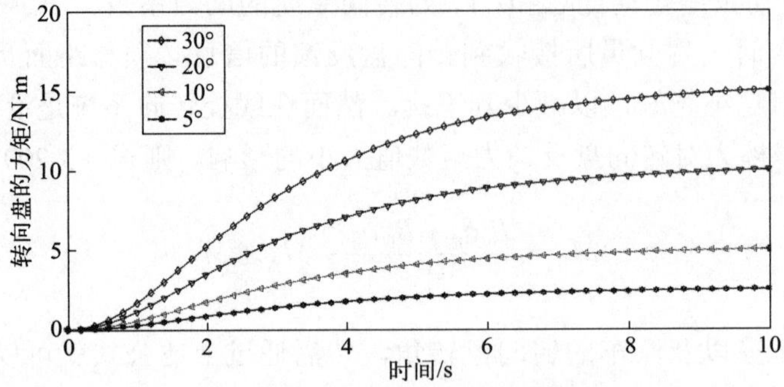

图 3-8 速度恒定下的转角与力矩特性

从图 3-9 中可以看出，把前轮的转角 δ_V 设置为 5°到 30°的一个等差数列，且公差为 5°。图中曲线是汽车运动速度与转向系统中力矩的变化关系图。对系统进行仿真时，汽车行驶速度作为变量，把它设置为递增并且是线性的。

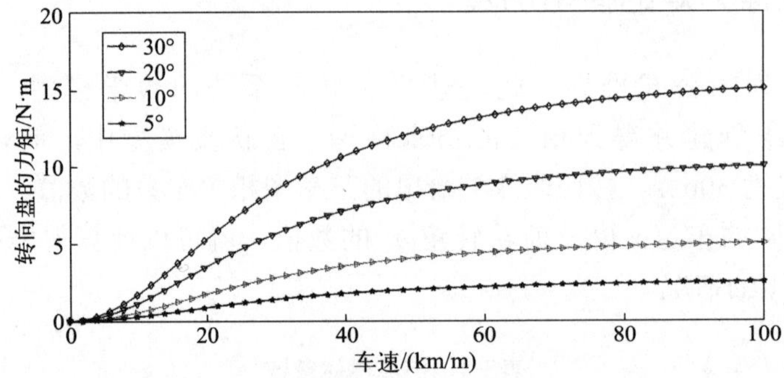

图 3-9 不同车轮转角下的速度力矩特性

由图 3-9 分析可以知道，在 δ_V 的值确定的情况下，汽车行驶得越快，转向系统的力矩也就越大，但是它们不是线性增长的关系。而且同样情况下，转角越大，转向系统的力矩数值变化幅度也就越大。从图中也可以得到，行驶车速和前轮的转角较小的状况下，作用在转向盘上的力矩较小；同样也可以看出，在行驶车速和前轮的转角较大的状况下，作用在转向盘上的力矩较大，驾驶员得到的路感更清晰。

从图 3-10 中可以看出，在前轮的转角恒定的情况下，车速在 100km/h 时，转向盘的力矩几乎可以达到 15N · m。并且在前轮转角不变的情况下，行驶车速越大，作用在转向盘上的力矩越大。

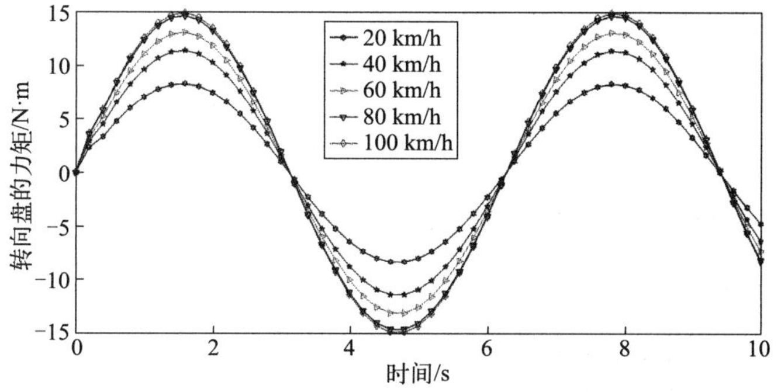

图 3-10　恒定转角下的车速力矩特性

从图 3-11 中可以看出，在汽车行驶车速为恒定的条件下，前轮转角 δ_V 不断增大，作用在转向盘上的力矩也会随之增大，并且当行驶车速 v 为 100km/h 和前轮的转角 δ_V 为 30°的条件同时满足时，作用在转向盘上的力矩最大可以达到 15N · m。

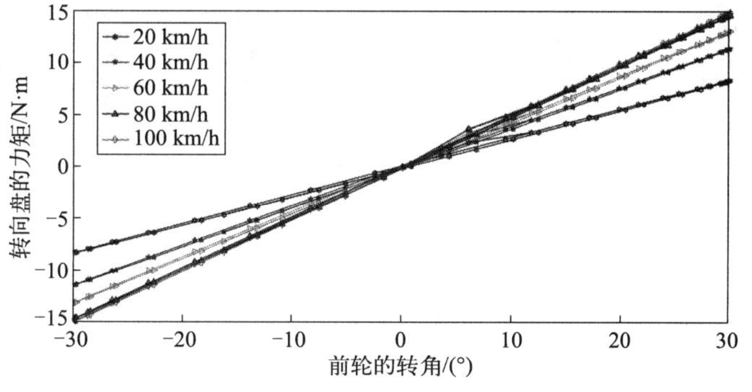

图 3-11　不同车速下的转角与力矩特性

其次，因为转向系统本身存在阻尼，在其作用下，δ_V 增大时的力矩曲线图形与 δ_V 减小时的力矩曲线图形不一样，且 δ_V 变小时的转向系统力矩曲线图形在 δ_V 变大时的转向系统力矩曲线图形的下面，即后者的力矩数值大于前者。

另外，机械转向系统其他量一般都是定值或者说变化不大，对力矩基本没有影响。由此可以知道转向系统中的力矩可以看作是随着汽车前轮转角 δ_V 成线性变化的。

3.3　旋转磁流变阻尼器

3.3.1　旋转磁流变阻尼器的结构

对现有的旋转磁流变阻尼器进行了解可以发现一个共同点，即现有阻尼器提供的转矩密度都不理想。相关数据整理如图 3-12 所示。

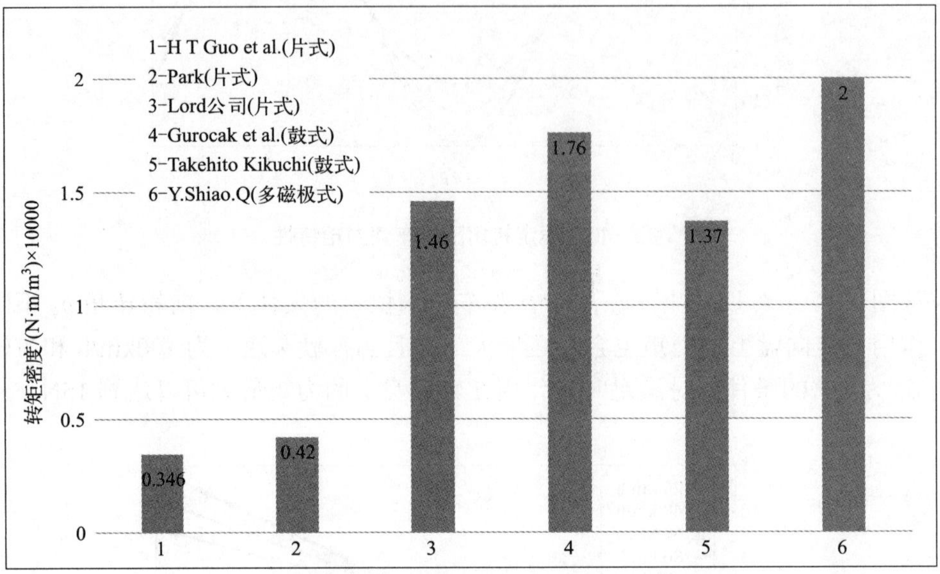

图 3-12 转矩密度对比

为了解决这一问题，有些学者提出了多片式阻尼器，但由于其结构复杂，不易加工以及装配维修难等问题，实用价值并不是很高。此处从工作模式入手，所设计阻尼器混合使用多种工作模式，克服了以上阻尼器存在的一系列问题。本次设计结构可以分为两部分，主体部分参考了螺旋流动原理，两端采用传统的圆盘式阻尼器。

主体部分结构如图 3-13 所示，主要包括以下 6 部分：外壁 1、右壁 2、内壁 3、左壁 4、线圈 5、铁芯 6、螺旋推进杆 7。阻尼器工作间隙中充满磁流变液 8。铁芯上的线圈与导线连接，导线从左壁的孔引出并与外部电源连接。外部电源控制通入线圈电流的大小，从而改变线圈产生的磁场的强弱。螺旋推进杆转动带动磁流变液的流动，并在磁路中形成循环。磁流变液在内、外壁组成的磁路中是螺旋流动的。

如图 3-13 中所示，阻尼器工作间隙中充满磁流变液 8。外部电源不施加电流时，线圈不产生磁场，工作间隙中的磁流变液只是一般的牛顿流体，只提供数值较小的黏性阻力。外部电源施加电流，线圈产生垂直分布在工作间隙的磁感线，最终发生磁流变效应，生成较大的阻力矩。这种阻力矩可以通过控制电源施加电流的数值来无级调节阻尼器产生的阻力矩的大小，实时提供合适的路感。

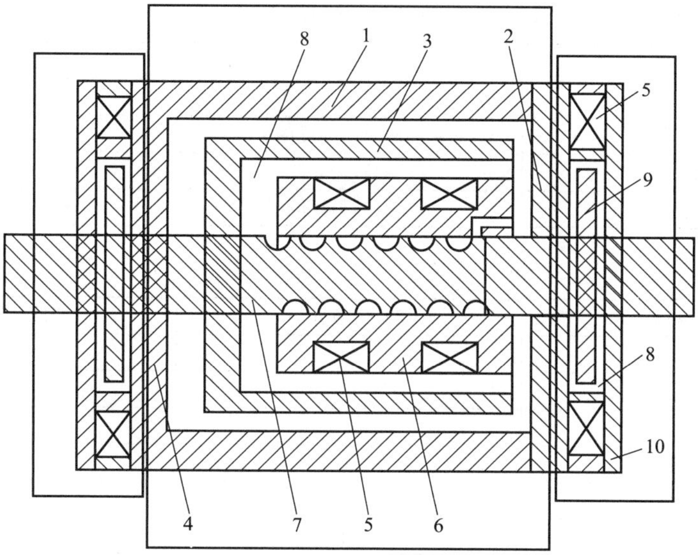

图 3-13　阻尼器设计结构

1—外壁；2—右壁；3—内壁；4—左壁；5—线圈；
6—铁芯；7—螺旋推进杆；8—磁流变液；9—转子；10—外壳

3.3.2　旋转磁流变阻尼器的多目标优化

（1）优化变量

根据阻尼器应用环境的要求以及阻尼器的本身特点，对阻尼器的结构参数进行优化，使阻尼器更为理想化。但优化参数结果的选取要遵循现实的影响因素，所以要了解各部分参数对阻尼器的影响。

由磁阻的计算公式可知，阻尼器的工作间隙变小时会间接导致阻尼器的阻尼范围变小。线圈越多，同样的电流作用下线圈生成的磁场越强，阻尼器生成的阻尼力矩也就越大；但线圈多磁流变效应的响应变迟缓且线圈能量消耗产生的热量也就越多。

下面给出了各待优化变量的优化限制条件，如表 3-2 ～表 3-4 所示。

表3-2　螺旋部分优化参数的物理意义及取值范围

优化变量	含义	取值范围
θ	螺旋叶片的角度	40°～ 90°
d_a	区间工作间隙	0.98 ～ 3.02mm
c_d	线圈处工作间隙	0.5 ～ 4mm
l_c	线圈的总长	13.98 ～ 35.02mm
c_w	线圈的深度	4.5 ～ 13.5mm
l_a	区域长度	10 ～ 35mm
d_l	铁芯的厚度	8.5 ～ 25.5mm

表3-3 圆盘部分优化参数的物理意义

优化变量	含义	取值范围
$BMAX_1$（转子）	转子的磁感应强度的上限	0 ～ 1.5T
$BMAX_2$（外壳）	外壳的磁感应强度的上限	0 ～ 1.5T
M	磁致力矩	5 ～ 30N·m
S_{coil}	线圈的横截面积	60 ～ 160mm^2

表3-4 圆盘部分优化参数的取值范围

优化变量	初始参数 /mm	取值范围 /mm
R_2	43	30 ～ 55
T_1	11	5 ～ 14
T_2	8	4 ～ 15
N	90	85 ～ 125
L_1	12	5 ～ 15
L_2	11	6 ～ 15
L_3	7	4 ～ 10

（2）优化流程

本次结构优化的两个目标是相互影响的两个目标函数，阻尼器的阻尼力矩增大的同时阻尼器的动态可调范围会相应变小，而增大阻尼器的可调范围同样又会减小阻尼器的磁滞力矩。经上述分析，两个目标函数存在非线性关系，本次优化采用收敛速度较快的 NSGA Ⅱ。

本次结构参数优化的具体步骤流程如图 3-14 中框图所示。

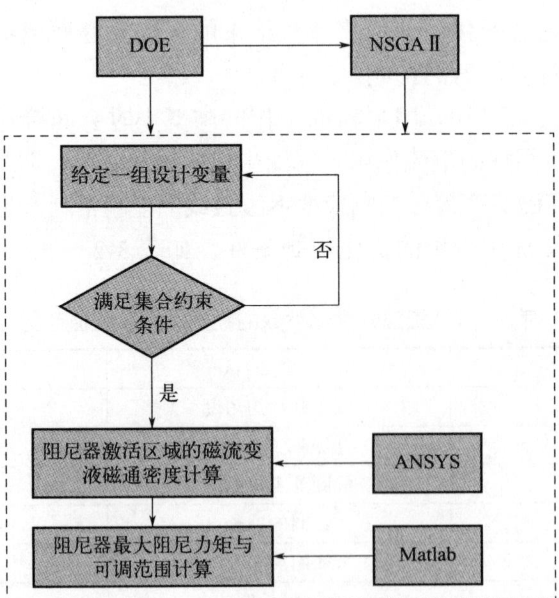

图 3-14 优化流程

将非支配排序遗传算法的一开始的种群定为30组的数量级，迭代次数范围定为最多可迭代300代，遗传算法的交叉率及变异率分别设定为0.8和0.1。优化之后，从众多结果中选择最理想的那组结果，将其作为阻尼器的制造尺寸，具体得到的参数如表3-5、表3-6所示。

表3-5 螺旋部分优化选取的结果

参数	数值
θ	75°
d_a	2mm
c_d	2mm
l_c	35mm
c_w	10mm
l_a	35mm
d_1	25mm

表3-6 圆盘部分优化选取的结果

参数	数值
R_2	46mm
T_1	11mm
T_2	5.2mm
N	92mm
L_1	6.9mm
L_2	7.5mm
L_3	4.6mm

3.4 线控转向系统路感模拟装置设计

3.4.1 路感模拟装置设计方案

基于内置永磁体磁流变阻尼器的线控转向系统（SBW）的路感模拟装置，主要由外壳、阻尼通道内的磁流变液、永磁体、工字形铁芯、电磁线圈、转子、隔磁材料、轴承、密封环组成。活塞由永磁体、工字形铁芯、电磁线圈三个部分组成。如图3-15所示。

活塞的外面以及外壳的内表面组成磁流变液的阻尼通道，且磁流变液能在这通道内自由流动。工字形铁芯上面有一隔磁材料，主要作用是使用侧面的工作间隙，省略端面工作间隙。该装置的工作原理：当驾驶员需要进行转向时，向转向盘输入一个力矩，从而导致旋转式磁流变阻尼器的转子开始转动，通过控制器得到路感，之后控制电磁线圈，输入一个电流使得阻尼通道内的磁流变液的流变特性由自由流动状态转变成类固态，从而阻碍转向盘的运动，由此得到阻尼力矩即路感力矩。

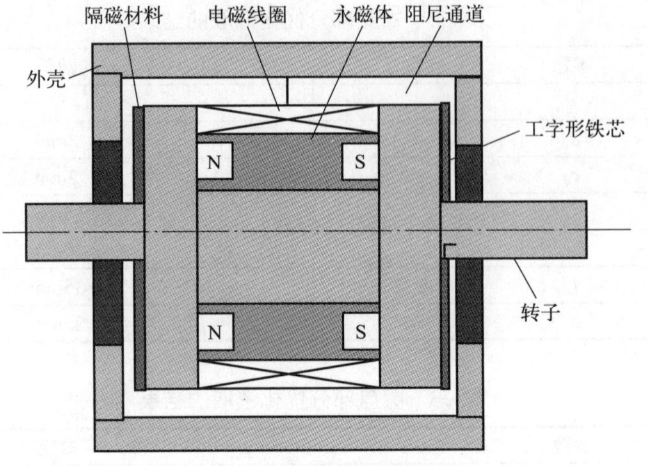

图 3-15 路感提供装置

3.4.2 路感模拟装置力矩计算

把电磁线圈与永磁体所产生的磁感应强度先合在一起进行计算，从而计算出总的路感模拟装置所需要的力矩，然后再推导永磁体和电磁线圈各需要多少。

如图 3-16 所示，D_1、D_2 分别为外壳的内径与转子的内径，磁流变液为画斜虚线的范围。当转向盘开始转动时，转向盘带动转子进行转动，以角速度 ω（r，t）进行旋转，磁流变液因此受到剪切力的作用。为了得到磁流变液在工作间隙中的运动状态，首先做出如下的假设：

① 理论认为该磁流变液是不可以压缩的；

② 磁流变流动的状态是稳定的；

③ 磁流变液在轴向与径向上是无法流动的；

④ 磁感应强度在工作间隙中是分布均匀的；

⑤ 忽略该装置重力因素等影响。

从上述假设中，再假设侧面的工作间隙中的沿轴向、径向、圆周方向的磁流变液的流速为 v_1、v_2、v_3，磁流变液在任意的微圆环中心处的半径为 r，根据上述条件可以得到，在工作间隙中的磁流变液的边界条件为：

$$v_1=0,\quad v_3=rw(r,t),\quad v_2=0 \tag{3-22}$$

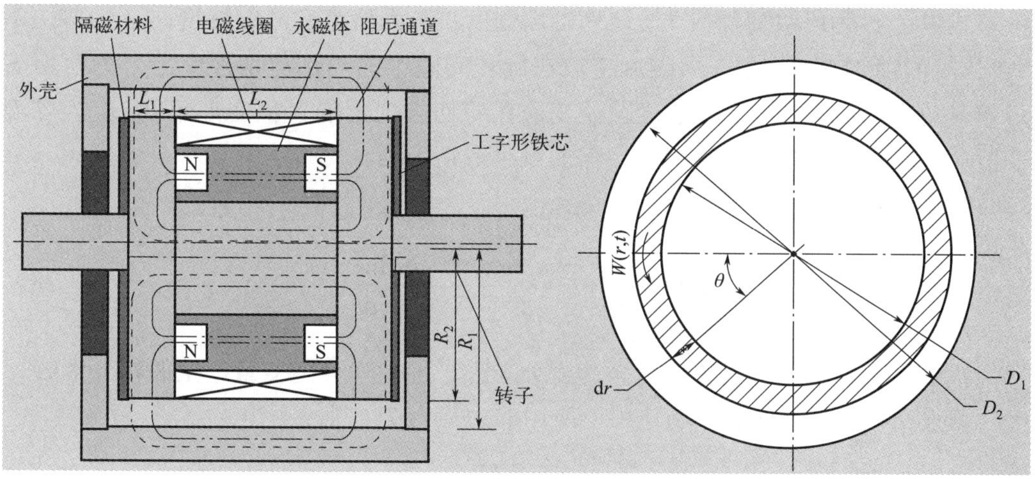

图 3-16　新型磁流变阻尼器力矩计算简图

根据流体力学的纳维-斯托克斯方程组，再根据设定的条件则可以得到磁流变液在工作间隙中的动力学方程，如下：

$$\frac{p}{r}=(r\frac{\partial v_3}{\partial t}+r\frac{v_2\partial_3}{\partial r}+\frac{v_3\partial_3}{\partial_\theta}+\frac{v_1\partial v_3}{\partial r}+v_2v_3) \tag{3-23}$$

式中，p 为磁流变液在工作间隙中的流体压强。

由式（3-22）中假设的条件，代入式（3-23）中得到式（3-24）：

$$\frac{v_3}{r^2}=\frac{\eta\partial^2 v_3}{\partial r^2}+\frac{\eta\partial v_3}{r\partial r}-\frac{p\partial v_3}{\partial t} \tag{3-24}$$

式中，η 为磁流变液的动力黏度，Pa · s。

由模型中的剪切应力与应变的变化率的关系可知：

$$\tau_3=\eta(\frac{\partial v_3}{\partial r}+\frac{\partial v_2}{r\partial\theta}-\frac{v_3}{r}) \tag{3-25}$$

式中，τ_3 为周向的剪切力。磁流变液在工作间隙中的剪切率为：

$$\dot{\psi}=\frac{r\mathrm{d}w(r,t)}{\mathrm{d}r} \tag{3-26}$$

式中，$\frac{\mathrm{d}w(r,t)}{\mathrm{d}r}$ 为在工作间隙中的磁流变液角速度沿半径方向的梯度。

磁流变液的性质用 Bingham 模型描述，可得：

$$\begin{cases}\tau=\tau_0(H)\mathrm{sgn}(\dot{\psi})+\eta\psi,\ \tau_\mathrm{B}\leqslant|\psi| \\ \dot{\psi}=0\qquad\qquad,\ \tau_\mathrm{B}\geqslant|\psi|\end{cases} \tag{3-27}$$

式中，τ_0为磁致剪切应力；H为磁场强度；η为磁流变液的黏度；$\dot{\psi}$为剪切率（单位时间剪切变形），表示磁流变液在旋转间隙中的局部剪切速率；ψ为剪切变形量（角度变化累积量），描述磁流变液在剪切方向上的累积变形角度；τ_B为磁流变液从刚性状态切换到流动状态所需的最小剪切应力。

整合以上公式可以得到：

$$\tau(H)=\frac{c_1}{r^2}+\frac{r^2 p\partial w(r,t)}{\partial t}-\frac{\eta r\mathrm{d}w(r,t)}{\mathrm{d}r} \tag{3-28}$$

式中，c_1为求解磁流变液径向速度分布时，因数学分离变量产生的积分常数。

假设在半径为r处的磁场作用下所用的力矩为T_1，则有：

$$T_1=\tau_3\times 2\pi r^2 L_1 \tag{3-29}$$

式中，L_1为在工作间隙中侧面的轴向工作长度再将式（3-28）代入式（3-29）中，对式（3-28）的角速度进行积分，并假设转速不变，得到式（3-30）：

$$T_1=\frac{\pi L_1 D_1^2 D_2^2 \ln\dfrac{D_1}{D_2}\tau(H)}{16(D_1^2-D_2^2)}+\frac{\eta\pi L_1 w D_1^2 D_2^2}{16(D_1^2-D_2^2)}+\frac{\pi L_1 p\eta D_1^2 D_2^2\int\left[\dfrac{\partial w(r,t)}{\partial t}\right]\mathrm{d}r}{6(D_1-D_2)} \tag{3-30}$$

黏滞力矩的计算公式为：

$$T_2=\frac{\eta\pi L_2 w D_1^2 D_2^2}{16(D_1^2-D_2^2)}+\frac{\pi L_2 p\eta D_1^2 D_2^2\int\left[\dfrac{\partial w(r,t)}{\partial t}\right]\mathrm{d}r}{6(D_1-D_2)} \tag{3-31}$$

所以可得产生的总的力矩为：

$$T_h=2T_1+T_2 \tag{3-32}$$

再把式（3-30）与式（3-31）代入式（3-32），且当转速始终保持不变时可得：

$$T_h=\frac{\pi L_1 D_1^2 D_2^2 \ln\dfrac{D_1}{D_2}\tau(H)}{8(D_1^2-D_2^2)}+\frac{\eta\pi L_2 w D_1^2 D_2^2}{16(D_1^2-D_2^2)} \tag{3-33}$$

至此，线控转向系统的路感装置所需要的力矩计算完成。

3.4.3 路感模拟装置结构设计

本节将永磁体加入旋转式磁流变阻尼器，在线控转向系统中充当提供路感力矩的装置。加入永磁体后，电磁线圈所产生的动态磁场与永磁体所产生的静态磁场一起存在，使得原本的旋转式磁流变阻尼器尺寸不适合 SBW 系统的路感装置，因此要对其结构进行设计与分析，使得该阻尼器所产生的力矩与推导出来的力矩相匹配，进而为后续的 PID 控制与平台的搭建提供基础。

本节所设计的路感模拟装置用加入了永磁体之后的旋转式磁流变阻尼器当路感电机，其中电磁线圈提供的是动态的磁场，永磁体则提供静态的磁场。工作原理是当转向盘开始转动时，执行机构检测到路感并将其转化成数字信号传至控制器，通过控制器向阻尼器输入一定电流，在永磁体与电磁线圈的共同作用下，形成路感，阻碍转向盘的转动，给驾驶员提供“手感”。其工作模式有三种：磁场加强型、磁场削弱型、永磁体单独工作型。

（1）磁场加强型

如图 3-17 所示，在这种工作情况下，本节的电磁线圈的磁力线走向与永磁体磁力线的走向相同，在这两者的共同作用下，阻尼通道内的磁场增强，磁流变液由自由流动状态变成类固态。随着电流的逐步加强，阻尼力越来越大，所提供的阻尼力矩也越来越大，继而限制了转向盘的转动。

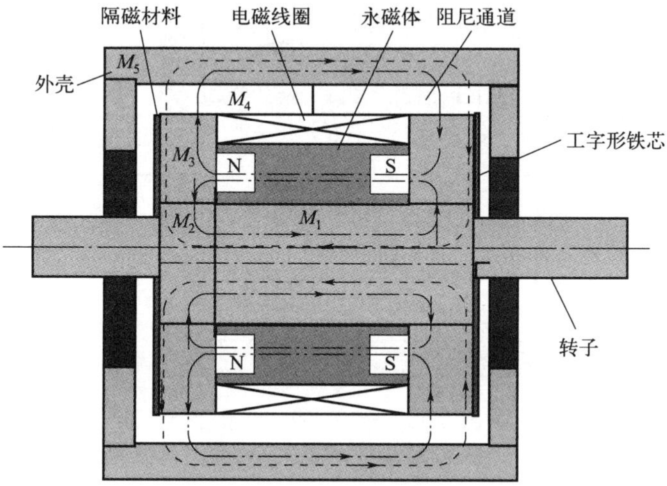

图 3-17　磁场加强型

（2）磁场削弱型

如图 3-18 所示，在这种工作情况下，电磁线圈的磁力线的走向与永磁体磁力线的走向相反，在两者的共同作用下，阻尼通道内的磁场减小，磁流变液由自由流动状态变成类固态，电磁线圈所产生的磁场与永磁体所产生的磁场相互抵消。

（3）永磁体独立工作型

如图 3-19 所示，在此种情况下，永磁体自己独立工作，阻碍转向盘的运动。当控制失效或电磁线圈故障时，仍存在磁场，从而保证驾驶安全。

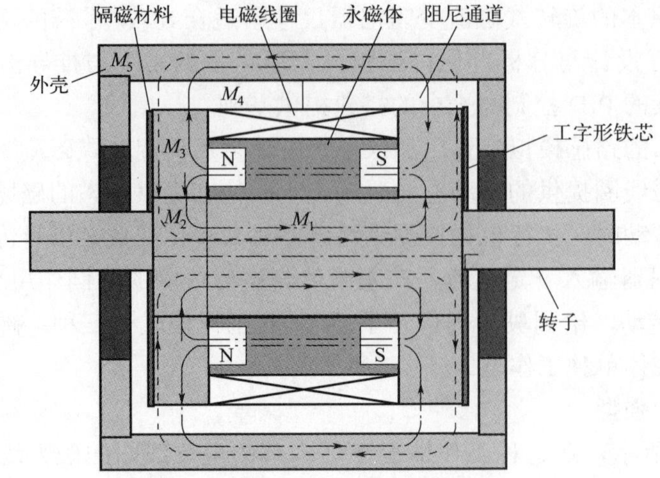

图 3-18 磁场削弱型

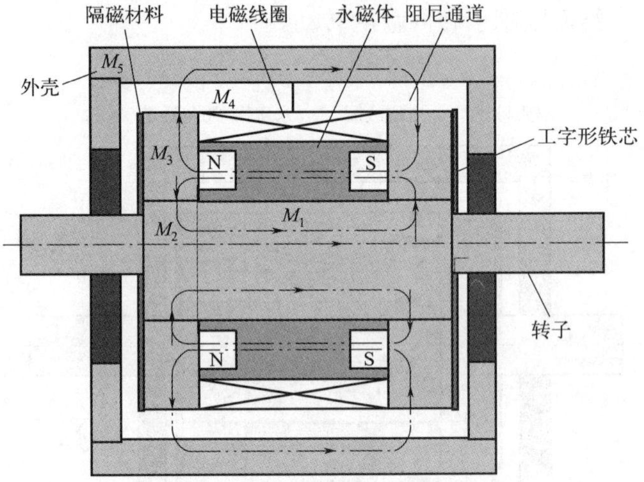

图 3-19 永磁体独立工作型

3.4.4 路感装置结构参数选定

（1）已有参数

所设计的路感模拟装置是在旋转式磁流变阻尼器结构基础和基于线控转向系统的尺寸限制的基础上，重新设计其关键尺寸而得到的。根据汽车工程手册得知，在一般情况下，汽车正常行驶，要求转向盘的操纵力为 50 ～ 100N，当装备了动力转向器时为 10 ～ 20N。本节以凯美瑞的某款汽车为例得到数据，得到转向盘直径为 360mm，因而转向盘最大转向力矩为 18N · m。

由于本次设计的路感模拟装置是由永磁体与电磁线圈共同产生磁场，为了节约能量消耗，取实测的平均值作为永磁体单独工作时的阻尼力矩的输出值。

基于凯美瑞某款汽车的尺寸考虑，空间度量确定的初始参数有：外壳的直径 D_5=116mm，转子直径 D_2=98mm，磁流变液周围的工作间隙长度 L_1=12mm，线圈槽长度 L_2=100mm，转子使用45钢，外壳使用20钢。需要设计的参数为：线圈的匝数 N，铁芯的直径 D_3，铁芯的长度 L_2，永磁体的内外径，阻尼间隙 h。

（2）参数的初步选择

① 预期最大的转向力矩为20N · m；

② 磁流变液：宁波杉工SGMRF2035，其剪切屈服强度 τ_y=55kPa（$\boldsymbol{B}$=1.0T），30℃时表观黏度 η=0.24Pa · s，其剪切屈服强度 τ_y 与磁场感应强度 $\boldsymbol{B}$ 的关系曲线如图3-20所示。

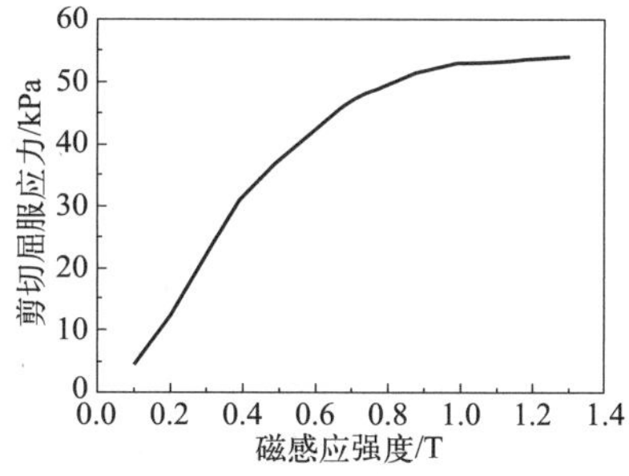

图3-20　所选磁流变液的剪切屈服应力与磁场感应强度关系曲线

（3）路感模拟装置工作间隙 h 的确定

工作间隙中的磁流变液产生磁流变效应需要10～1000kA/m，但是由于阻尼通道内的磁场强度会随着工作间隙的增大而急剧减小，因而工作间隙的取值一般很小，一般为0.5～2mm，此处选择工作间隙 h=1mm，从而得到外壳内径为100mm。

（4）材料的选用

结合材料的属性与路感模拟装置的设计需求，进行材料的选择。主要的构件有外壳、转子、磁流变液、永磁体、隔磁材料。考虑到转子既需要较大的扭转能力和足够的刚度与硬度，又要作为永磁体与电磁线圈磁场的引导者。此处选用45钢作为它的材料。由于基本上只有外壳侧面通过磁力线，不需要磁导率太大的材料，且它不受什么外力，考虑其经济性与材料的加工，此处选用的是20钢。

由于需要永磁体在工作间隙中有比较高的磁感应强度，且要拥有比较好的矫顽力以及较低的成本，此处永磁体选用的是N40H型号的钕铁硼（NdFeB）。此处选用的磁流变液是SGMRF2035磁流变液。对于隔磁材料，由于需要将磁力线隔离，使其只在侧面有磁场强度，其磁导率接近于零，所以选用比较常见的容易得到的铁作为隔磁材料。

3.4.5　路感模拟装置磁路设计

（1）所用磁路基本定律

磁路设计使用安培环路定理，即在真空中磁感应的强度 $\boldsymbol{B}$ 沿着闭合路径的线积分，等于其磁导率乘上其路径所限定的面积穿过电流的代数和，其表达式如下：

$$\oint_L H\mathrm{d}l = \sum I, Hl = NI \longrightarrow H = \frac{NI}{l} \tag{3-34}$$

式中，N 为线圈的匝数；I 为线圈中的电流；H 为磁场强度；l 为闭合磁路中的磁路的长度。

由磁通的公式，可以得到式（3-35）：

$$\Phi=\int B\mathrm{d}S=B\cdot S \tag{3-35}$$

式中，Φ为磁通；B为磁感应强度；S为垂直磁场的有效面积。又因为$B=\mu H$，μ是介质的磁导率，结合上面二式得到：

$$\Phi=\frac{\mu NIS}{l} \tag{3-36}$$

最后，可得到磁阻的表达式：

$$R_{\mathrm{m}}=\frac{l}{\mu S} \tag{3-37}$$

（2）路感模拟装置磁路设计与分析

在本次磁路设计中，为了简化设计步骤，为方便后续的 ANSYS 分析与结构优化，直接将永磁体与电磁线圈所产生的磁路用加强型的工作模式进行计算，因为只要最高的磁感应强度达到所需要求，整个设计即有用。等效磁路所组成的区域如图 3-21、图 3-22 所示。

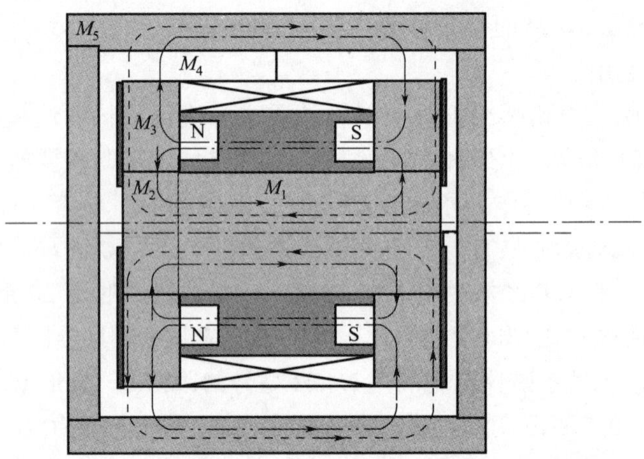

图 3-21 路感装置磁路分析

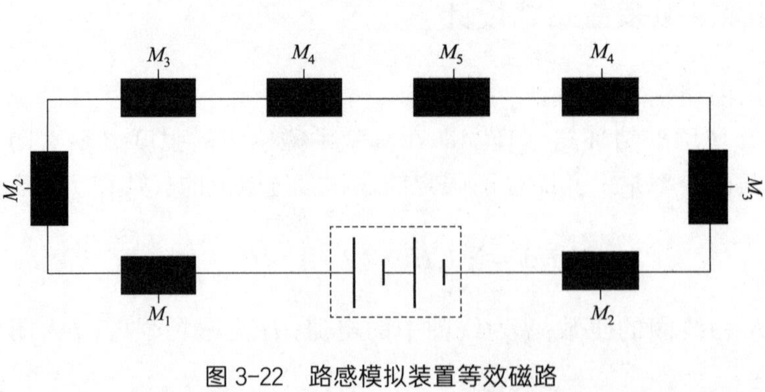

图 3-22 路感模拟装置等效磁路

由于工作间隙小，所以忽略导磁材料周围空气的磁通量，M1 ～ M5 则是完整的磁路的流动方向，磁阻的计算如下。

① 转子中心处的磁阻：

$$R_{m1}=\frac{4L_2}{\pi({D_4}^2-{D_3}^2)\mu_z} \tag{3-38}$$

② 转子中心处上面的磁阻：

$$R_{m2}=\frac{4L_1}{\pi(D_4^2-D_3^2)\mu_z} \tag{3-39}$$

③ 线圈与永磁体上面的转子部分磁阻：

$$R_{m3}=\int_{\frac{D_4}{2}}^{\frac{D_2}{2}}\frac{dr}{2\pi rL_1\mu_c}=\frac{\ln D_2-\ln D_4}{2\pi L_1\mu_c} \tag{3-40}$$

④ 工作间隙中以磁流变液作为介质的磁阻：

$$R_{m4}=\int_{\frac{D_2}{2}}^{\frac{D_1}{2}}\frac{dr}{2\pi rL_1\mu_m}=\frac{\ln D_2-\ln D_4}{2\pi L_1\mu_m} \tag{3-41}$$

⑤ 侧面的外壳的磁阻：

$$R_{m5}=\frac{4\left(L_1+L_2\right)}{\pi\left(D_5^2-D_1^2\right)\mu_c} \tag{3-42}$$

式中，D_1 为外壳内径；D_2 为转子直径；D_3 为活塞杆件；D_4 为转子中心线到永磁体内径的距离；D_5 为外壳外径；π 是圆周率，取 3.14；L_1 为侧面工作间隙的长度；L_2 为线圈槽和永磁体的长度；μ_m 为在工作间隙中的磁流变液的磁导率；μ_z 为转子磁导率；μ_c 为外壳磁导率。

根据基尔霍夫定律和等效磁路图，可知，每个网孔中的磁通量定义为 Φ_{m1}、Φ_{m2}、Φ_{m3}，最后得到下述方程式：

$$\begin{cases} R_{m2}\Phi_{m1}-R_{m3}\Phi_{m3}=0 \\ R_{m3}\Phi_{m2}-R_{m3}\Phi_{m3}=0 \\ (2R_{m3}+2R_{m4}+R_{m1}+R_{m5})\Phi_{m3}-2R_{m3}\Phi_{m1}-2R_{m3}\Phi_{m2}=NI \end{cases} \tag{3-43}$$

根据式（3-43），再预估工作间隙中所需要的磁致应力大小，通过所选的磁流变液的磁致应力与磁感应强度的关系图，粗略估计磁感应强度值。之后可得侧面的磁感应强度为 $\boldsymbol{B}_4$，则有：

$$\Phi_4=B_4S_4 \tag{3-44}$$

根据磁通量的闭合回路的连续性，则有：

$$\varPhi 4=\varPhi_{m3}-\varPhi_{m2} \tag{3-45}$$

联立式（3-43）～式（3-45）即可求出磁路中的 *NI* 的值。

选取初始参数，如表 3-7 所示。

表3-7 路感模拟装置初始尺寸选择

参数	数值	参数	数值
D_1	100mm	L_1	12mm
D_2	98mm	L_2	10mm
D_3	36mm	L_3	8mm
D_4	75mm	h	1mm
D_5	106mm	—	—

第 4 章 磁流变技术在汽车发动机中的应用

4.1 发动机曲柄系扭振减振器建模仿真研究

4.1.1 曲轴系集中参数模型

由于曲轴本身特性复杂，外界干扰力矩状况多变且呈周期性变化，难以精确分析研究曲轴的扭振特性。因此将轴系系统简化，通过计算简化的物理模型来分析研究轴系扭振特性(简化发动机曲轴系集中参数模型，研究求取曲轴的固有频率、振型等扭振特性。)以某型柴油机发动机为研究对象，其结构参数如表 4-1 所示，利用 UG 建模软件绘制其曲轴三维模型如图 4-1 所示。

表4-1 发动机主要技术参数

基本参数	数值
形式	四冲程直列
吸气方式	增压中冷
（缸径 / 行程）/mm	112/145
连杆长度 /mm	209
发火顺序	1-5-3-6-2-4
标定功率（kW）/ 额定转速（r/min）	243/2200
活塞总排量 /L	8.3

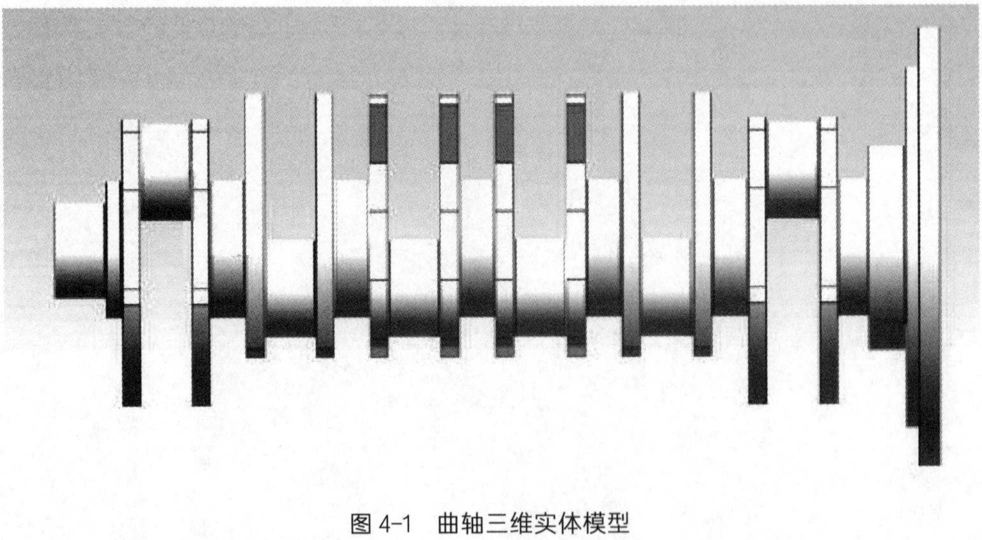

图 4-1 曲轴三维实体模型

为了设计基于磁流变液 / 脂的发动机扭振减振器，需要先对发动机曲轴和扭振减振器之间的运动关系进行研究，得到其扭振减振器的减振性能与阻尼系数之间的关系。以此来实现通过改变外加电流调控液/脂的周边磁场，改变磁流变液/脂的黏度，继而改变扭振减振器的阻尼系数，从而实现扭振减振器的半主动控制。因此，需要率先对扭振减振器和曲轴之间的运动关系进行建模仿真研究，分析其阻尼系数对扭振角度和振幅放大系数的影响。

在发动机做功冲程中，曲轴通过曲柄连杆机构把活塞的冲击直线运动转化成绕自身轴体的旋转运动，实现对外输出转矩，而在进气、压缩、排气冲程中又把自身的旋转运动传递到曲柄连杆机构进而促使活塞做冲击直线运动。在四冲程循环过程中，曲轴因为持续承受着交变载荷作用而引起扭转振动。当曲轴系统较低的自振频率出现在发动机工作转速范围内时就会产生影响较大的扭转共振，严重危害曲轴的自身安全性能。因此，明确曲轴系相关参数，通过建模仿真对发动机曲轴系的扭转振动特性进行分析是十分必要的。同时，也会对下一步进行的曲轴扭振减振器设计提供一定的理论依据。

发动机曲轴轴系是由曲轴主体、活塞连杆组、飞轮、减振器等部件组成，且在发动机工作过程中，外界输入的干扰力矩存在着周期性、多变性的特点。由于结构的复杂程度与实际工况的多变性加大了对曲轴扭振特性进行精准分析的难度，所以要对发动机曲轴轴系的物理模型进行进一步简化，通过简化模型进行扭振特性分析。

曲轴轴系物理模型的简化首先将曲轴分割成若干段刚体质量和弹性轴段，再结合转动惯量、扭转刚度、阻尼等各惯性质量的主要参数建立集中参数模型。简化完成后的曲轴系的集中参数模型的相关重要参数特性应该与实际曲轴系的固有频率、动能和势能等固有特性保持较小差距，以便进行较为精准的分析。

现实中曲轴结构比较复杂，在建模分析时，为提高网格划分精度，减少分析时间，提高求解精度，建立发动机轴系集中参数模型如图4-2所示，将发动机曲轴系简化为一系列刚体质量和弹性轴段，确定集中参数模型的转动惯量、扭转刚度等主要参数，求出轴系固有频率和振型图。

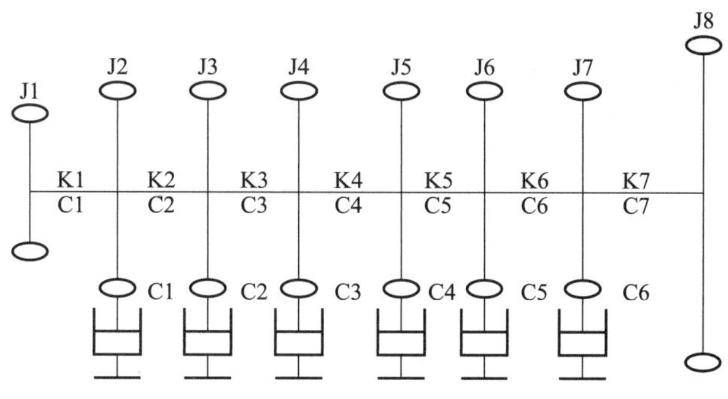

图4-2　曲轴8质量集中参数模型

“曲轴8”指8质量集中参数模型的曲轴，即把曲轴按动力学特性简化为8个集中质量（对应图里 J1 ～ J8 等惯性元件），通过质量、刚度（K）、阻尼（C）元件组合建模，“8”代表模型中质量集中的数量，用于曲轴振动、动力学分析。该方法是多体动力学建模里的“质量集中法”。

4.1.2 转动惯量求取

发动机曲轴作为绕轴旋转的刚体，其惯性指标的描述应使用转动惯量进行表征。曲轴的转动惯量的取值由曲轴的形状、整体质量及转轴半径所决定。对于绕某一固定轴转动，且本身形状规则、质量连续分布的平面刚体可以使用如下公式进行计算：

$$J = mr^2 \tag{4-1}$$

式中，m 为绕某一固定轴转动、形状规则、质量连续分布平面刚体的质量。

对于曲轴系转动惯量的计算方法可以分为传统的解构求和法和 CAD 软件求解法。解构求和法是将发动机曲轴分解成数个形状规则的部分，依次对每个部分按照式（4-1）进行求解，得出每个部分的转动惯量后再进行求和，得到曲轴的总转动惯量值。

$$J = \int_0^M \mathrm{d}m \int_0^R r\mathrm{d}r \tag{4-2}$$

式中，dm 是对部件的总质量 M 的微分，用于积分计算总转动惯量；r 为每一微小质量与轴心线的距离。

CAD 软件求解法是借助现代计算机辅助设计软件，使用三维建模软件构建结构连续完整、材料定义明确的三维模型，在选定对应的坐标轴为旋转轴后，可以很快得出模型绕坐标轴的转动惯量。

4.1.3 扭转刚度求取

为了求出曲轴的扭转刚度 k，需要先得到长度为 L 的曲轴的扭转形变。基于微分原理，将曲轴分解成若干薄片，取其一薄片厚度定义为 dx，轴段极惯性矩为 $J_p(x)$，则外界力矩使薄片的扭转变形为：

$$\mathrm{d}\varphi = \frac{M}{GJ_p(x)}\mathrm{d}x \tag{4-3}$$

式中，M 为外界作用在曲轴（薄片）上的扭转力矩。

则长度为 L 的曲轴的扭转形变为：

$$\Delta\varphi = \int \mathrm{d}\varphi = \frac{M}{G}\int_0^L \frac{\mathrm{d}x}{J_p(x)} \tag{4-4}$$

则曲轴的扭转刚度为：

$$k=\frac{M}{\Delta\varphi}=\frac{G}{\int_0^L\frac{1}{J_p(x)}\mathrm{d}x}=G\frac{\pi D^4}{32L} \tag{4-5}$$

式中，G为曲轴材料剪切弹性模量；L为曲轴的长度；D为曲轴直径。

鉴于曲轴的实际形体较为复杂，在求取整个曲轴的扭转刚度时可以将若干形状特殊的扭转刚度可求的分段曲轴进行组合，根据串联或并联的组合方式求取整个曲轴的扭转刚度。

对于串联的刚度关系表示为：

$$K=\begin{cases}\Delta\varphi=\sum_1^n\Delta\varphi_n\\ \frac{M}{k}=\sum_1^n\frac{M}{k_n}\\ \frac{1}{k}=\sum_1^n\frac{1}{k_n}\end{cases} \tag{4-6}$$

对于并联的刚度关系表达为：

$$K=\begin{cases}M=\sum_1^n M_n\\ k\Delta\varphi=\sum_1^n k_n\Delta\varphi\\ k=\sum_1^n k_n\end{cases} \tag{4-7}$$

4.1.4　阻尼值计算

曲轴轴系阻尼分为两个部分，一是发动机活塞在气缸体中的运动所产生的系统外阻尼，二是曲轴系统结构内产生的系统内阻尼。两部分的阻尼都有着相应的求取计算方法。

对于系统外阻尼C_{on}计算公式为：

$$C_{\mathrm{on}}=\xi_1 J_n\omega=\xi_1 J_n\times 2\pi f=\pi\xi_1 J_n n_{\mathrm{e}}/30 \tag{4-8}$$

对于系统内阻尼C_{in}计算公式为：

$$C_{\mathrm{in}}=\xi_2 k_n/\omega=\xi_2 k_n/(2\pi f)=30\xi_2 k_n/(\pi n_{\mathrm{e}}) \tag{4-9}$$

式（4-8）、式（4-9）中，ξ_1、ξ_2为阻尼系数，取值范围为0.04～0.08；J_n为转动惯量；k_n为相应段的扭转刚度；n_e为发动机的转速。

4.1.5 自由振动的计算

自由振动是指对于做振动的系统，物体受外力作用离开平衡位置后仅靠系统初始激励作用下的振动。因为阻尼对曲轴系的扭振特性影响很小，所以曲轴系自由振动分析时可以将阻尼因素忽略。简化曲轴模型，建立曲轴系 8 自由度集中参数模型如图 4-3 所示。

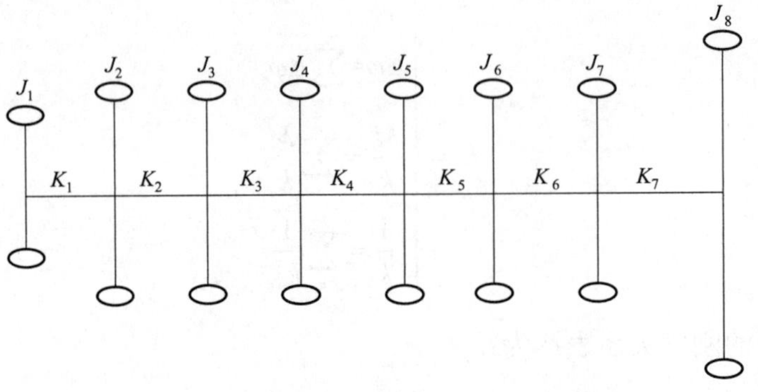

图 4-3　曲轴系 8 自由度集中参数模型

根据达朗贝尔原理建立系统任意质量（$1 \leqslant n \leqslant 8$）的自由振动的平衡方程为：

$$J_n\ddot{\varphi}_n - K_{n-1}(\varphi_{n-1} - \varphi_n) + K_n(\varphi_n - \varphi_{n-1}) = 0 \tag{4-10}$$

式（4-10）改写为矩阵形式如式（4-11）所示：

$$\boldsymbol{J}\ddot{\boldsymbol{\varphi}} + \boldsymbol{K}\boldsymbol{\varphi} = 0 \tag{4-11}$$

式中，$\boldsymbol{J}$为转动惯量；$\boldsymbol{K}$为扭转刚度。

$$\boldsymbol{J} = \begin{bmatrix} J_1 & & & & & & & \\ & J_2 & & & & & & \\ & & J_3 & & & & & \\ & & & J_4 & & & & \\ & & & & J_5 & & & \\ & & & & & J_6 & & \\ & & & & & & J_7 & \\ & & & & & & & J_8 \end{bmatrix}$$

$$K=\begin{bmatrix} k_1 & -k_1 & & & & & & \\ -k_1 & k_1+k_2 & -k_2 & & & & & \\ & -k_2 & k_2+k_3 & \cdots & & & & \\ & & \cdots & k_3+k_4 & & & & \\ & & & & k_4+k_5 & & & \\ & & & & & k_5+k_6 & \cdots & \\ & & & & & \cdots & k_6+k_7 & -k_7 \\ & & & & & & -k_7 & k_7+k_8 \end{bmatrix}$$

而列向量 $\ddot{\boldsymbol{\varphi}}$ 表示角加速度，列向量 $\boldsymbol{\varphi}$ 表示角位移，其表达式分别为：

$$\ddot{\varphi}=\left[\ddot{\varphi}_1\ddot{\varphi}_2\cdots\ddot{\varphi}_n\right]^{\mathrm{T}} \qquad \varphi=\left[\varphi_1 \quad \varphi_2 \quad \cdots \quad \varphi_n\right]^{\mathrm{T}}$$

微分方程组解的形式为：

$$\begin{cases}\varphi_1=A_1\sin(\omega_1 t+\phi_1)\\ \varphi_2=A_2\sin(\omega_2 t+\phi_2)\\ \vdots \\ \varphi_n=A_n\sin(\omega_n t+\phi_n)\end{cases} \tag{4-12}$$

上式微分方程组的特解为：

$$\boldsymbol{\varphi}=\boldsymbol{u}\sin(\omega t) \tag{4-13}$$

式中，$\boldsymbol{u}$ 为各质量振幅的矩阵。

将式（4-12）代入式（4-11），简化处理得：

$$\left(K-J\omega_n^{\ 2}\right)\boldsymbol{u}=0 \tag{4-14}$$

矩阵变换为：

$$\left|K-J\omega_n^{\ 2}\right|=0 \tag{4-15}$$

根据式（4-15）求得的特征值即固有频率，特征矢量 u 即相对应振幅。

4.1.6 临界转速的分析

引起发动机产生扭振的激振力主要有气体的爆发压力、曲柄连杆机构组的往复惯性力及轴系离心惯性力等。往复惯性力激振力矩较小，不易发生共振现象，在分析计算轴系强迫振动时可忽略不计，轴系离心惯性力作用线通过曲轴回转中心，作用力矩为零。因此在分析研究发动机临界转速时仅分析气体爆发压力的干扰力矩，确定发动机工作转速范围内的危险转速和引发轴系扭转共振的干扰力矩的谐次范围。

单缸气体压力值为：

$$F=(P_1-P_2)\cdot\frac{\pi}{4}D^2 \tag{4-16}$$

式中，P_1为缸内气压，MPa；P_2为曲轴箱内气压，一般取0.1MPa；D为活塞直径，取150mm。

在发动机的一个工作循环内，曲柄转角与缸内气体爆发压力P_1的变化关系曲线如图4-4所示。

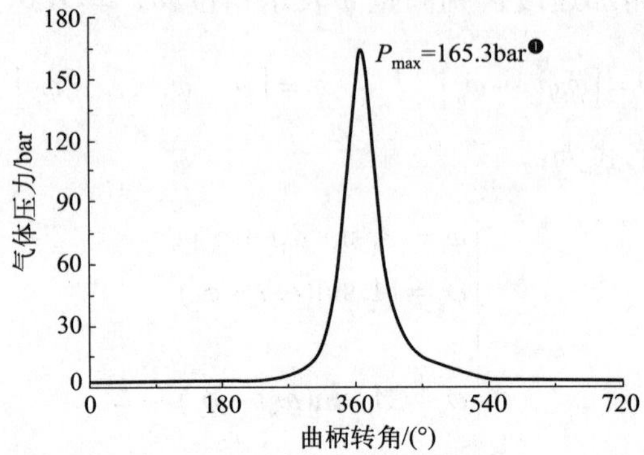

图4-4　柴油机示功图（2200r/min）

内燃机缸内干扰力矩的作用主要表现为曲柄销上的周期性切向力，其单缸干扰力矩为：

$$M_g=F\frac{\sin(\alpha+\beta)}{\cos\beta}R \tag{4-17}$$

式中，α为以上止点为基准的曲柄转角；β为连杆和气缸中心线夹角；R为曲柄半径，取80mm。

将式（4-17）按以α而变化的傅里叶级数展开为：

$$\begin{aligned}M_g=f(\alpha)&=M_0+a_1\cos\alpha+a_2\cos2\alpha+\cdots+b_1\sin\alpha+b_2\sin2\alpha+b_3\sin3\alpha+\cdots\\&=M_0+\sum_{K=1}^{\infty}M_k\sin(k\alpha+\psi_k)\\&=M_0+\sum_{K=1}^{\infty}M_k\sin(k\omega t+\psi_k)\end{aligned} \tag{4-18}$$

式中，M_0为气体作用力形成的平均扭矩；M_k为k阶简谐力矩的振幅；a_k、b_k

❶ 1bar=10^5Pa。

为傅里叶系数；ω 为干扰力矩的圆频率；k 为简谐次数；ψ_k 为 k 阶干扰力矩初相位。

由高等数学得：

$$M_0 = \frac{1}{2\pi}\int_0^{2\pi} f(\alpha)\mathrm{d}\alpha$$

$$M_k = \sqrt{a_k^2 + b_k^2}$$

$$a_k = \frac{1}{\pi}\int_0^{2\pi} f(\alpha)\cos(ka)\mathrm{d}\alpha = \frac{1}{\pi}\int_0^{2\pi} f(\omega t)\cos(k\omega t)\mathrm{d}(\omega t)$$

$$b_k = \frac{1}{\pi}\int_0^{2\pi} f(\alpha)\sin(ka)\mathrm{d}\alpha = \frac{1}{\pi}\int_0^{2\pi} f(\omega t)\sin(k\omega t)\mathrm{d}(\omega t)$$

$$\tan\psi_k = \frac{a_k}{b_k}$$

由上述分析可知，由于气体爆发压力所产生的激振力矩作用，曲轴产生了以角速度进行的匀速旋转运动和以不同频率进行的简谐振动。匀速旋转运动是由平均扭矩的作用产生的；简谐振动是由各次简谐力矩的作用产生的。简谐振动是激发曲轴轴系扭振的根源。因此，对于气体爆发压力周期性变化所产生的扭转力矩，可看作一组外部简谐力矩分别对轴系系统输入的能量。简谐力矩次数增加对轴系扭转振动振幅影响降低，因而简谐分析最高只考虑到 12 谐次。

用包含曲轴转角的周期性函数来表征激振转矩的复杂变化，并对其进行傅里叶变换，转化表达式如下：

$$T = T_m + \sum_{k=0.5}^{\infty} T_k = T_m + \sum_{k=0.5}^{\infty} T_k^a \sin(k\omega t + \delta_k) \tag{4-19}$$

式中，T_m 为单拐平均转矩；T_k 为 k 阶干扰转矩；T_k^a 为转矩幅值；δ_k 为转矩初相位。

k 为简谐次数，由于四冲程发动机每一个工作循环曲轴旋转 2 转，所以取 k = 1/2，1，3/2，2，5/2，…。由上述分析知，引发曲轴发生扭振的激振力矩的频率很高。所以，同一轴系共振频率可对应多个扭振临界转速，在实际应用中仅需考虑在发动机的工作转速范围内的临界转速，从而确定发动机工作转速范围内的危险转速和引发轴系扭转共振的干扰力矩的谐次范围。对确定谐次，其圆频率可以表示为：

$$k\omega = k\frac{2\pi n}{60} = \frac{2\pi N_v}{60} \tag{4-20}$$

即：

$$kn = N_v \tag{4-21}$$

式中，N_v 为干扰力矩的工作频率，次 /min。

假设轴系一阶自振频率为 N_1，而发动机工作最低转速和最高转速分别为 n_{min}、n_{max}，则该发动机在工作转速范围内能发生共振的激励力矩谐次范围为：

$$k_{min}=\frac{N_1}{n_{max}} \qquad k_{max}=\frac{N_1}{n_{min}} \tag{4-22}$$

而较高阶数的自振频率只能与更高谐次的简谐力矩产生共振，发动机轴系自振频率通常只考虑一阶和二阶固有频率。本节研究的发动机正常工作转速范围为 1000 ～ 2200r/min，将扭转振动计算的工作转速范围设为：800 ～ 2500r/min。因此：

对于一阶振动：

$$\begin{cases} v_{min}=\dfrac{30\omega_1/\pi}{2500}\approx 5.5 \\ v_{max}=\dfrac{30\omega_1/\pi}{800}\approx 14 \end{cases} \tag{4-23}$$

对于二阶振动：

$$v_{min}=\frac{30\omega_2/\pi}{2500}\approx 12.5 \tag{4-24}$$

由上述分析计算可知，在发动机工作转速范围内，简谐力矩可能与轴系一阶频率发生扭转共振，简谐力矩谐次范围为 5 ～ 12 谐次，即 6，7.5，9，10.5，12。而共振最危险的谐次为 6 谐次，发动机共振转速情况具体见表 4-2，临界转速图谱如图 4-5 所示。

表4-2 发动机共振转速情况

共振谐次	6（一阶）	7.5（一阶）	9（一阶）	10.5（一阶）	12（一阶）
转速 /（r/min）	1960.5	1568.4	1308.3	1120.1	980.54

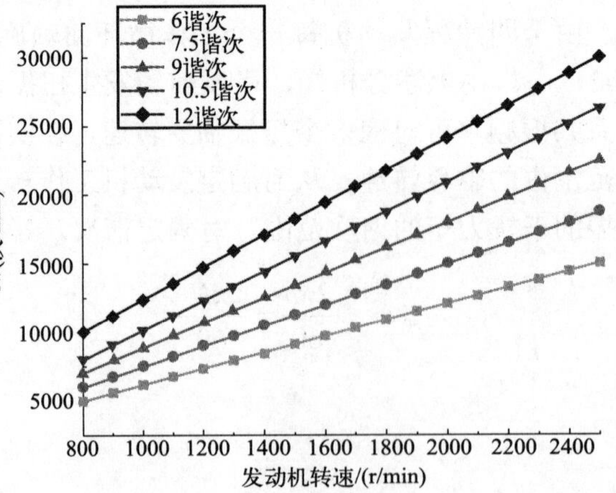

图 4-5 临界转速图谱

4.1.7　轴系强迫振动计算

建立轴系 8 自由度强迫振动集中参数模型，如图 4-6 所示。

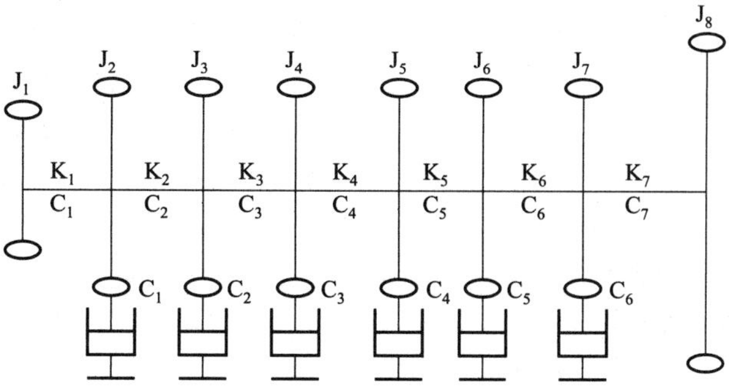

图 4-6　轴系 8 自由度强迫振动集中参数模型

根据达朗贝尔原理，建立轴系强迫振动平衡方程为：

$$J_n\ddot{\theta}_n + C_n'\dot{\theta}_n - C_{n-1}\left(\dot{\theta}_{n-1} - \dot{\theta}_n\right) + C_n\left(\dot{\theta}_n - \dot{\theta}_{n+1}\right) - K_{n-1}\left(\dot{\theta}_{n-1} - \dot{\theta}_n\right) + K_n\left(\theta_n - \theta_{n+1}\right) = M_n$$

（4-25）

考虑到阻尼存在的情况，其有阻尼强迫振动的微分方程组为：

$$J_1\ddot{\theta} - C_d\left(\dot{\theta}_d - \dot{\theta}_1\right) + C_1\left(\dot{\theta}_1 - \dot{\theta}_2\right) - K_d\left(\theta_d - \theta_1\right) + \left(\theta_1 - \theta_2\right) = M_1 \tag{4-26}$$

$$J_8\ddot{\theta} - C_7\left(\dot{\theta}_8 - \dot{\theta}_7\right) - K_7\left(\theta_7 - \theta_8\right) = 0 \tag{4-27}$$

可转换为矩阵形式为：

$$\boldsymbol{J}\left\{\ddot{\theta}\right\} + \boldsymbol{C}\left\{\dot{\theta}\right\} + \boldsymbol{K}\left\{\theta\right\} = \left\{M\right\} \tag{4-28}$$

$$\boldsymbol{J} = \begin{bmatrix} J_1 & & & & & & & 0 \\ & J_2 & & & & & & \\ & & J_3 & & & & & \\ & & & J_4 & & & & \\ & & & & J_5 & & & \\ & & & & & J_6 & & \\ & & & & & & J_7 & \\ 0 & & & & & & & J_8 \end{bmatrix} \quad \boldsymbol{C}' = \begin{bmatrix} 0 & & & & & & & 0 \\ & C_2' & & & & & & \\ & & C_3' & & & & & \\ & & & C_4' & & & & \\ & & & & C_5' & & & \\ & & & & & C_6' & & \\ & & & & & & C_7' & \\ 0 & & & & & & & 0 \end{bmatrix}$$

$$C=\begin{bmatrix} C_1 & -C_1 & & & & & & 0 \\ -C_1 & C_1+C_2 & & & & & & \\ & & C_2+C_3 & & & & & \\ & & & C_3+C_4 & & & & \\ & & & & C_4+C_5 & & & \\ & & & & & C_5+C_6 & & \\ & & & & & & C_6+C_7 & -C_7 \\ 0 & & & & & & -C_7 & C_7 \end{bmatrix}$$

$$K=\begin{bmatrix} k_1 & -k_1 & & & & & & 0 \\ -k_1 & k_1+k_2 & & & & & & \\ & & k_2+k_3 & & & \cdots & & \\ & & & k_3+k_4 & & & & \\ & & & & k_4+k_5 & & & \\ & & \cdots & & & k_5+k_6 & & \\ & & & & & & k_6+k_7 & -k_7 \\ 0 & & & & & & -k_7 & k_7 \end{bmatrix}$$

$$\boldsymbol{M}=\begin{bmatrix}0 & M_2 & M_3 & M_4 & M_5 & M_6 & M_7 & 0\end{bmatrix}^{\mathrm{T}}$$

$$\boldsymbol{\theta}=\begin{bmatrix}\theta_d & \theta_1 & \theta_2 & \theta_3 & \theta_4 & \theta_5 & \theta_6 & \theta_7\,\theta_8\end{bmatrix}^{\mathrm{T}}$$

$$\left[\ddot{\theta}\right]=\begin{bmatrix}\ddot{\theta}_d & \ddot{\theta}_1 & \ddot{\theta}_2 & \ddot{\theta}_3 & \ddot{\theta}_4 & \ddot{\theta}_5 & \ddot{\theta}_6 & \ddot{\theta}_7\,\ddot{\theta}_8\end{bmatrix}^{\mathrm{T}}$$

$$\left[\dot{\theta}\right]=\begin{bmatrix}\dot{\theta} & \dot{\theta}_1 & \dot{\theta}_2 & \dot{\theta}_3 & \dot{\theta}_4 & \dot{\theta}_5 & \dot{\theta}_6 & \dot{\theta}_7\,\dot{\theta}_8\end{bmatrix}^{\mathrm{T}}$$

做有阻尼强迫振动时，曲轴激振频率和振动频率相同，角位移存在相位差。上述方程组解的形式可写为：

$$\theta_k = A_k\sin(v\omega t+\varepsilon_k)=\alpha_k\sin(v\omega t)+\beta_k\cos(v\omega t)(k=1,2,3\cdots,n) \tag{4-29}$$

$$\alpha_k = A_k\cos(v\varepsilon_k)\text{；}$$

$$\beta_k = A_k\sin(v\varepsilon_k)\text{；}$$

$$A_k=\sqrt{{\alpha_k}^2+{\beta_k}^2}\text{；}$$

$$\varepsilon_k=\arctan\frac{\beta_k}{\alpha_k}\text{；}$$

式中，v为干扰力矩简谐次数。

对 $\theta_k = A_k \sin(v\omega t + \varepsilon_k) = \alpha_k \sin(v\omega t) + \beta_k \cos(v\omega t)(k = 1,2,3\cdots, n)$ 进行两次求导，可以得到：

$$\dot{\theta}_k = \omega\alpha_k \cos(v\omega t) - \omega\beta_k \sin(v\omega t) \tag{4-30}$$

$$\ddot{\theta}_k = -\omega^2\alpha_k \sin(v\omega t) - \omega^2\beta_k \cos(v\omega t) \tag{4-31}$$

将式（4-30）和式（4-31）代入式（4-25）左端，可化简整理为包含正弦 $\sin(v\omega t)$ 和余弦 $\cos(v\omega t)$ 的两部分。

由轴系强迫振动理论分析可知，同一个激振力矩存在多个简谐次数，但仅仅是与轴系发生共振时的激振力矩对轴系做功。因此，可先利用线性叠加原理对单独计算分析的某几次共振谐次进行几何叠加再计算式（4-25）右端。气体爆发压力所引起共振的激振力矩经简谐分析后其简谐部分为：

$$\begin{aligned} M &= M_k \sin(v\omega t + \varepsilon_k) \\ &= M_k \cos\varepsilon_k \sin(v\omega t) + M_k \sin\varepsilon_k \cos(\omega t) \end{aligned} \tag{4-32}$$

由分析知，式（4-24）右端也包含正余弦两部分。根据等式两端正余弦关系式一一对应相等可建立 $2n$ 个方程组等式，通过主消元法计算求解等式得 $2n$ 个未知数（α_k 和 β_k），回代即可求得 k 谐次振幅 A_k 和相位 ε_k 及扭振角位移 θ。

由上述对发动机曲轴轴系的激振力矩及简谐次数的分析可知，需要考虑的气体爆发压力激励力矩的简谐次数 v 为 6 ～ 12 次，进一步分析求解可得该激振力矩下的曲轴扭转角及扭转角位移，分析轴系扭振影响因素。经上述分析求出式（4-26）左右端各部分的系数矩阵，进而基于发动机曲轴系简化模型及参数，计算得到工作转速内振幅明显的主谐次，对应谐次的曲轴自由端强迫振动情况如图 4-7 所示。

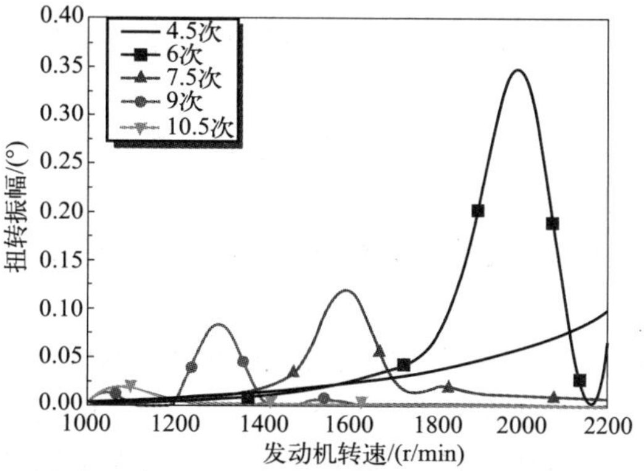

图 4-7 发动机曲轴自由端强迫振动振幅

由观察结果可知，曲轴系在1960r/min（6谐次）共振时的曲轴扭振幅值最为明显，达到0.3557°，且1568r/min（7.5谐次）和1307r/min（9谐次）的扭振振幅也较为显著，分别为0.1475°和0.0942°。因此对于本发动机曲轴系扭振特性的减振研究，要对这三个主要谐次的曲轴系扭振设计阻尼扭振减振器以降低轴系扭振振幅。

4.1.8 曲轴系扭振建模仿真

运用AVL软件中的EXCITE Designer模块进行曲轴多体力学仿真，该模块可以通过装配发动机个体单元进行发动机曲轴系的动力学仿真模型搭建，设定轴系全局参数和个体单元特性，添加气缸压力载荷输入，从而进行曲轴多体力学仿真，得到曲轴自由和强迫振动分析结果，进一步说明在曲轴末端安装扭振减振器对于减缓曲轴扭振的积极作用。

以某款四缸直列自然吸气柴油发动机为研究对象，其基本参数如表4-3所示。

表4-3 发动机基本参数

参数名称	数值
发动机形式	直列四缸
缸径 /mm	75
行程 /mm	84.5
冲程数	4
连杆长度 /mm	131
每缸气门数	4
额定转速	1800
最大爆压 /MPa	7.5

为研究曲轴扭转振动特性，所搭建的模型应包括发动机、曲轴、连杆、活塞、活塞销、轴承等部件。建模过程按照一定的装配顺序进行模块化搭建，且各部件之间通过轴承单元进行装配。

完成动力学模型搭建后，对发动机轴系全局参数和个体单元特性进行定义。定义发动机的类型为四冲程四缸直列型柴油发动机。将曲轴横置建立坐标系，设置轴系主轴中心点为坐标原点，设曲轴轴线为X轴，气缸垂直线为Y轴，气缸中心线为Z轴。

在软件界面中可以进一步展开Designer模型中的曲轴单元，如图4-8所示。其中图4-8（a）为未加装减振器的曲轴简化模型，图4-8（b）为加装减振器后的模型。

两款模型都可以进行曲轴的各项参数设定，只是在不同的计算过程中，对需要区分开的参数（如减振器的转动惯量和扭振刚度等）应该进行增减。在分析扭振特性的计算中应选用未加装减振器的曲轴简化模型，而在验证减振器加装以体现减振效果时应选用加装减振器后的模型。曲轴材料参数定义如表 4-4 所示，各部件的转动惯量如表 4-5 所示，各部件扭转刚度如表 4-6 所示。

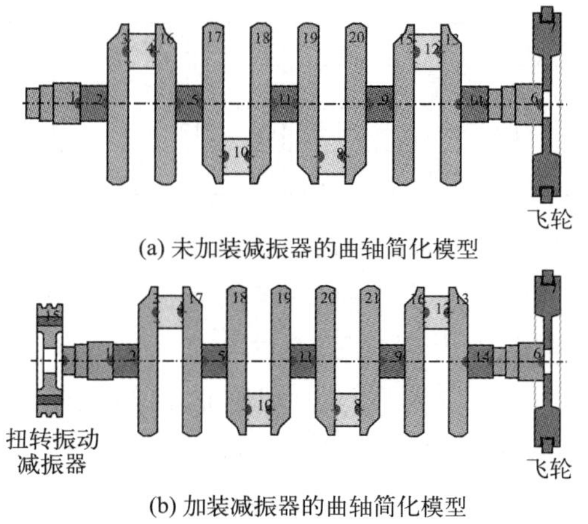

图 4-8　曲轴简化模型

表4-4　曲轴材料参数

参数名称	数值	参数名称	数值
材料类型	钢	阻尼系数	0.0022
密度 /（kg/m^3）	7850	弯曲疲劳强度 /（N/mm^2）	690
弹性模量 /（N/mm^2）	210000	抗拉强度 /（N/mm^2）	1500
剪切模量 /（N/mm^2）	81000	屈服强度 /（N/mm^2）	1050
泊松比	0.3	布氏硬度 HB	294

表4-5　当量计算模型转动惯量

名称	转动惯量 /$kg \cdot m^2$	名称	转动惯量 /$kg \cdot m^2$
减振器壳体	9.787e−3	主轴颈 1	1.658e−1
减振器惯性块	1.476e−2	主轴颈 2	1.167e−1
主轴承 1	6.256e−2	主轴颈 3	1.592e−1
主轴承 2	3.521e−2	主轴颈 4	1.584e−1
主轴承 3	3.683e−2	主轴颈 5	1.204e−1
主轴承 4	2.341e−2	主轴颈 6	1.713e−1
主轴承 5	3.651e−2	飞轮	4.723e0
主轴承 6	3.146e−2	后端轴段	1.625e−2
主轴承 7	6.812e−2	齿轮	1.853e−2

表4-6 当量计算模型的扭转刚度

名称	扭转刚度 /Nm · rad^{-1}	名称	扭转刚度 /Nm · rad^{-1}
轴段 1	1.748e+6	曲柄臂 3	1.249e+6
轴段 2	3.703e+6	曲柄臂 4	1.170e+6
轴段 3	1.453e+6	曲柄臂 5	1.179e+6
轴段 4	2.403e+6	曲柄臂 6	1.242e+6
轴段 5	3.803e+6	曲柄臂 7	1.249e+6
曲柄臂 1	1.197e+6	曲柄臂 8	1.160e+6
曲柄臂 2	1.244e+6	减振器	6.500e+3

参数定义完成后，进行外部载荷输入。外部载荷包括气缸冲击压力、曲柄连杆机构的往复惯性力。其中往复惯性力可以通过软件分析所载入的曲柄连杆参数求解得出，而气缸冲击压力则需要通过 AVL Boost 根据发动机工况计算得出并输入 Designer 模型中。为较为全面地观察曲轴扭振特性，选取较大范围转速（1000 ～ 6000r/min）进行自由振动计算和强迫振动计算，在分别得出相应指标的图谱后进行结果分析。

4.2 曲轴系变阻尼扭振减振器原理分析及磁场设计

4.2.1 磁流变减振器的基本原理

磁流变减振器是基于磁流变液的磁流变效应而设计研发出的变阻尼减振器。磁流变液主要包括可磁化的离散微粒、载体液以及防沉降的外加剂。无磁场作用时，磁流变液中离散微粒呈无规则随机排列，在磁场作用下，离散微粒沿磁场方向呈链束状排列，场强越强，链束作用越明显，当场强增大到一定程度时，能在几毫秒内由宾汉流体状态转变为半固体状态，剪切应力强度随之增大，且这个变化过程可逆。

关于磁流变液的流变机理存在相变理论和场致偶极矩理论两种有代表性的假说。

① 相变理论认为，在外部磁场不断增强的过程中，基液中离散微粒处于受热波动影响的随机状态（被称为自由相）。在场强不断增加的过程中，被磁化的微粒在磁场和热波动的影响下，形成有序排列的链状结构（被称为有序相）。场强进一步增大，有序相串联成链，且长链会吸收短链变粗而转变为固态相。

② 场致偶极矩理论认为，磁流变液受外部磁场作用，每一个颗粒都将极化成磁偶极子，相互吸引成链，链力越强，流变效应越强。

以上两种理论都是在假设离散微粒的形状规则的前提下提出的，实际上粒子排列杂乱。基于此，有人提出兼顾液体表面能及磁化效应的双层假设，但是其建模非常困难，因此，对于磁流变理论仍需进一步探究与完善。

4.2.2　旋转式磁流变阻尼器理论分析

旋转式磁流变阻尼器按形状体积不同可分为圆筒式、圆盘式、圆锥式三种形式，圆锥式应用较少，而圆筒式及圆盘式磁流变阻尼器广泛应用于实际生产及科学研究中，其他形式复杂的阻尼器均由圆盘式和圆筒式两种复合形成。

圆筒式磁流变阻尼器的工作原理如图 4-9 所示。将磁流变液置于固定导磁圆筒和转子之间，线圈置于导磁圆筒内，沿轴向排列，磁场线沿导磁圆筒内线圈一侧穿过磁流变液通道进入转子内，再沿转子穿过磁流变液通道到达线圈另一侧形成闭合回路。无外加磁场作用时，磁流变液表现为宾汉流体，产生的阻尼力矩为黏性阻力矩且数值很小；当励磁线圈通电后，磁流变液由于磁场作用产生剪切力，随着电流增强，磁感应强度不断增强，磁致剪切应力逐渐增大，转动阻尼力不断增大，当磁场不断增加到某一程度时，磁流变液由宾汉流体状态转变为类固体状态。磁场越强磁流变效应越强，可通过调节励磁线圈电流强弱来增大或减小磁场强度的大小，从而实现对阻尼力的可控调节。

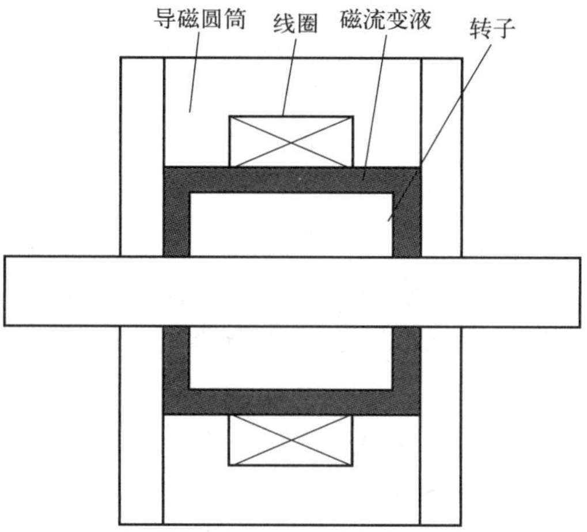

图 4-9　圆筒式磁流变阻尼器

圆盘式磁流变阻尼器的工作原理如图 4-10 所示，磁流变液置于转子及外筒之间，相较于圆筒式磁流变阻尼器，圆盘式磁流变阻尼器转子轴向长度较小。线圈布置时轴向需覆盖磁流变液轴向通道，使磁场线经线圈一侧出发沿外筒穿过一侧磁流变液通道再穿过转子，经另一侧磁流变液通道到达外筒另一侧，最后经线圈另一侧形成闭合回路。当线圈不通电时，磁流变液本身黏性阻尼力矩很小；当线圈通电后存在外加磁场，磁流变液依靠所形成的磁致剪切应力产生阻尼力矩。

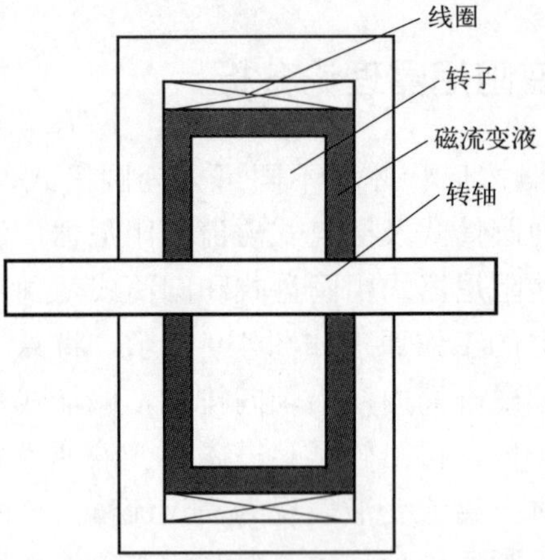

图 4-10 圆盘式磁流变阻尼器

4.2.3 扭振减振器的磁路设计

基于磁流变脂的发动机扭振减振器，其磁流变脂腔是主要的控制腔，腔体内部的间隙中充满了会根据施加磁感应强度的大小来改变其黏性参数的磁流变脂，以此控制扭振减振器阻尼系数并最终控制其扭振性能。所以，磁流变脂腔内磁场的布置是非常重要的一环，而为了保证所设线圈位置的合理性，需要在对其磁场布置之前先对磁流变脂腔内的结构进行预设。

发动机扭振减振器的结构通常为圆盘形，使用法兰盘与曲轴相连接，所以为了适应扭振减振器的工作环境，将磁流变脂腔也设计成圆盘形。圆盘形的扭振减振器适合用惯性块与阻尼材料相互摩擦、消耗能量的方式进行减振，这种减振方式最具有代表性的就是硅油扭振减振器。

使用圆盘形的结构和使用惯性块就需要在惯性块与壳体之间设置垫圈，内垫圈与惯性块的内表面相接触，外垫圈和惯性块的外表面相接触。此外，还需要在惯性块的顶部与底部放置垫圈来防止惯性块和壳体之间发生摩擦和碰撞，这些垫圈都使用了耐磨性的材料。在壳体、惯性块以及垫圈的间隙中充满着含微米级羟基铁粉的磁流变脂。所以，线圈就需要布置在扭振减振器的圆盘结构之中，而由于壳体外部环境复杂，不能将线圈设计在减振器之外，因此只能将其设计在磁流变脂腔体的内部。

最适合安置线圈的位置是壳体内环（即内垫圈与壳体相接触的部分），线圈可以直接缠绕在内圈上固定。然而为了避免线圈和内垫圈之间相接触，需要设计线圈支撑架来进行阻隔。线圈支撑架需要与壳体一起将线圈封闭，以防止微米级的羟基铁粉在运动过程中对线圈造成损坏。同样地，也可以将线圈放置在外垫圈与壳体之间，其放置难点在于没有可供线圈缠绕的装置，也不可以将线圈直接缠绕在外垫圈上，因为外垫圈并不是固定在扭振减振器内部的。所以，在外垫圈与壳体之间同样需要放置固定的外线圈支架，以此将线圈缠绕在外线圈支架上与壳体之间形成一个密封的空间，同样也可以防止铁粉对外线圈造成损坏。其具体是将线圈安置在内环还是壳体内壁，或者是需要两个线圈共同作用，则需要对其进行仿真实验来验证。

磁流变脂腔的端盖与顶部垫圈相接触，其配合线圈支架与垫圈形成密封结构。虽然磁流变脂不是液体，不易泄漏，但是仍需在法兰盘式的端盖与壳体连接结构之间放置 O 形环密封，然后通过螺钉和螺栓拧紧把 O 形环挤压变形将缝隙封住。

扭振减振器的阻尼系数对其阻尼效果有着直接的影响，磁流变脂的阻尼与磁场也有着直接的关系。根据磁流变脂腔的结构进行预设分析，拟定以硅油腔体为设计的类比结构来对其磁场进行分析。

对基于磁流变脂的发动机扭振减振器进行磁路设计需要满足以下条件：首先，需要使磁感应线形成一个完整的闭环，磁感应线应当在减振器的壳体外壁范围之内。其次，磁感应线应当覆盖壳体与惯性块之间的间隙，即充斥磁流变脂的部分。最后，线圈不能直接和磁流变脂接触，以防止磁流变脂中微米级的磁响应粒子在旋转过程中对线圈外皮造成伤害。

磁流变脂材料中的磁响应粒子（即含 95% 以上铁元素的粒子）在磁场的作用下会沿着磁感线的方向形成链状结构，这种链状结构会对惯性块的运动形成阻尼作用，所以为了使基于磁流变脂的扭振减振器能够满足磁场可控的条件，则需要对磁路进行详细的规划，磁路即为磁通所经过的路径，磁通是表示磁场分布情况的物理量。

磁流变脂腔所需要的磁场是一种空间，它的构成与电流有关，同时又依附于载流导体。从微观上说，磁场对电流的作用力就是它对运动电荷的作用力——洛伦兹力。需要将其所产生的截面磁感应线与惯性块的运动方向相垂直，使磁流变脂中磁响应粒子（即羟基铁粉）在磁感应线的排布下与惯性块的运动产生剪切应力，如图 4-11 所示。

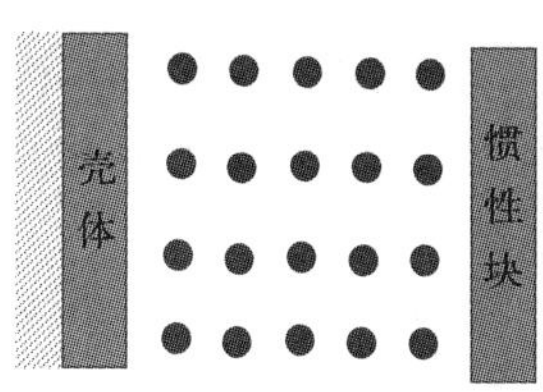

图 4-11　剪切模式

由图 4-11 可知，磁响应粒子在截面处呈现直线排列，当惯性块运动时，其运动方向垂直于磁感应线所在的截面，因此可以产生剪切力，且可以产生磁流变脂在磁场作用下的阻尼力。

磁流变脂腔内所需要的磁场是一个稳定的磁场，通过外加的给电装置源源不断地输出电流，且在一段时间内，电流不随时间而变化，电荷不会随意地累积或消失。但是，仍需要考虑在给电过程中传递电流的电阻问题：

$$R_{总} = R_1 + 2R_2 + R_3 \tag{4-33}$$

式中，$R_{总}$为单个线圈的路径总电阻；R_1为电源内电阻；R_2为单向传递路径电阻；R_3为线圈电阻。

通过对预设结构和磁场的关系进行分析可知，若要达到预期的磁场要求，需要其磁感应线形成闭环且与惯性块的运动方向相垂直。在给电的过程中需要保证电流在一段时间内稳定，且需要对其电阻进行考虑。

4.2.4 扭振减振器电磁场初步设计及线圈配置仿真

通过对扭振减振器结构的预设和对电磁磁路的分析，拟定磁流变脂腔的结构，运用 Maxwell 软件对基于磁流变脂的发动机扭振减振器进行电磁场仿真实验。由于结构件是对称件，所以在仿真时取其一半进行仿真实验。建立扭振减振器的磁流变脂腔结构模型如图 4-12 所示。

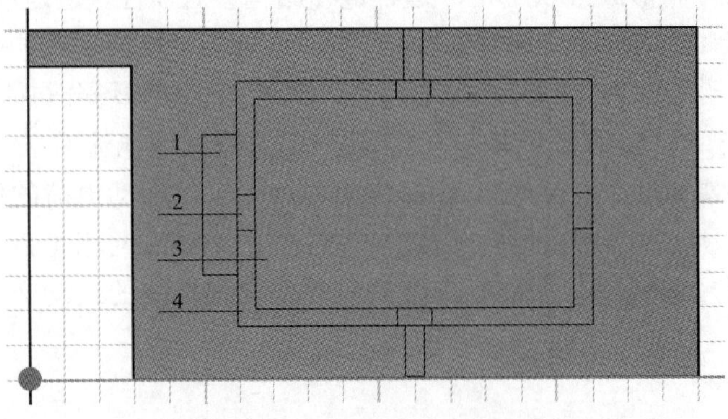

图 4-12 磁流变脂腔结构模型

1—线圈；2—垫圈；3—惯性块；4—磁流变脂

综合考虑线圈的安装难度，在靠近法兰盘一侧设置线圈，其优点为线圈可直接绕在内环上，其布置相对简单。然后对这种布置方式进行电磁场仿真，首先设置外部的条件为 balloon（即气球边界），在对其施加一定的电流下考察靠近法兰盘侧单线圈下的磁感应线以及磁场的遍布情况，如图 4-13 所示。

通过图 4-13 可以发现，在靠近法兰盘侧的扭振减振器壳体内侧设置线圈时，磁感应线并不会外溢，而是全部都密布在了壳体内部。所以，其磁场布置是合理的，然而，其磁感应线只能分布在靠近法兰盘的一侧，无法完全覆盖壳体与惯性块之间的磁流变脂部分，这样就无法使其黏度都随磁场的变化而变化。因此需要对其电磁控制进行进一步的研究。

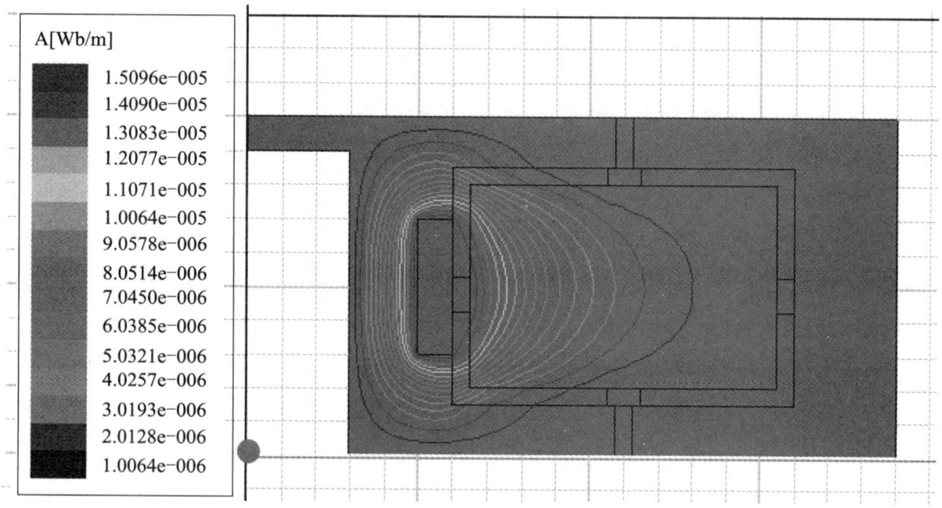

图 4-13　法兰盘侧磁场线分布

在其他条件不变的情况下，再将线圈设置在扭振减振器的外侧内壁，探究其能否满足预期的条件，如图 4-14 所示。

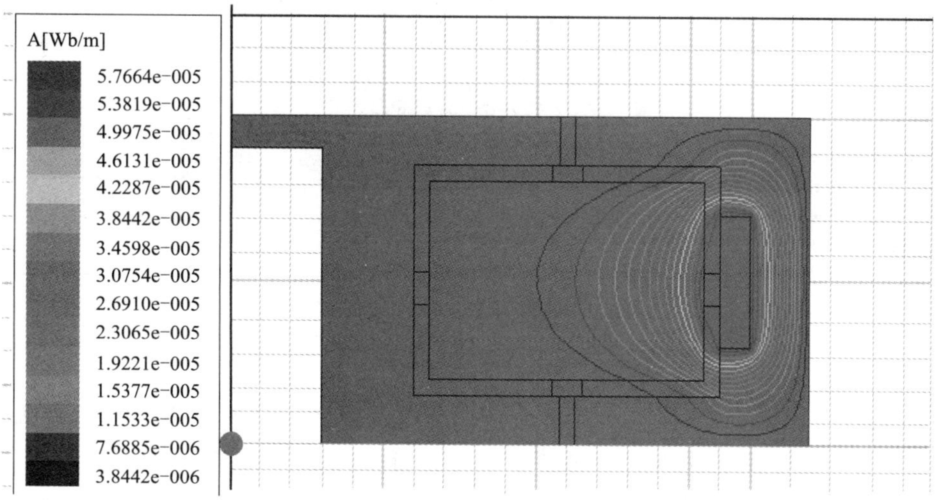

图 4-14　外侧内部磁场线分布

如图 4-14 所示，在壳体外侧内部设置线圈同样能满足磁感应线不外溢且能形成规则的闭环的条件，然而也只能覆盖到线圈周边的磁流变脂，不能完全覆盖壳体与惯性块之间的间隙。

此外，考虑到线圈的安匝数和电流方向对其可能会产生影响，所以还对这两种线圈设置方法进行了仿真实验，分别加大或减少电流，改变磁场的给电方向。实验结果表明，即使增大或减少安匝数，磁感应线仍然不能达到全面覆盖的效果，且当电流方向发生变化时其磁感应线密布情况并无明显变化。

上述几组仿真结果表明，单靠在内侧或外侧设置线圈，即使所给的电流再大，也并不能达到对壳体和惯性块间隙的磁场全覆盖，所以需要在磁场设置上另寻出路。然而在这种结构中，顶端是端盖，端盖需要和其他结构相连接，底端则是另一个独立腔体，因此也并不能将线圈设置在上下这两个部分。所以综合考虑，需要探究在内外两侧同时设置线圈，让内外侧线圈互相作用观察其磁力线的交织情况，以此研究能否满足预想的方案和结果。

将靠近法兰盘侧与壳体外侧的内部都按照同样的条件设置线圈，并同时将内侧和外侧的线圈取相反的电流输入，可得其仿真结果如图 4-15 所示。

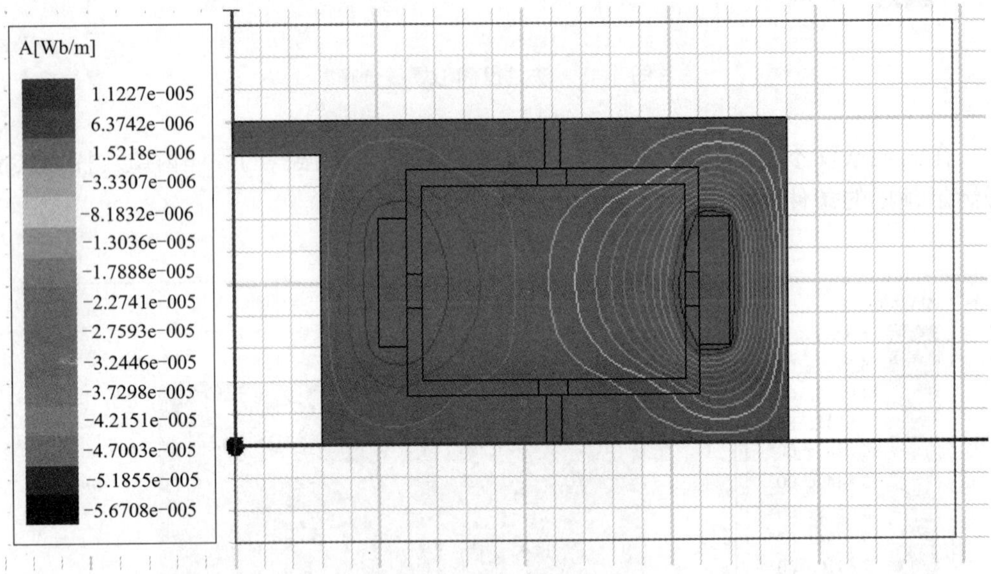

图 4-15 内外侧线圈电极相对的磁场线分布

根据图 4-15 可知，在安匝数相同且其电极相对的条件下，靠近法兰盘侧的线圈所展现的磁感应线相对稀松，而靠近外侧的线圈磁感应线则相对密集。两个磁场之间并没有相交，其覆盖面虽然达到两边都有磁场覆盖的情况，但还是有所缺陷，并不能使磁流变脂大部分都被覆盖。在这样的情况下，调整左右两边的安匝数使其达到平衡，如图 4-16 所示。

根据图 4-16 可知，即使对安匝数进行调整，其磁感应线由于磁场之间的相对作用也并不密集，在磁极相对的双线圈作用下，磁感应线并没有对壳体与惯性块之间的间隙形成大面积的覆盖，因此需要对其进行进一步的探究。

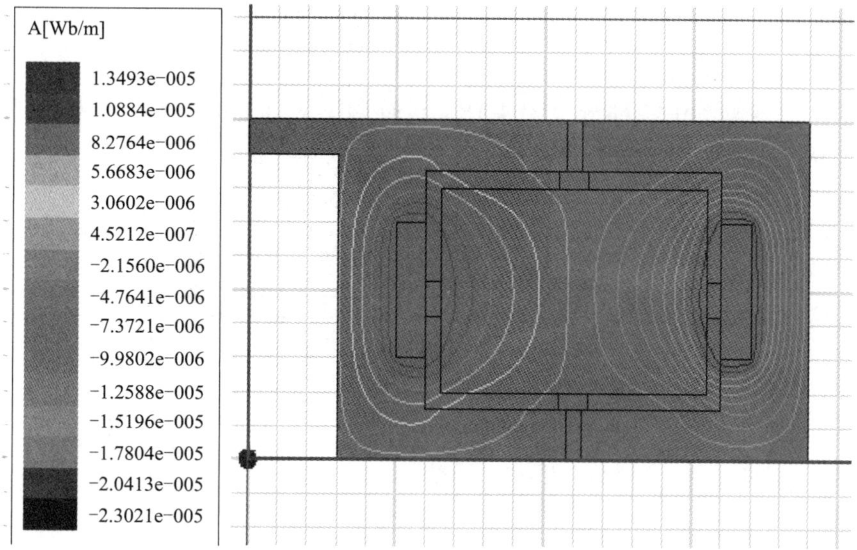

图 4-16 电极相对调整后的磁场线分布

在安匝数不变的情况下对内外两线圈通同向的电流，其所得到的仿真结果如图 4-17 所示。

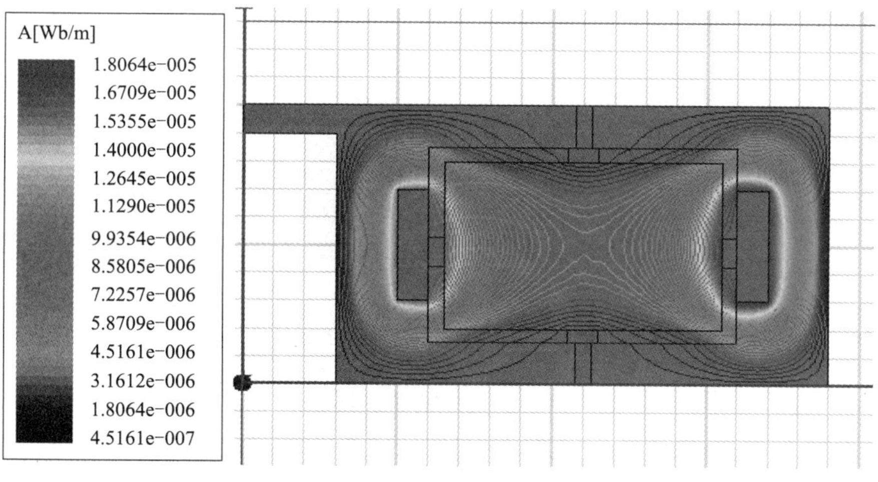

图 4-17 电极相同下的磁场线分布

根据图 4-17 所示，可以明显地看到在两个线圈的共同作用下，两个线圈所产生的磁场相互连接，共同作用使其磁感应线覆盖了壳体与惯性块之间的大部分区域，已经满足磁流变脂的磁场覆盖要求，故内外双线圈且磁极相同的方案可行。

4.2.5 扭振减振器电磁场多维度仿真与设计优化验证

在此基础上继续对其上下内外四个部分的结构间隙进行磁场仿真研究，观察其磁感应强度的变化情况。

首先，对内侧的中线部分（图 4-18）进行磁感应强度的检验，其检测的方向是沿着中线从上到下，其仿真结果如图 4-19 所示。

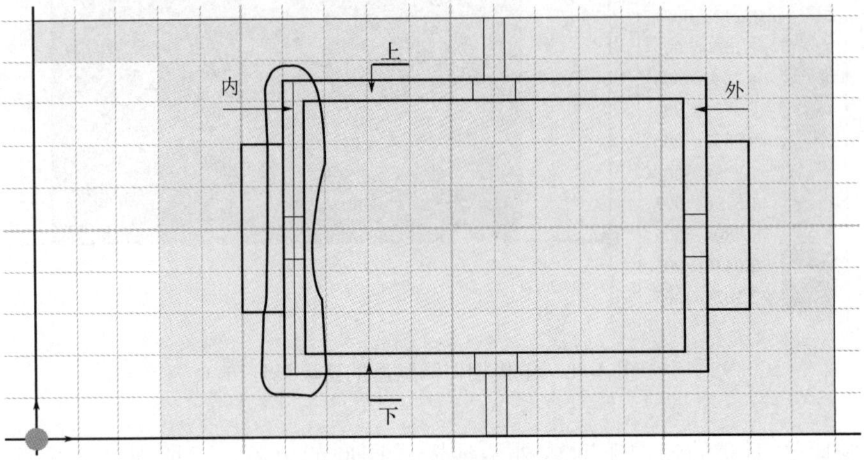

图 4-18 内侧中线部分

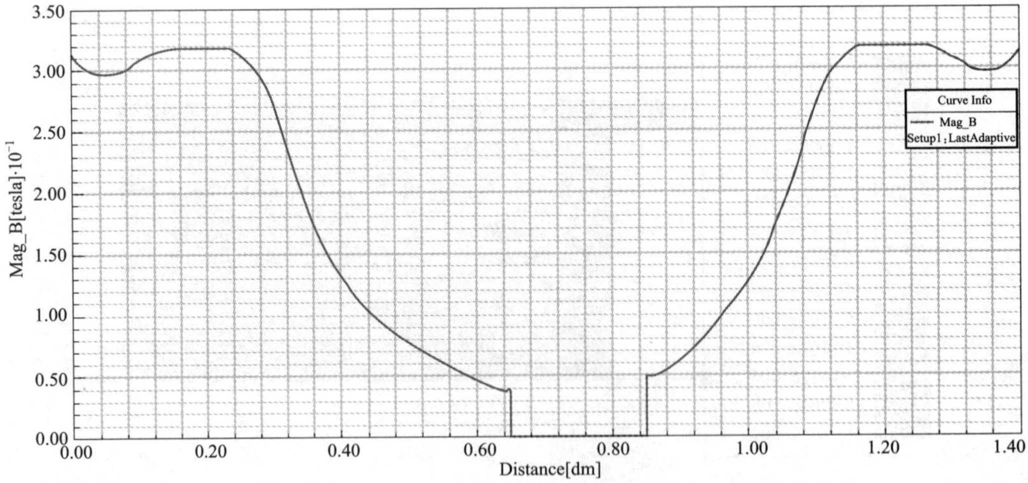

图 4-19 内侧中线电磁场

根据内侧中线上的磁感应强度变化情况可知，在中间的区域磁感应强度为 0，其原因为中间的部分所安装的是垫圈，垫圈的作用主要是防止惯性块与壳体之间相互摩擦，它的材料是聚甲醛，聚甲醛不导磁，所以磁路不从聚甲醛处经过而会绕过它。同时根据图 4-19 可知，其最高磁感应强度为 0.32T，从上往中间依次递减，在经过中间聚甲醛后，其磁感应强度又逐渐上升。

同样，对上、外和下这三个磁流变脂间隙部分的中线分别做磁场仿真，其结果如图 4-20 ～图 4-23 所示。

上层间隙中线处，从左向右的检测方向，其磁感应强度变化情况如图 4-20 所示，其与内侧中线的对称式图形并不相同，在中间的区域磁感应强度仍然为 0，原因相同，垫圈不导磁。根据图可知其最高磁场仍是 0.32T，从上往中间依次递减，然而在经过垫圈后不断地上升，但只上升到 0.14T 左右。

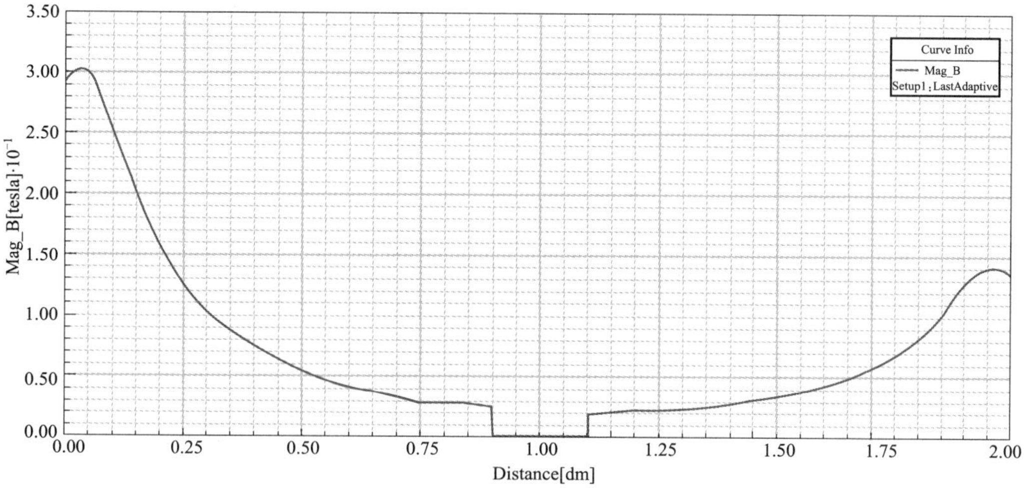

图 4-20　上侧中线电磁场

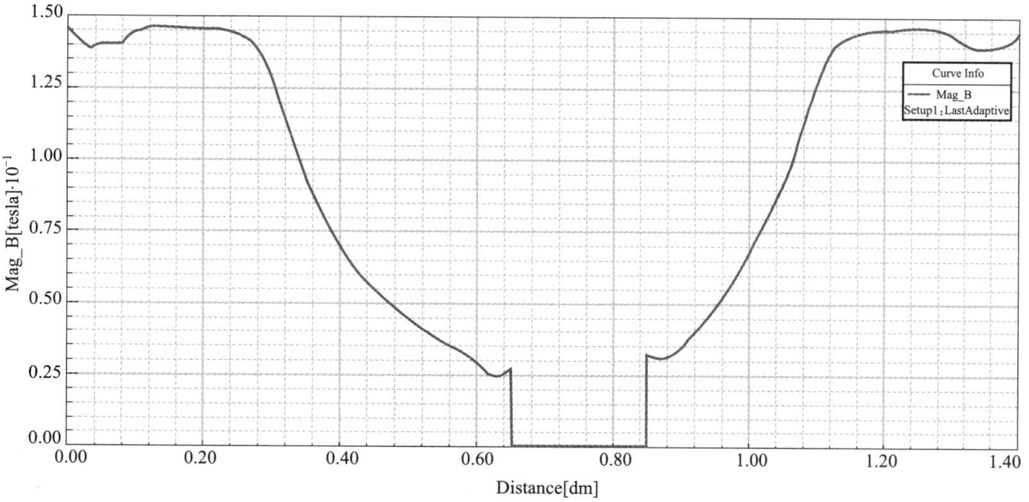

图 4-21　外侧中线电磁场

由图 4-21 可知，磁流变脂腔外侧中线的磁感应强度也是对称的，其与内侧的图形形状几乎完全相同，然而它最高磁感应强度是 0.15T，从上向中间依次递减，且其在中间的区域磁场仍然为 0。在经过垫圈后开始恢复上升直到其值上升到 0.15T。

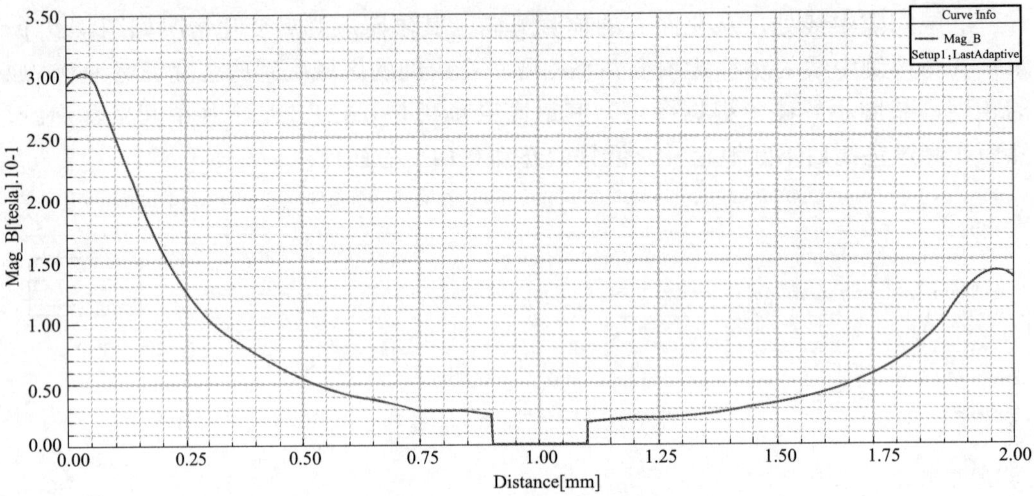

图 4-22 下侧中线电磁场

根据图 4-22 可知，上下两侧的磁感应强度变化并不是对称的，它的磁感应强度变化为 0.3 ～ 0.14T，中间区域为 0，原因是中间部分也是垫圈，其材料是聚甲醛，作用是使惯性块不与上下面之间相互摩擦。而不对称的主要原因为两个线圈所给的安匝数并不相同，但是从内外侧的磁场情况可知，靠近线圈的部分在内外侧的磁场是均匀分布变化的。

综合以上分析，需要对电流进行多次赋值，并对其磁场的平均值进行取值，分析二者之间的变化关系，找出在扭振减振器的壳体与惯性块之间的间隙处，安匝数与磁场之间的关系，从其中取五组，其电流与磁场的数据如表 4-7 所示。

表4-7 安匝数与磁感应强度的数据

内线圈	外线圈	内侧最大值	上侧最大值	右侧最大值	下侧最大值	平均值 /T
190	50	1	0.9	0.41	0.9	0.8
230	60	1.2	1.1	0.5	1.1	1.0
250	70	1.3	1.3	0.6	1.2	1.1
280	80	1.5	1.4	0.7	1.3	1.2
320	90	1.7	1.6	0.7	1.6	1.4

根据表 4-7 可知，在外侧线圈的安匝数稳步增加的同时，为了维持磁感应线的均匀分布，其内侧线圈也在同时增加，其增长的数值是外侧增加 10 安匝，内侧则需要增加 20 ～ 40 安匝数。此外，为了更直观地了解，将其用 MATLAB 软件进行

数据整理，如图 4-23 所示。

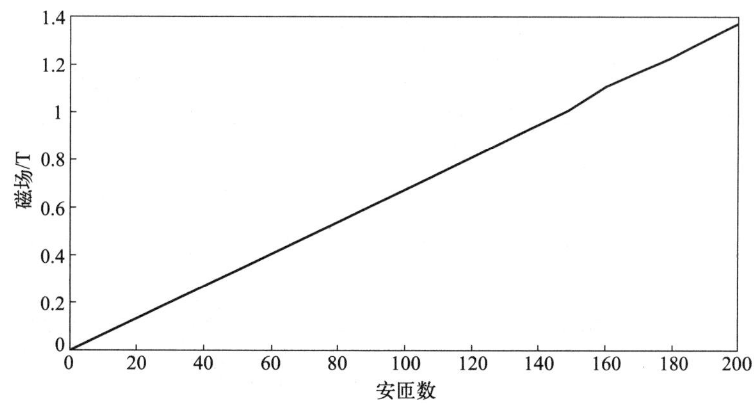

图 4-23 安匝数与磁感应强度均值关系

根据图 4-23 可知，安匝数的均值与磁感应强度的均值成线性关系，相对容易对其控制，且其值基本在 0.2 ～ 2T 之间，满足间隙磁感应强度的大小要求。不过仍需注意在对磁场进行调控时需同时控制两个磁场的供电需求，以此保证磁感应线的分布均匀，确保磁流变脂的工作状态处于可控范围内。

4.3 磁流变扭振减振器的结构设计

4.3.1 磁流变扭振减振器的设计思路

结合传统硅油扭振减振器减振原理及磁流变阻尼器剪切工作模式，进行惯性块结构选型、磁路设计选型、供电方式选择，并进行了两款设计方案对比与选择。选定结构形式后对相关重要尺寸参数进行确定，完成磁流变扭振减振器的结构设计。

在构件布局上，器件主体应该包括壳体、惯性块、端盖等。壳体设计应优先考虑轴系安装方案，键位销或法兰盘等结构应能够安装在轴系上。惯性块应该具有较大的转动惯量，尺寸应契合壳体，以保证良好的转动效果，同时也可以根据磁路需要设置安装感应线圈的槽口。端盖应该设有注入磁流变脂的注液孔，并考虑与壳体配合的安装方式，若选择螺栓连接应预设放置密封圈的槽位，若选择焊接连接应预留相应尺寸的焊槽。在考虑器件结构的同时，也应选定零部件的材料。惯性块的材料需要使用铁磁性材质，并综合考量材料的磁化特性、磁导率、剩磁率、磁滞特性；壳体及端盖需要使用相同的金属材料，以便后期组装时进行焊接，并考虑到器件能否在最大工况下满足结构强度要求。

在磁路设计方面上，合理高效的磁路设计可以提高扭振减振器的减振效果，鉴于硅油扭振减振器的结构特点和工作模式，磁流变扭振减振器是基于剪切模式的工作原理所设计的。器件磁路设计的基本原则和方法如下。

① 选用较高磁导率、高饱和磁感应强度的材料作为导磁铁芯。要求磁路中各铁芯的连接方式为紧密配合，以保证减少磁场在非气隙间的损失；同时也需要兼顾剩余磁化强度问题，选用退磁能力强的材料。

② 设计长度较小的气隙。由于气隙的磁导率较低，磁阻较大，鉴于磁流变脂需处于几十毫特至三百毫特的磁场中才能充分发挥其流变特性，所以应该尽量减小气隙的长度；

③ 通电线圈需选用电阻较小、横截面积较大的漆包线。在保证磁动势能够满足磁通量的要求的同时，也需要考虑到线圈的耗电功率。磁流变器件往往会有较大电流通过线圈，大电阻线圈会导致器件过热甚至线圈短路。

在供电引线方面上，由于磁流变扭振减振器需要给感应线圈通电，所以必须考虑到线圈的供电方案。扭振减振器工作时，壳体、惯性块、电源三者之间存在不同转速的相对转动，因而需设计导电滑环分别安装在惯性块与壳体、壳体与电源之间，或通过固定结构将惯性块引线引出壳体，在壳体与电源间安装导电滑环，才能保证器件在旋转工作时导线不会发生扭断。

在器件安装方面上，需要设计法兰盘契合曲轴末端处进行安装，保证壳体与曲轴之间的固定连接，使减振器在工作中与曲轴不产生相对角位移和轴向位移。由于法兰盘属于标准件，具有一定的尺寸标准，所以在设计时应该统筹兼顾减振器的整体尺寸、工作位置的空间尺寸和法兰盘的标准尺寸。

4.3.2 惯性块结构选型

惯性块放置于减振器壳体内部，浸没于阻尼材料之中，是动力吸振的核心零部件。通常结构形式为金属质量环，在扭振减振器整体转动惯量中具有较大占比。图 4-24 所示的常规惯性块结构表面留有凹槽，方便安装摩擦衬垫，以及保证阻尼流体材料的流动。但常规惯性块由于结构限制在扭振减振器中处于完全游离状态，使得励磁线圈只能够安装在壳体上，会导致磁感应线走势控制复杂，甚至出现磁场利用率低、输出阻尼力矩较小的问题。

如图 4-25 所示的内置线圈式惯性块整体分为两个模块，内环模块为常规惯性块结构，外环模块为四个分段式弧形质量块，中间为柱状连接体并作为缠绕励磁线圈的磁芯。内环模块具有较大的质量以保证转动惯量下限值较高，外环模块半径进一步增大以提高整体转动惯量。同时外环模块作为磁感线的收散载体，由于分段式弧形质量块间间隔较大，能够有效避免磁路内循环，只需在惯性块外部加以导磁部件进行磁路引导就能够实现可控性较好的磁场回路。

图 4-24 常规惯性块结构

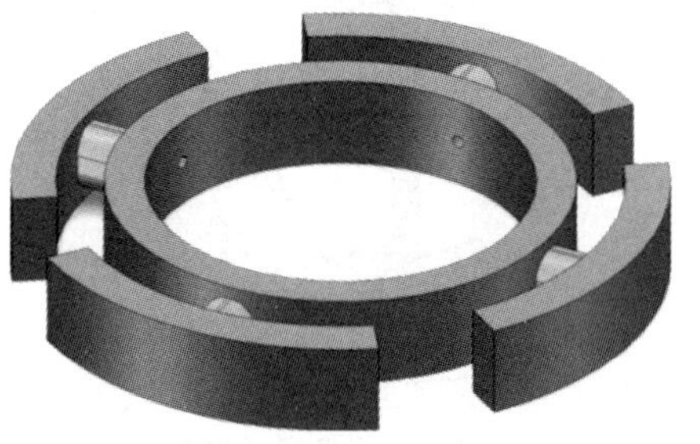

图 4-25 内置线圈式惯性块结构

经过对比分析，内置线圈式惯性块结构可靠，线圈缠绕方式简单，转动惯量值下限高，感应磁场的磁路走势可控性较好，能够有效提高磁流变扭振减振器的阻尼力矩。因此，在惯性块设计选型中选择内置线圈式惯性块结构作为磁流变扭振减振器的惯性块设计方案。

4.3.3 磁路方式选型

根据扭振减振器的结构特点以及感应磁场的分布规律，磁路一般可以分为轴向磁路［如图 4-26（a）所示］和径向磁路［图 4-26（b）］两种。轴向磁路的设计通常将线圈环形置于壳体上，并通以轴向电流形成。径向磁路的设计可以将线圈横向置于惯性块中，通以径向电流形成。

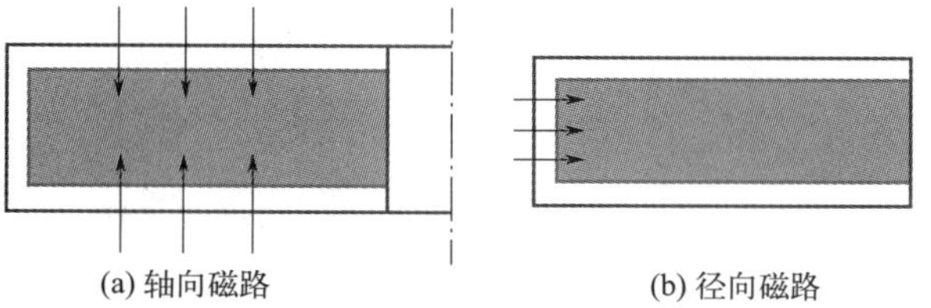

(a) 轴向磁路　　(b) 径向磁路

图 4-26 磁流变扭振减振器磁路方向

由于轴向磁路设计可能会因为结构布局形成两次磁场贯穿阻尼通道的情况，磁场变化复杂，会有一定的概率因尺寸偏差造成磁场外泄，降低磁场强度。而径向磁路仅贯穿一次侧面阻尼通道，磁场分布密集稳定性较好，能够在一定程度上提高磁场利用率。经过对比分析，并结合内置惯性块的选型，所以采用径向磁路的设计方案。

经过惯性块结构及磁路方式的选型，初步拟设所形成的理想化磁路如图 4-27 所示。惯性块内部线圈通电形成感应磁场，分别从各个外环引出或流入，垂直穿过阻尼通道再从内环连通形成闭合回路。

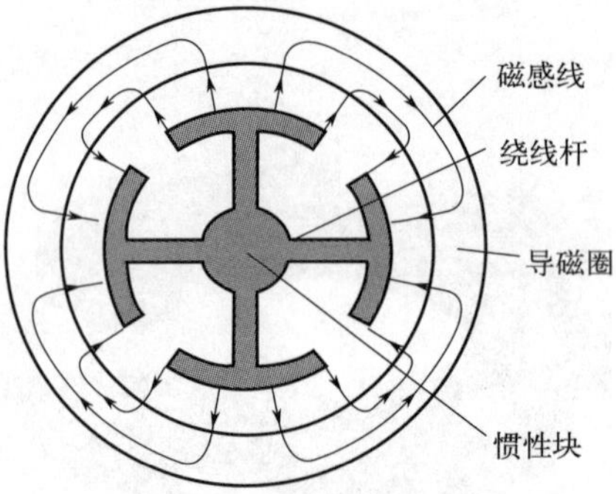

图 4-27 内置线圈式惯性块的径向磁路

4.3.4 供电方案选型

磁流变扭振减振器所通入电流为直流电流，需要固定电源进行供电。目前对于机电器件的供电方式主要有两种，分别是内置电源供电与外接电源供电。

内置电源是指将电源内置于器件中提供稳定电流的方案。但由于磁流变扭振减振器为全密闭器件，内置电源方案出现了一系列问题：电源的开关难以得到准确控制，内部热能无法外散，无线充电不易实现，更换故障电源难度大。

外接电源虽不存在以上问题，但仍需要较稳定的旋转供电设计。由于扭振减振器为旋转工作器件，当外接电源通过导线接入器件时会产生导线扭断，因此在导线经过具有相对转动的部件时需要安装导电滑环来避免扭线，以保证供电稳定。导电滑环如图 4-28 所示。

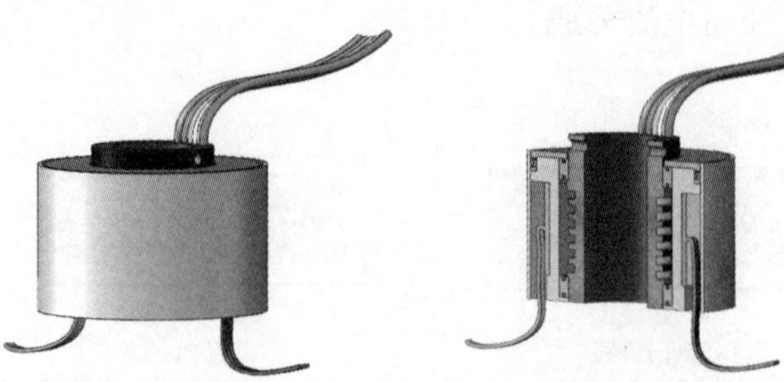

图 4-28 导电滑环

通过对比分析，选择外接电源为供电设计方案，并安装导电滑环以提高器件通电可行性和供电稳定性。

4.4 磁流变扭振减振器结构形式确定

4.4.1 结构方案对比与改进

基于上一节的部件选型和方案选择，设计出两款磁流变扭振减振器。在结构设计优劣性、实物加工难易性等方面对两款结构进行对比分析，最终以结构较为合理、加工难度适中的结构方案作为磁流变扭振减振器的确定形式。

第一款磁流变扭振减振器如图 4-29 所示。结构设计在理论上具有一定的可行性，构件布局、磁路设计方面都基本符合磁流变扭振减振器的设计方法。但是考虑实物加工中，实现内部供电引线以及器件安装存在着一定的困难。外导电滑环可以购得相应尺寸的标准件，而内导电滑环则需要进行特定结构和尺寸的定制，并且存在着减振器旋转工作时，磁流变脂可能会发生渗漏的问题。法兰盘直接设计在壳体上，由于外导电滑环支架的存在，法兰盘安装空间局促。

为解决第一款减振器的设计缺陷，对其进行了结构改进并设计出第二款磁流变扭振减振器，如图 4-30 所示。第二款磁流变扭振减振器由端盖、壳体、惯性块、导线管、导磁圈、线圈、外置法兰盘、轴承、旋转密封圈、摩擦衬片、空心轴导电滑环等部件组成。

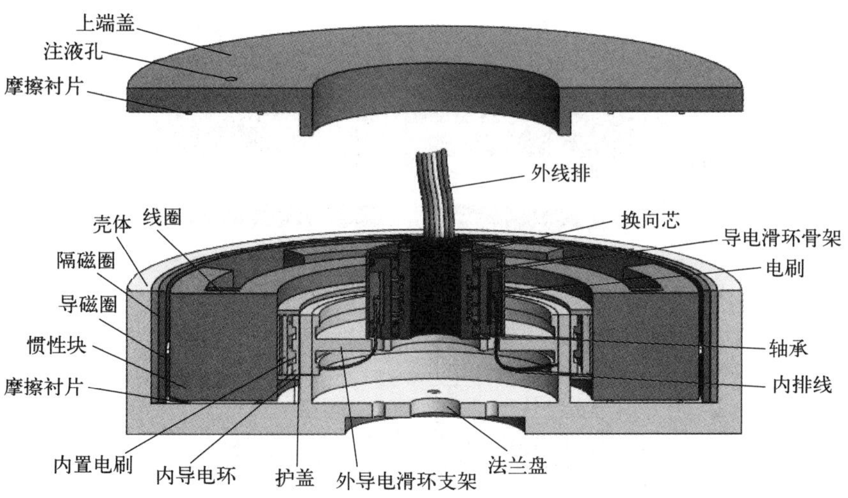

(a) 立体图

图 4-29

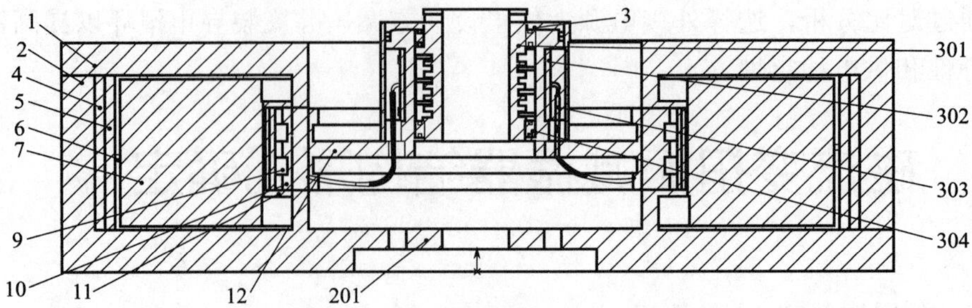

(b) 正剖视图

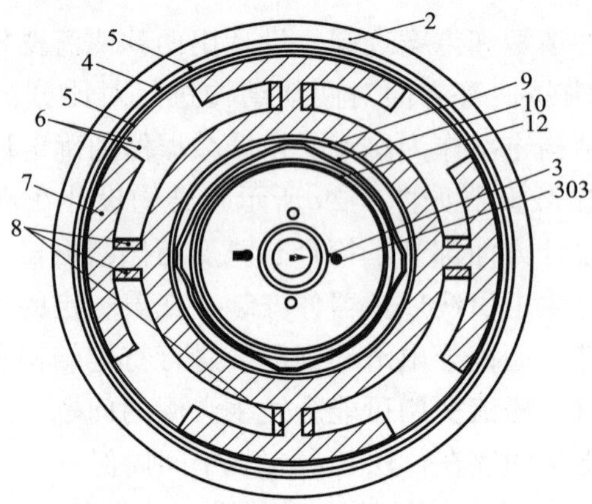

(c) 俯剖视图

图 4-29 第一款磁流变扭振减振器

1—端盖；2—壳体；201—法兰盘；3—空心轴导电滑环；301—换向芯；302—电刷；303—内排线；304—轴承；4—隔磁圈；5—导磁圈；6—摩擦衬片；7—惯性块；8—线圈；9—内置电刷；10—内导电环；11—护盖；12—外导电滑环支架

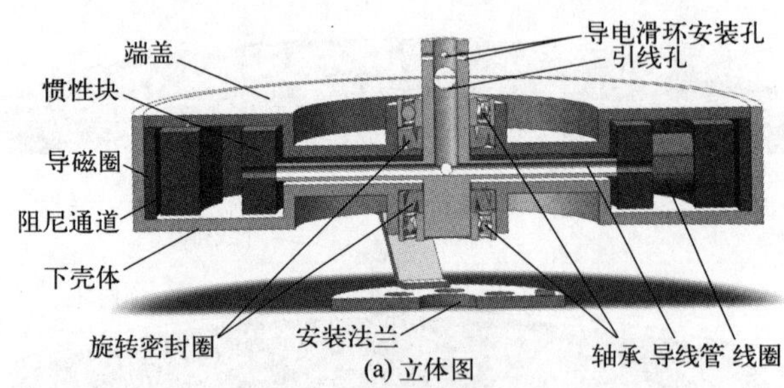

(a) 立体图

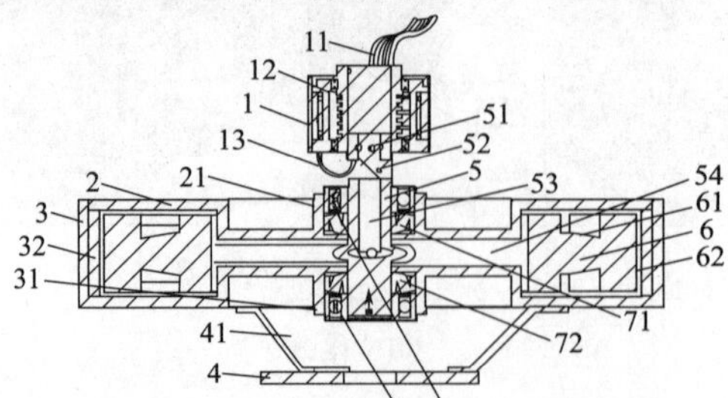

(b) 正剖视图

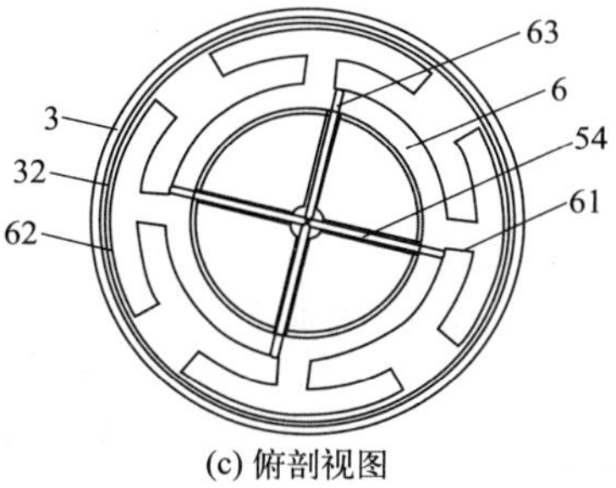

(c) 俯剖视图

图 4-30　第二款磁流变扭振减振器

1—导电滑环；11—外电源接线；12—内器件接线；13—内排线；2—上端盖；
21—上端盖轴承架；3—下壳体；31—下壳体轴承架；32—导磁环；
4—法兰盘；41—法兰脚架；5—导线管主轴；51—导电滑环安装孔；
52—导线管出线孔；53—导线管内孔；54—导线管支管；6—惯性块；
61—电磁线圈；62—阻尼通道；63—惯性块引线孔；71—端盖旋转密封圈；
72—壳体旋转密封圈；81—端盖轴承；82—壳体轴承

基于第一款所设计的惯性块、径向磁路、基本构件不变的方案，更改内部导电滑环为铝制导线管，直接将惯性块中的导线分四个部分引入管中，连接外部导电滑环的同时也避免了磁场外泄的情况。在导线管与壳体之间安装旋转密封圈来保障器件内部的密封性，设置轴承以减小惯性块旋转阻力，确保工作稳定性。更改壳体法兰盘为外置法兰，更改壳体为非导磁材料，省去隔磁圈以增加轴向隔磁。

4.4.2　结构方案确定

通过两款磁流变扭振减振器的对比，确定第二款为最终的结构形式。其具体的结构布局如图 4-31 所示，磁流变扭振减振器的壳体内部从外到内依次安装导磁圈、惯性块、导线管，其中线圈绕在惯性块主体的四个绕线杆柱上，引线贯穿惯性块引入导线管中；导线管上部设有引线孔和导电滑环安装孔，用于将内部导线引出器件并与导电滑环连接保持通路正常；壳体和端盖中间安装有旋转密封圈和轴承，用于保证导线管与壳体之间的密封性和定位的准确性；在完成引线后，需要将惯性块与导线管连接处进行胶封，以保证磁流变脂不会通过导线管内部向外渗漏；端盖与壳体进行焊接连接，法兰盘与壳体进行焊接连接，整个磁流变扭振减振器通过壳体外的法兰盘与曲轴固定安装。

磁流变扭振减振器的端盖上设有注液孔，以便于在器件密封后注入磁流变脂，完成灌注后对注液孔进行密封，防止磁流变材料的渗漏。磁流变脂将充满整个扭振减振器的内腔，包括惯性块的空槽位置、惯性块与导磁圈中的阻尼通道，如图 4-32 所示。

磁流变扭振减振器及安装如图 4-33 所示，将磁流变扭振减振器安装在曲轴自由端。当汽车启动，发动机曲轴转动时，曲轴首先带动减振器壳体整体转动，由于惯性，内部惯性块进行不同速的同轴转动。

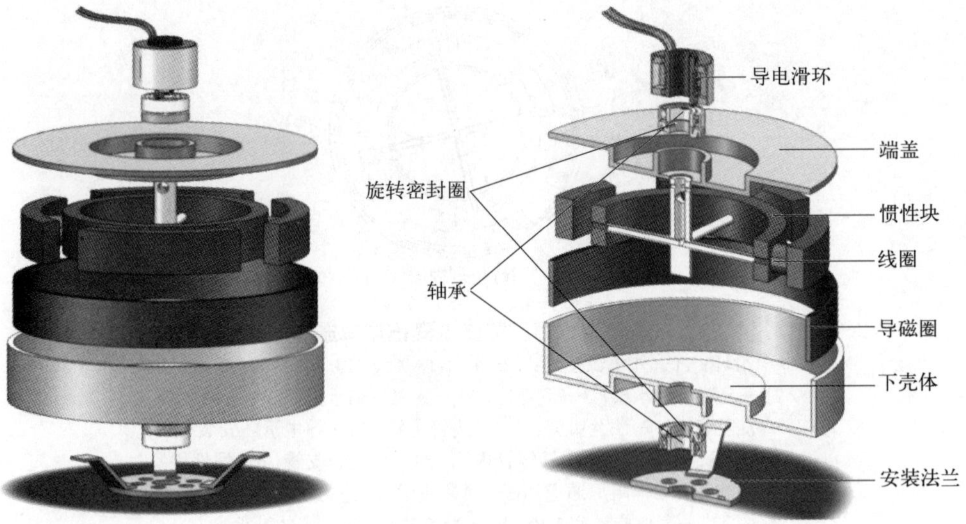

图 4-31　磁流变扭振减振器结构布局

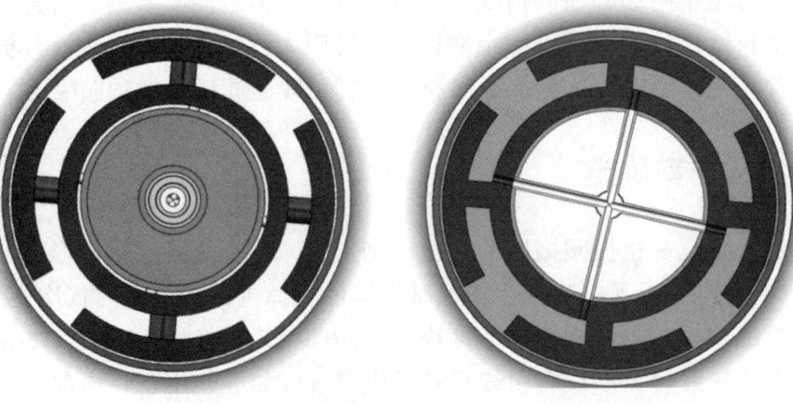

图 4-32　磁流变扭振减振器去端盖俯视图

当外部电源关闭时，器件内部没有磁场产生，磁流变脂以原有黏度输出阻尼力，这与硅油减振器的原理类似，可以进行某一谐次下的扭振减振作业。当外部电源开启时，电流通过内外导电滑环经过绕惯性块的四组线圈形成通路，绕惯性块的线圈在通电后形成感应磁场，感应磁场的磁感应线沿径向通过惯性块内芯、惯性块与导磁圈中的阻尼通道，再沿导磁圈、阻尼通道返回到惯性块中，形成闭合磁场。

此时，磁流变脂在阻尼通道中的流动方向与磁感应线垂直，在磁场的作用下发生磁流变效应，结合惯性块与导磁圈的相对运动形成剪切式的工作模式输出阻尼力，从而吸收扭振能量达到扭转减振的效果。

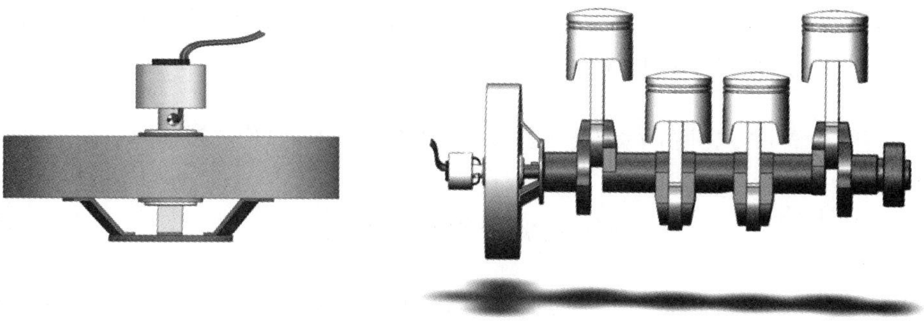

图 4-33　磁流变扭振减振器及安装图

4.4.3　关键结构参数设计

确定磁流变扭振减振器的结构形式后，对其关键尺寸进行设计，相关尺寸标注如图 4-34 所示。

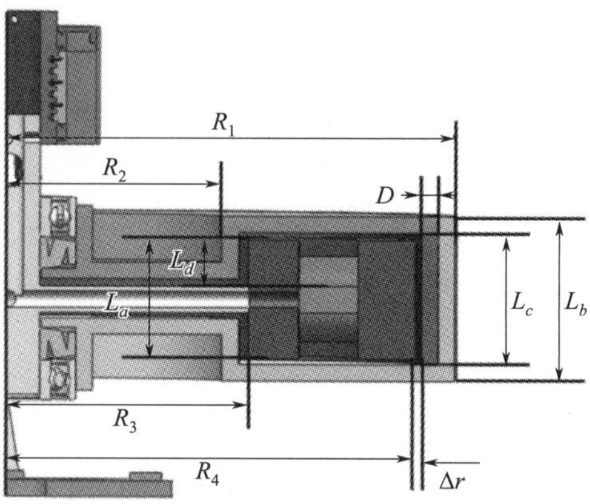

图 4-34　磁流变扭振减振器关键尺寸

由于密封圈、轴承、导电滑环等结构为标准件，且处于同一轴线安装，应尽量选择内径相同的型号以保证同轴度。所对应的安装尺寸及导线管直径可以优先确定，密封圈及轴承内径 10mm，外径 21mm；导电滑环安装孔直径 20mm，则设计导线管直径为 20mm。接下来主要对减振器主体、线圈槽、阻尼通道等的尺寸进行设计。

4.4.4　减振器主体尺寸

磁流变扭振减振器的主体尺寸，包括壳体内外径、厚度，惯性块内外径、厚度，均可以根据转动惯量比进行确定。设定壳体厚度5mm以满足强度及焊接需求，则壳体质量 M_1 与惯性块质量 M_2：

$$M_1 = \rho_1 \pi \left[R_1{}^2 L_b - R_2{}^2 (L_b - 20) - (R_1 - 5)^2 L_c + (R_2 + 5)^2 L_c \right] \tag{4-34}$$

$$M_2 = \frac{3}{5} \rho_2 \pi (R_4{}^2 L_a - R_3{}^2 L_a) \tag{4-35}$$

式中，ρ_1 为壳体材料密度；ρ_2 为惯性块材料密度；$R_1 \sim R_4$ 为图4-34部件的轴向长度；$L_a \sim L_d$ 为图4-34部件的径向长度。

由转动惯量的计算公式：

$$J = MR^2 \tag{4-36}$$

得出主体总转动惯量为：

$$J_1 = (M_1 + M_2) \frac{R_1 + R_2}{2} \tag{4-37}$$

根据惯量比公式：

$$E = \frac{J_1}{J_2} \tag{4-38}$$

式中，J_1 为减振器转动惯量；J_2 为轴系转动惯量，设定 $J_2 = 0.0135\text{kg} \cdot \text{m}^2$。

惯量比满足0.3，即可推出相关尺寸数据，具体主体尺寸参数见表4-1。

4.4.5 阻尼通道宽度

阻尼通道位于惯性块与导磁环之间，当惯性块的外径确定后，可根据预留导磁环厚度决定阻尼通道宽度。根据安培定律：

$$\int H \mathrm{d}l = \sum i \tag{4-39}$$

式中，i 为线圈中的电流，A。

线圈为连续多匝，即：

$$Hl = iN \tag{4-40}$$

式中，l 为磁路长度；H 为对应均匀分布磁场大小。可得 H 与 l 关系：

$$H = \frac{iN}{l} \tag{4-41}$$

由磁场强度计算公式：

$$B = \mu H \tag{4-42}$$

式中，μ为铁芯的磁导率。

可知，励磁线圈产生的磁感应强度与磁路长度成反比。在磁流变扭振减振器中，惯性块与导磁环的间距越小，阻尼通道中产生的磁感应强度越大。为扩大磁场强度上限，应选择较小的阻尼通道宽度。但受限于磁流变脂的黏滞阻尼力影响，阻尼通道过小会影响脂体的流动性。因此，综合考虑取阻尼通道宽度为2mm，同时确定导磁环厚度为5mm。

综上所述，所设计的磁流变扭振减振器主要结构尺寸值如表4-8所示。

表4-8　磁流变扭振减振器主要结构尺寸

尺寸名称	表示符号	理论设计数值 /mm
减振器壳体外径	R_1	135.0
减振器壳体内径	R_2	70.0
减振器厚度	L_b	50.0
惯性块外径	R_4	123.0
惯性块内径	R_3	73.0
惯性块厚度	L_a	36.0
导磁环厚度	D	5.0
导磁环宽度	L_c	40.0
线圈槽深度	L_e	8.0
阻尼通道宽度	Δr	2.0

4.5　磁流变减振器实物实验

4.5.1　磁流变扭振减振器加工组装

根据磁流变扭振减振器的设计尺寸以及三维模型，综合磁场仿真所得结果对试验样机的材料属性进行对比选择后进行零件加工和实物组装。加工的主要零件中，为防止磁场外泄，端盖、下壳体、导线管采用非导磁性的铝材制造，导磁环及惯性块采用铁材制造。其他标准件如轴承、旋转密封圈等皆因安装位置为壳体外部，不会导致磁场泄漏出现，因此材质要求并不具有特殊性。轴承采用不锈钢材质，型号为S6004，旋转密封圈采用双唇不锈钢聚PTFE骨架密封圈。磁流变扭振减振器实验样机的主要非标加工件及样机组装完成如图4-35、图4-36所示。

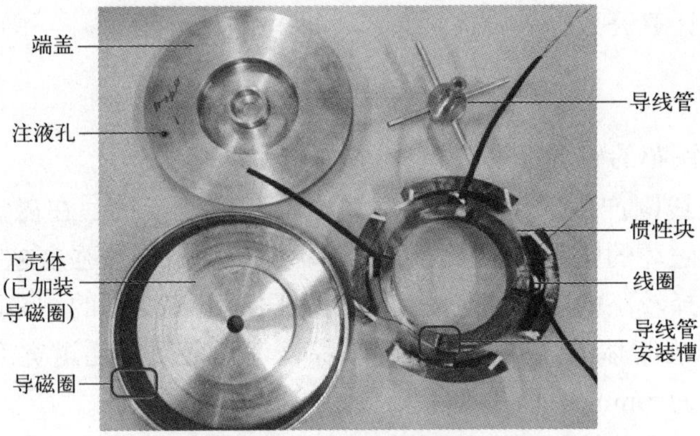

图 4-35　磁流变扭振减振器主要零件

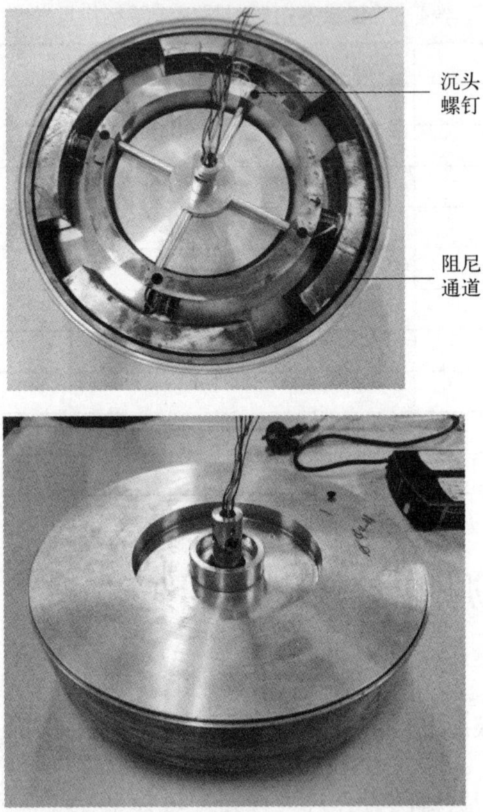

图 4-36　磁流变扭振减振器组装完成效果

在扭振减振器零件加工和装配过程中，为防止后期因零件的装配错位造成较大的额外振动，所以对于壳体、惯性块、导线管的同轴度有较高的要求。为检测实验样机的加工精度是否能够达到实验的要求，装配完成后对重要尺寸参数进行了多次测量。经过计算得到实际测量的平均尺寸数值与理论设计数值统计对比如表 4-9 所示。通过对比发现，扭振减振器实验样机的重要尺寸偏差控制在较小的误差范围内，且保持了阻尼通道的平均宽度为 1.9mm，达到了设计目标和实验要求。

表4-9 磁流变扭振减振器重要尺寸参数对比

尺寸名称	理论设计数值 /mm	样机测量数值 /mm
减振器外径	135.0	135.7
惯性块外径	123.0	123.5
惯性块内径	73.0	73.5
导线管主轴外径	10.0	9.8
减振器厚度	50.0	51.9
导磁环厚度	5.0	5.3
阻尼通道宽度	2.0	1.9

4.5.2 磁流变扭振减振器磁场检测

在封装磁流变扭振减振器、进行轴系扭振抑振实验之前，先设置了实验样机的磁场检测实验。一方面是为了对磁场仿真中关于线圈通电方向导致磁场耦合及抵消的情况进行验证，另一方面是为了确保内置感应线圈所产生的感应磁场能够达到实验要求。

为方便检测，在磁流变扭振减振器惯性块上标记测量点编号，如图 4-36（a）所示，由于磁流变扭振减振器工作中惯性块与导磁环具有相对转动，阻尼通道会因磁场变动形成前端位置和中部位置两处磁场测量点。

试验样机中所标记的测量点编号中，2、3，5、6，8、9，11、12 号对应的是阻尼通道前端位置，1、4、7、10 号对应的是阻尼通道中部位置。按照编号升序的顺序，在阻尼通道内使用宁波兴隆 KCS-601B 数字特斯拉计进行测量如图 4-37 所示。

(a) 测量点编号标记

图 4-37

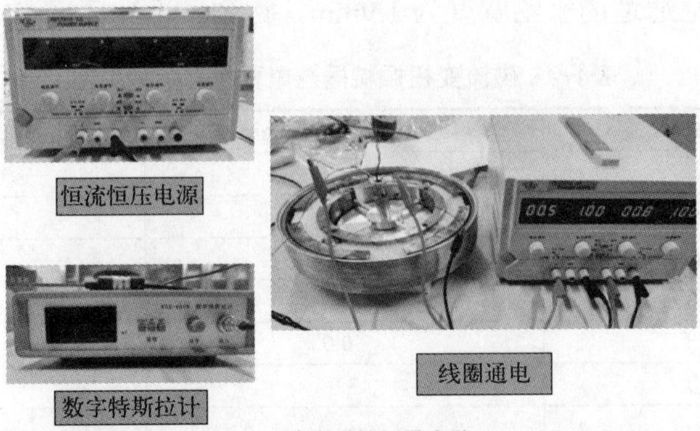

(b) 感应磁场测量实验

(c) 阻尼通道前端磁场测量

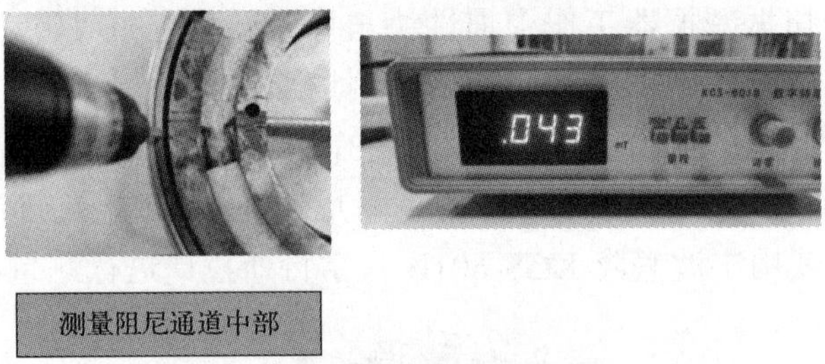

(d) 阻尼通道中部磁场测量

图 4-37　磁流变扭振减振器的磁场检测

当扭振减振器中的对置线圈通入同向电流时，测量统计结果如图 4-38 所示。阻尼通道前端 2、3，8、9 号位置所测得的感应磁场强度较高，且各有一次磁场的符号变换，表示在所测点阻尼通道中各有一次磁场的贯穿。而在其他的测量点磁场强度较低，且无磁场贯穿阻尼通道的现象。上述情况表示当扭振减振器中的对置线圈通入同向电流时，阻尼通道中能够发挥磁流变效应的只有阻尼通道前端 2、3，8、9 号位置。

当扭振减振器中的对置线圈通入反向电流时，测量统计结果如图 4-39 所示。阻尼通道前端 2、3，5、6，8、9，11、12 号位置均具有较大的感应磁场强度，且均有磁场贯穿阻尼通道的现象，阻尼通道中部位置由于磁场的走势趋于前端而显示出磁场强度较低。上述情况表示当扭振减振器中的对置线圈通入反向电流时，磁流变扭振减振器阻尼通道前端均可以发挥磁流变效应。

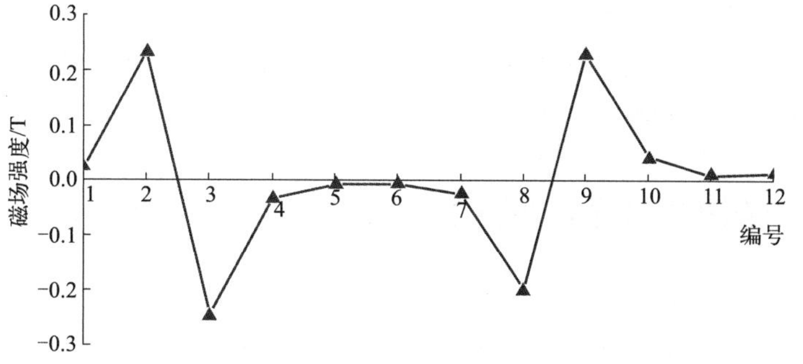

图 4-38　对置线圈同向通电磁场变化

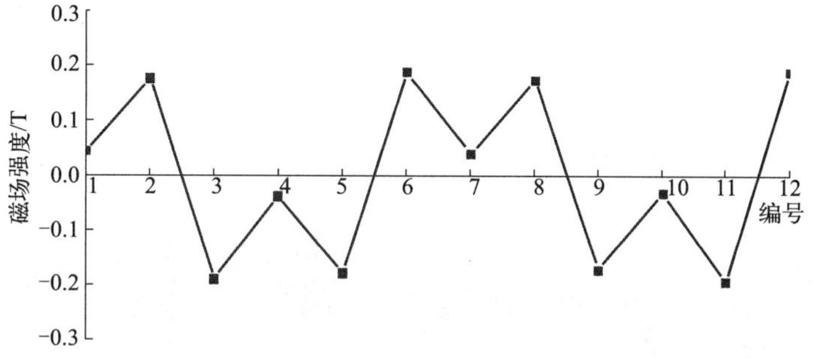

图 4-39　对置线圈反向通电磁场变化

在图 4-40 中可以看出，通电方向的差异化产生了较为明显的优劣磁场强度分布情况。对置同向通电方式展现出了清晰的磁场叠加（位置 2、3 和 8、9 处）和抵消（位置 5、6 和 11、12 处）的现象，使得减振器阻尼通道内磁场分布不均匀。而对置反向通电方式中虽然在阻尼通道前端的强度不及对置同向通电方式的高，但是形成了更为均匀的磁场分布，能够更加均衡地输入减振工况中所需的阻尼力。

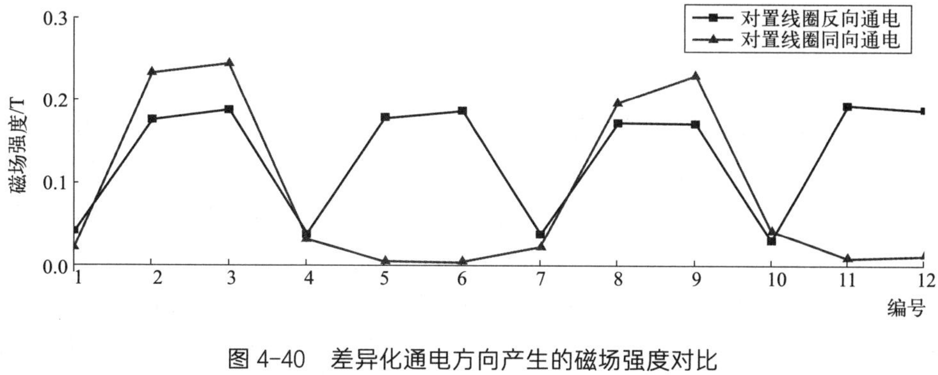

图 4-40　差异化通电方向产生的磁场强度对比

因此测量验证了前文磁场仿真中通电方式导致磁场耦合和抵消的情况，同时可以确认磁流变扭振减振器中的通电方式为对置线圈反向通电。另外，所测阻尼通道前端的磁场强度在未加入磁流变材料前即可达到 0.15 ～ 0.2T，确保内置感应线圈所产生的感应磁场能够满足实验要求。

4.5.3 磁流变扭振减振器抑振控制实验

对于曲轴扭振抑振实验平台的搭建，应尽量契合试验样机的尺寸，同时保证磁流变扭振减振器与轴系安装的同轴度，避免增加额外的扭转转矩；保证传感器安装位置，能够稳定检测及传输实验所需的数据信号。设计发动机抑振实验测试系统如图 4-41 所示，该测试系统由发动机曲轴系、磁流变扭振减振器、导电滑环、扭矩角位移传感器、光电式转速传感器、信号调理器、恒流恒压电源、数据采集器、上机位组成。

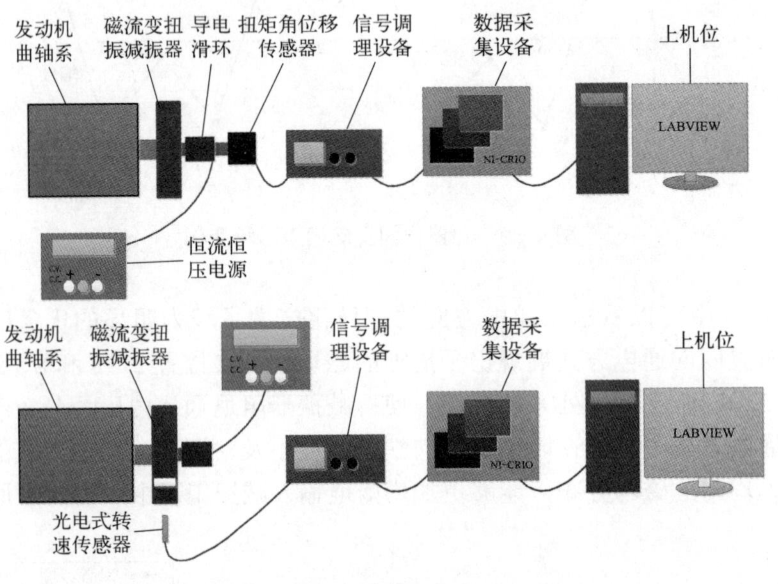

图 4-41 发动机抑振实验测试系统

测试系统中扭矩角位移传感器用于试验样机实验过程中对曲轴系扭振角位移变化的信号采集，应选用检测角位移变化灵敏度较高、机械转角大且满足连续转动要求的传感器，本实验中采用北京通磁伟业的型号为 WYT-AT-2B 的扭矩角位移传感器，如图 4-42 所示，其主要性能指标如表 4-10 所示。

测试系统中光电式转速传感器用于检测试验样机的转速变化，应选用转速范围契合曲轴工况转速范围且非接触式的转速传感器件，本实验中采用美国 Monarch Instrument 公司的 ROS-远程光学 LED 转速传感器，如图 4-43 所示，其主要性能指标如表 4-11 所示。

图 4-42　WYT-AT-2B 扭矩角位移传感器

表4-10　WYT-AT-2B扭矩角位移传感器性能指标

参数	参数指标
工作电压	DC 12V、DC 24V、DC 28V
输出信号	0 ～ 5V、1 ～ 5V、±5V、4 ～ 20mA
机械转角	360°（连续转动）
线性量程	360°
重复性	±0.05%FS
分辨率	0.1°

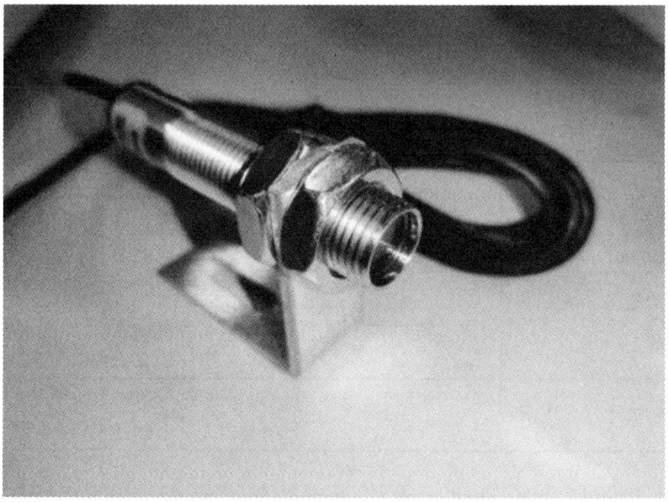

图 4-43　ROS-远程光学 LED 转速传感器

表4-11 ROS-远程光学LED转速传感器性能指标

参数	参数指标
速度范围	1 ～ 250000r/min
电源要求	3 ～ 15V\40mA
输出信号	负脉冲输入电压（+V）～ 0
工作范围	距待测物≤ 0.9m
工作温度	-10 ～ 70℃

测试系统中，恒流恒压电源为各传感器供电的同时也起到为磁流变扭振减振器供应恒压可变电流的作用。所选用的电源应能提供 0 ～ 2A 的稳定电流，且可以手动调整电流值。本实验中采用江苏绿扬 YB1731A 5A 双路直流稳压电源，如图 4-44 所示，其性能指标如表 4-12 所示。

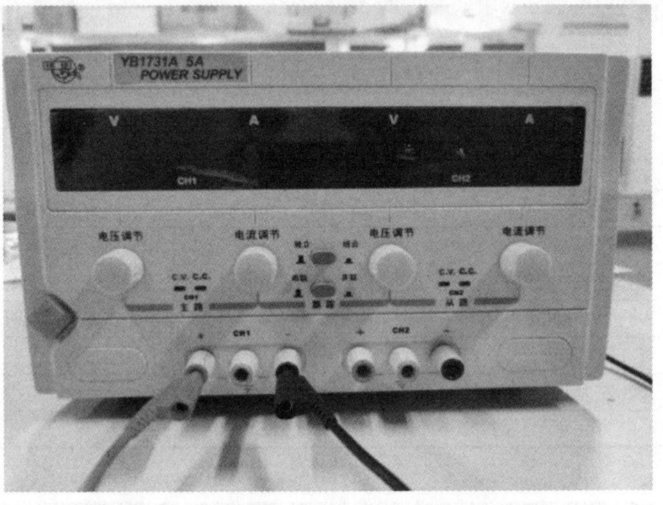

图 4-44 YB1731A 5A 双路直流稳压电源

表4-12 YB1731A 5A双路直流稳压电源性能指标

参数	参数指标
电源输入电压	AC 200V±10%;50Hz±5%
输出电压	0 ～ 30V（DCV）双路
输出电流	0 ～ 5A（DCI）双路
负载效应	CV（恒压）：0.05% 相对误差 + 2mV 绝对误差；CC（恒流）：0.5% 相对误差 + 10mA 绝对误差
电源效应	CV（恒压）：0.01% 相对误差 + 0.5mV 绝对误差；CC（恒流）：0.5% 相对误差 + 1mA 绝对误差

根据抑振实验测试系统搭建出磁流变扭振减振器抑振实验台架如图 4-45 所示。受限于实验室实际条件，发动机由可变频率电机代替，同时通过激励控制器控制变

频电机输出模拟发动机实际工况的扭振激励来进行磁流变扭振减振器抑振实验。在电机输出端安装磁流变扭振减振器试验样机，分别安装 WYT-AT-2B 扭矩角位移传感器、ROS-远程光学 LED 转速传感器、YB1731A 5A 双路直流稳压电源、数据采集器等完成实验台架的搭建。

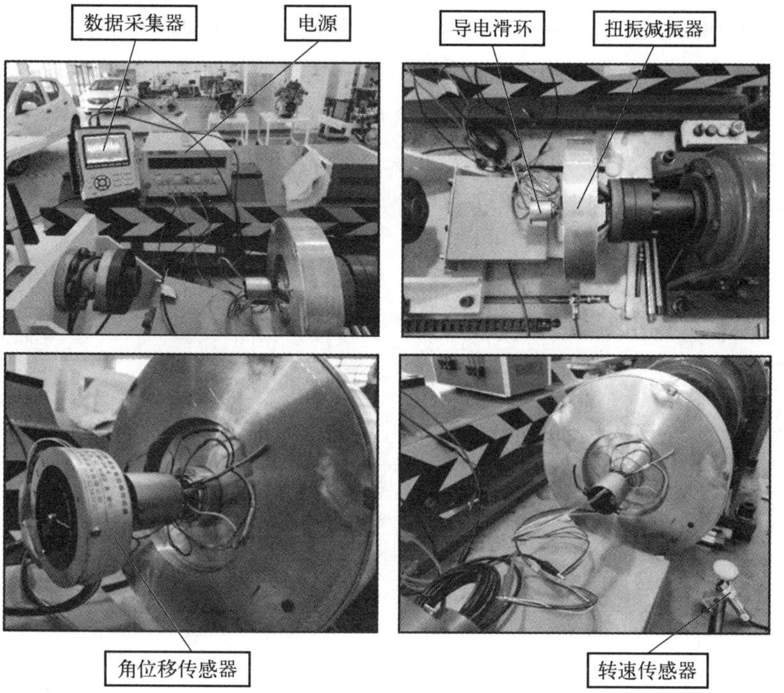

图 4-45　磁流变扭振减振器抑振实验台架

测试工况为转速在 180s 内从 1000r/min 均匀加速到 2200r/min，测得模拟发动机扭振工况主谐次 2.0、4.0、6.0 谐次下的轴系角位移随转速变化的曲线。首先监测在未安装减振器时各转速下轴系的扭转角位移变化，并分析锁定轴系振幅异常的目标转速区域；再进一步监测安装减振器前后轴系振幅异常区域是否呈现改善趋势以及施加不同电流载荷（0A、0.5A、1.0A、2.0A）对于轴系抑振程度是否具有可控性；最后综合对比实验数据，分析有无减振器及电流载荷变化对轴系角位移变化趋势的影响，从而剖析磁流变扭振减振器对发动机曲轴系扭振抑振作用的工程实用性。

轴系未安装扭振减振器的原始扭振角位移变化情况如图 4-46 所示，其中（a）、（b）、（c）分别对应 2.0 谐次、4.0 谐次、6.0 谐次下原始扭振角位移变化情况。

图 4-46（a）中，2.0 谐次在低转速区时具有较高的振幅，在转速 1000r/min 时角位移值达到 1.15°，且在转速 1200 ～ 1600r/min 区域内具有较大的波动范围，而在转速 1800 ～ 2200r/min 区域内角位移值逐步稳定在 0.2° ～ 0.3° 范围内。其主要原

因是受到轴系滚振作用影响，而在高转速区时由于谐次较低难以与轴系的固有频率发生共振，滚振振幅会随转速的升高逐渐降低最终趋于平稳。虽然滚振对曲轴危害较小，但也在一定程度上影响了汽车发动机的 NVH（noise, vibration, and harshness，噪声、振动与声振粗糙度）性能，研究抑制其振幅同样具有一定的工程应用价值。

图 4-46（b）中，4.0 谐次在低转速区振幅先是呈下降趋势而后又逐渐增大，当转速增加至 1600 ～ 1700r/min 时，角位移峰值可达 0.50° 以上，而后又随着转速变化振幅持续下降。轴系振动角位移出现这样的激增变化即表明轴系在 1640r/min 转速时产生了共振现象，共振点的角位移值达到 0.56°。

同理，图 4-46（c）中，6.0 谐次在整个测试工况的转速范围中出现了两次振动角位移激增情况，对应的共振转速分别为 1380r/min、1880r/min，对应的共振振幅分别为 0.37°、0.60°。

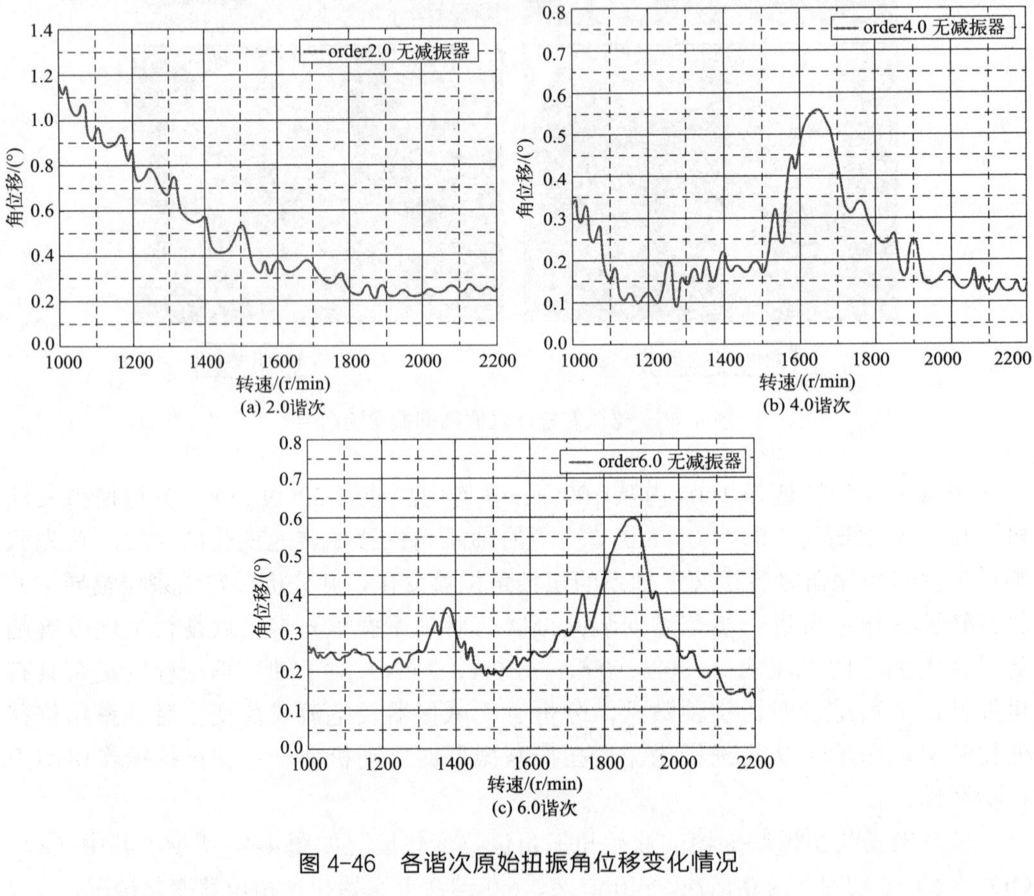

图 4-46 各谐次原始扭振角位移变化情况

在分析了各谐次原始扭振角位移变化情况，且找到轴系振幅异常的目标转速区域后，进一步对安装磁流变扭振减振器实验样机后的实验结果进行对比分析。各主谐次的实验结果及对应分析如图 4-47 所示。

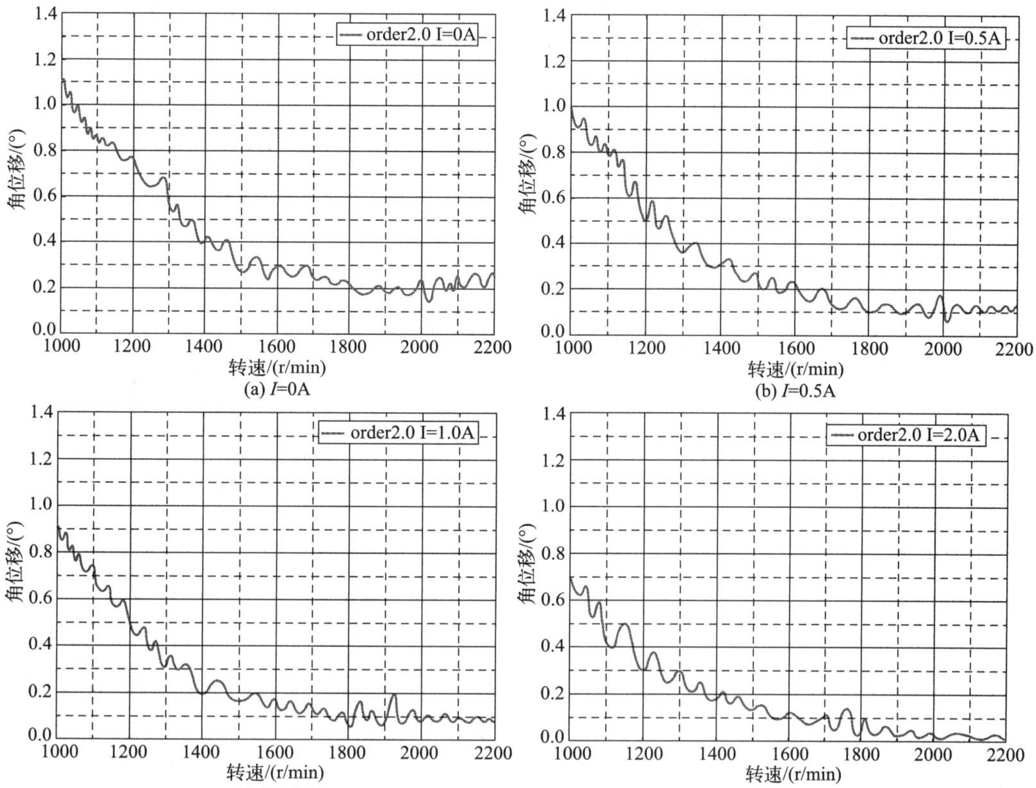

(a) I=0A　(b) I=0.5A　(c) I=1.0A　(d) I=2.0A

图 4-47　2.0 谐次 0 ~ 2A 扭振角位移变化情况

图 4-48 所示为 2.0 谐次下向磁流变扭振减振器中通入 0A、0.5A、1.0A、2A 电流载荷时轴系角位移的变化情况。当 I=0A 时，磁流变扭振减振器可以近似等价于一定黏度的扭振减振器，因其输入阻尼力有限，对轴系的抑振效果并不明显；当 I=0.5A、1.0A 时，低转速区域的角位移有所下降，在转速为 1000r/min 时角位移分别降至 0.98°、0.91°，且随着电流的增大，下降幅度增大，最终在转速 1600r/min 时将角位移控制在 0.2°以下；当 I=2.0A 时，整体振动角位移下降幅度较大，抑振效果较为明显，在转速 1000r/min 时角位移可降至 0.70°，并且使中高转速区域的振动角位移控制在 0.1°左右。

综合原始角位移以及通入各电流载荷后的轴系振幅结果进行对比，如图 4-49 所示。可以看出，对于轴系主谐次 2.0 谐次加装磁流变扭振减振器后，低转速区域的角位移具有一定程度的下降趋势，且随着电流载荷的增加，振幅下降幅度同步增加，体现出了一定的可控性。同时，磁流变扭振减振器的运转使得轴系中高转速区域进入稳定角位移状态有所提前，且稳定的振幅值也有相应地降低。因此，加装磁流变扭振减振器试验样机后，对于轴系 2.0 谐次滚振所引起的整体较大振幅具有积极的抑制作用。

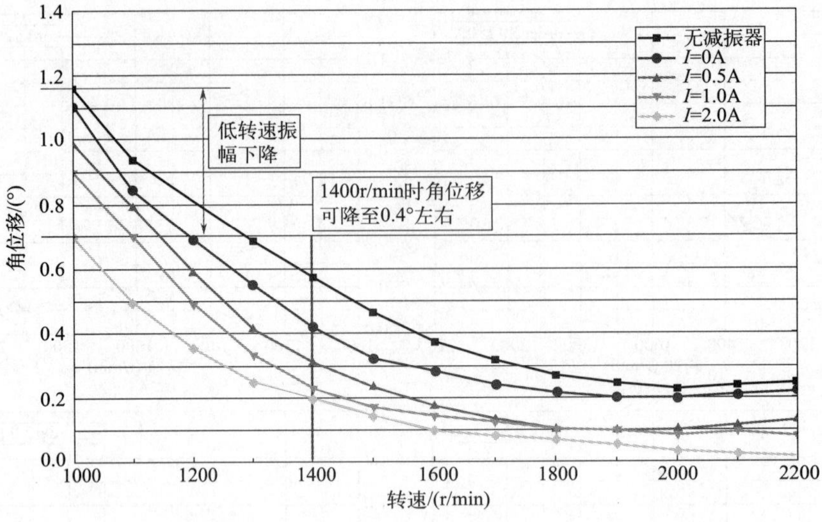

图 4-48　2.0 谐次各电流载荷下扭振振幅对比

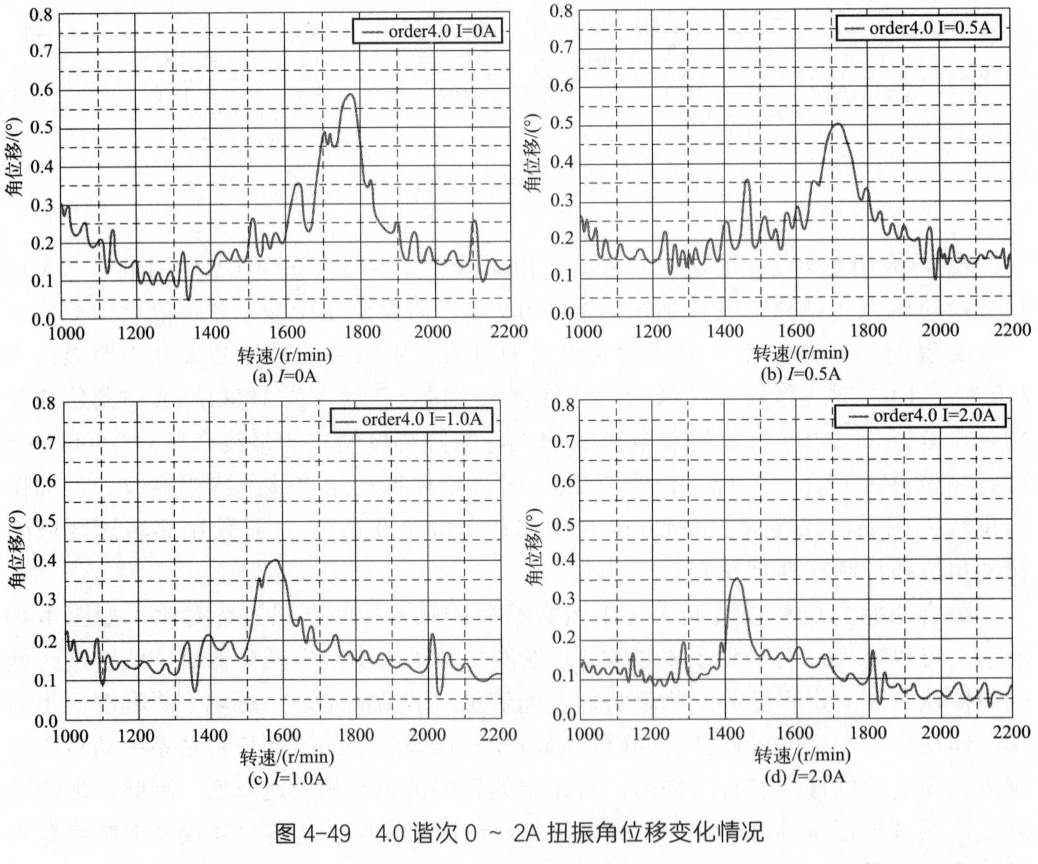

图 4-49　4.0 谐次 0 ~ 2A 扭振角位移变化情况

图 4-50 所示为 4.0 谐次下向磁流变扭振减振器中通入 0A、0.5A、1.0A、2A 电流载荷时轴系振幅的变化情况。在通入电流后，除通入较高电流外，其他低转速区域的角位移变化范围不大，减振器的抑振作用主要体现在共振转速区域。当 I=0A 时，共振临界转速移动至 1800r/min 左右，且共振振幅不减反增至 0.59°；当 I=0.5A、1.0A 时，共振临界转速逐渐降低，对应的角位移峰值分别降至 0.50°、0.43°；当 I=2.0A 时，整体振幅降低明显，共振临界转速降至 1440r/min，角位移峰值降至 0.30°。

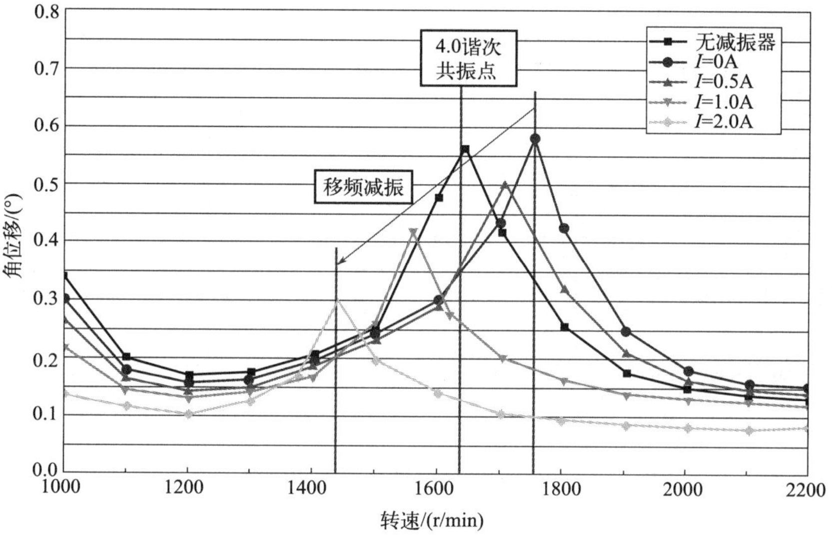

图 4-50　4.0 谐次各电流载荷下扭振振幅对比

在图 4-50 各电流载荷下扭振振幅对比中可知，磁流变扭振减振器的加装使轴系总体达到了移频减振的正向效果。尤其在输入电流为 2.0A 时，使原始角位移峰值 0.56°降低至 0.30°，约降低了 46%。但在逐步增加电流使磁流变扭振减振器发挥移频减振工作的过程中，移频范围中依然包括了 4.0 谐次的共振临界转速，在实际工况中为避开该共振转速区域，应将电流值控制在 0.7A 以上。

图 4-51 所示为 6.0 谐次下向磁流变扭振减振器中通入 0A、0.5A、1.0A、2A 电流载荷时轴系角位移的变化情况。当 I=0A 时，减振器对于轴系整体振幅并没有体现出积极的抑制作用，低转速区域振幅变化微小，高转速区域振幅明显高于原始振幅；当 I=0.5A、1.0A 时，共振点 1 的振幅依次降低至 0.3°、0.26°，共振点 2 的振幅依次降低至 0.54°、0.48°；当 I=2.0A 时，共振点 1 的角位移峰值从 0.37°降至 0.21°，相应转速从 1380r/min 降至 1200r/min；共振点 2 的角位移峰值从 0.6°降至 0.44°，相应转速从 1880r/min 降至 1500r/min。

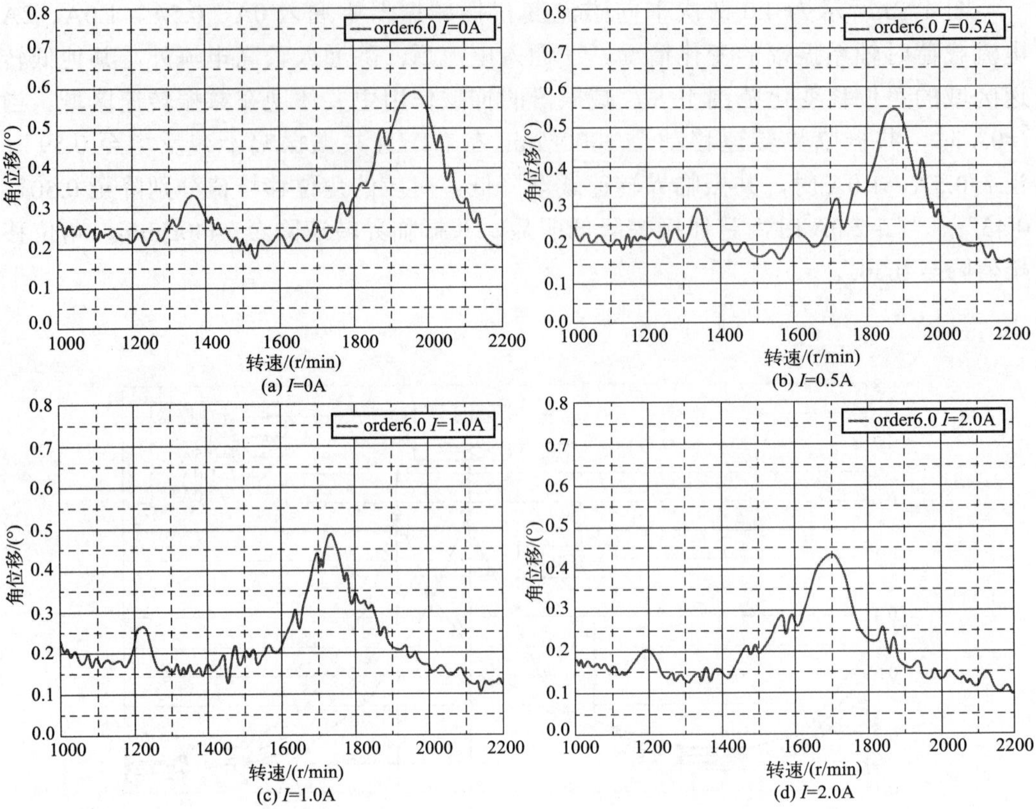

图 4-51 6.0 谐次 0 ~ 2A 扭振角位移变化情况

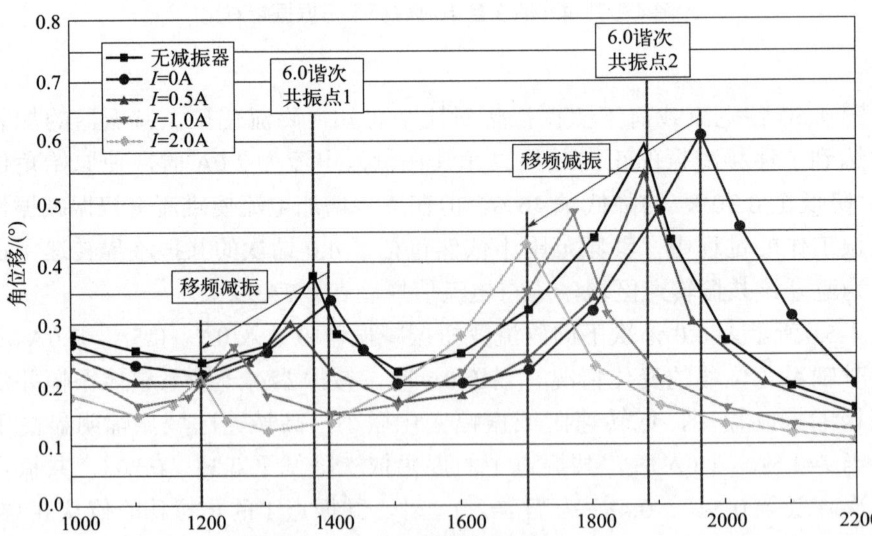

图 4-52 6.0 谐次各电流载荷下扭振对比

在图 4-52 各电流载荷下扭振对比图中可见，随着电流的增加，减振器移频减振的能力逐渐增强，角位移峰值逐步降低，但是对于共振点 1 的减振效果并没有低转速的共振点 2 好，且共振转速依然在可移频转速范围之内。总体来说，磁流变扭振减振器的安装对于轴系扭振具有积极的抑振作用。

综上所述，磁流变扭振减振器由于磁流变脂可在不同强度的磁场中产生相应的流变效应，从而实现扭振减振器输出阻尼的可调性。区别于传统阻尼不可调的扭振减振器只能抑制某一固定谐次的共振，磁流变扭振减振器能够更好地抑制不同谐次的扭振工况，并且可以根据控制不同的电流载荷来避开共振转速区域，提高减振效率，轴系扭转振动的可控性较好。

4.5.4 扭振减振器的焊缝质量检测

目前对扭振减振器产品的焊缝质量缺陷无法在线直测，焊接熔深、焊缝边缘线性和熔透性、焊缝位置准确性以及气孔、咬边、裂缝、凹坑、焊宽不均、未熔合等缺陷，不得不采用剖切的方法来随机检查焊缝情况，无法对产品焊接质量进行在线记录及质量反馈控制，且数值准确性差，难以发现引起焊缝问题的原因。其中，加工器件误差或工人操作失误等情况都会影响焊缝的质量，因此，需要对其进行检测研究。

首先是对其焊缝和硅油层间隙进行超声波测厚仪的检测安排，其超声的测量方法是用它的脉冲发生器，以换能器发出脉冲，此脉冲为始脉冲，一部分由始脉冲激励产生的超声信号在材料界面反射，该信号称为始波。其余信号穿过被测物体，并有一个反馈。这一反馈信号称为背面回波。从发射测试信号到接收回波信号的时间间隔就是超声波在被测件内往返一次的声程时间。如获得声程时间则可得到被测件厚度，测厚时波速是确定的。

通过上述的测试方法就能得到测试品内的声速，声速是表示声波在材料中传递情况的一个测试值，它的值由材料的种类决定，即与介质的弹性模量、密度、超声波波形和泊松比有关。钢铁等介质的弹性模量尽管与结构类型无关，但由于它与结构力和原子状态有关，而原子状态与其结构有关，所以它还是受到组织结构的影响。此外，钢铁等介质的密度从微观上来讲也与形状有关，所以声速与金属材料里的组织结构有一定的关系，这样通过超声波测厚仪可知被测件中的声速情况，亦可知被测件里焊缝的质量。

在测量扭振减振器之前，需要先对超声波测厚仪进行校准，使用阶梯标准件，配上耦合剂，将超声探头贴合待测件，对其中几个厚度进行测量，如果有差异，则需要进行调整。

在需要检查的工件上涂耦合剂，耦合剂是用来作为超声波测厚仪探头与被测物体的高频超声波运输的连接物质。另外，声波在接触气体时会突然减弱，为了排出声波探头和被测件中的空气，需要使用声波耦合剂。

测量方法是顺着焊接的焊缝按逆时针或顺时针的方向轻轻移动，观察超声波测厚仪上的波动，如果发现某处发生了明显的变化，则此处有焊缝问题，具体是焊缝的哪一种缺陷，需要有经验的测量工程师进行判断。此种测量对于焊缝的检测是有效的，但是对于硅油层间隙的测量具有局限性，所以需要进一步进行探究。

4.5.5 扭振减振器油层间隙的测量

试块共 3 块，均为减速器试块，表面外壳和内部惯性轮均为钢材质，外壳厚度为 3mm 左右，二者间隙为 1mm 左右，中间用油脂填充。现要使用超声方法检测油脂层的填充情况。

由图 4-53 可知，试块 1 上并未涂防锈漆，其表面有明显的锈块。外环和内环表面凸起的部分是焊缝。

图 4-53 试块 1

如图 4-54 所示，试块 2 表面涂有防锈漆，且有 logo、文字以及抛光的区域。

如图 4-55 所示，试块 3 表面有 logo、文字以及一些明显的划痕，而且在最外环有信号齿。

使用超声检测对三个试块进行无损探伤，根据显示器上显示出的回波信号的高度、位置等可以判断缺陷的大小，位置和大致性质。对这三种扭振减振器进行测试实验，其实验方法为：使用超声水浸方法，对试块上表面和外侧面进行扫查。检测示意图如图 4-56 所示。

图 4-54　试块 2

图 4-55　试块 3

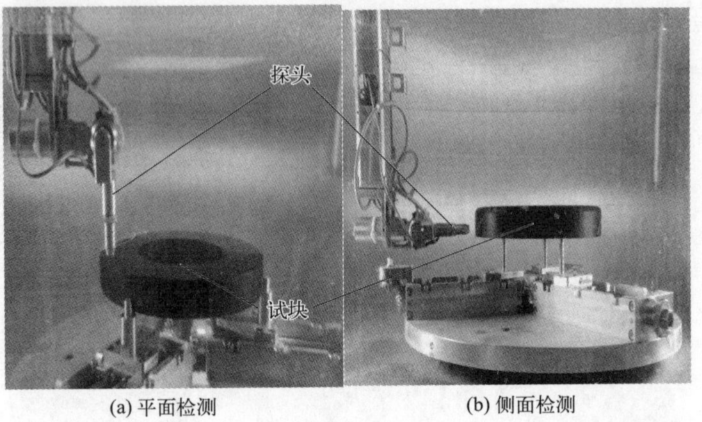

图 4-56　检测示意图

首先，用超声扫描显微镜对试块 1 进行测试实验，其测试结果如图 4-57 所示。

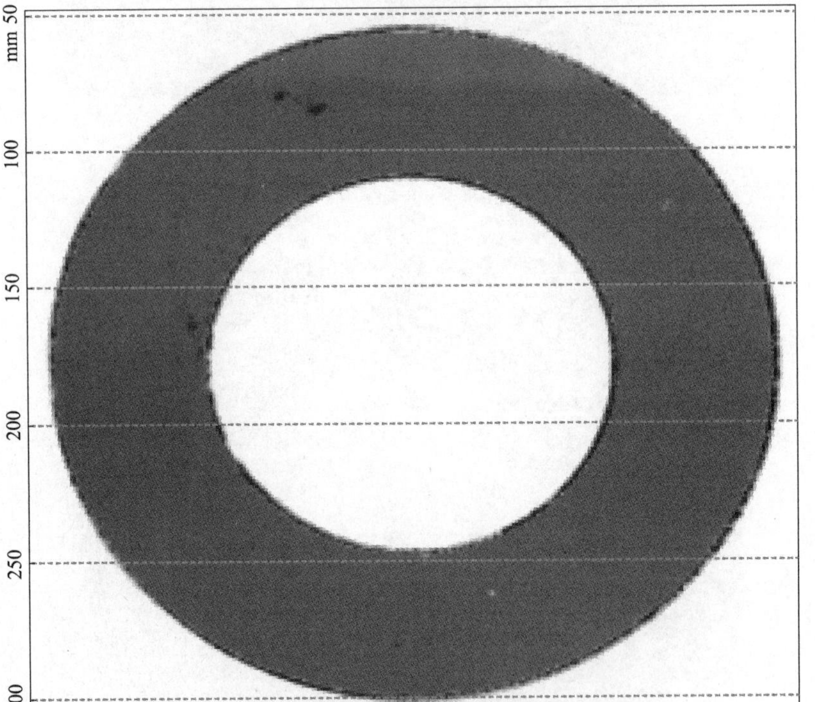

图 4-57　试块 1 表面检测结果

由图 4-58 可知，图中颜色均匀的位置为油层填充完好区域，红色斑点为油层未填充好的区域 / 有气泡区域，其蓝色的部分是焊缝环。

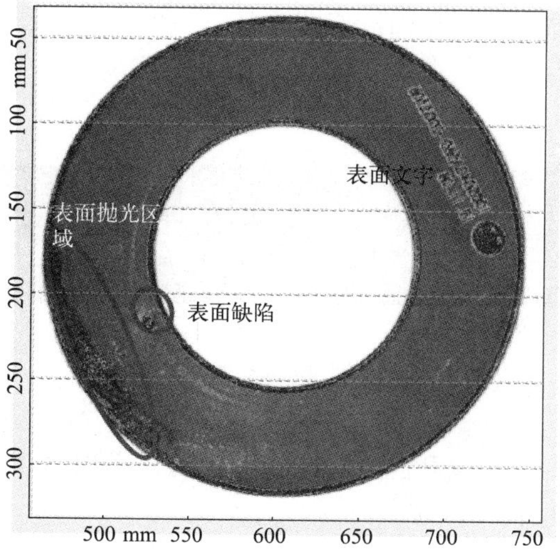

图 4-58　试块 2 表面检测结果

图中橙色位置为油层填充完好区域，图中泛白的位置为油层夹杂空气 / 油层偏薄区域，左下角红色区域为表面抛光区域。

试块 3 的测试结果如图 4-59 所示，试块中间橙色位置为油层填充完好区域，偏黄色区域为夹杂空气 / 油层偏薄区域。蓝色部分为表面文字以及表面划痕。

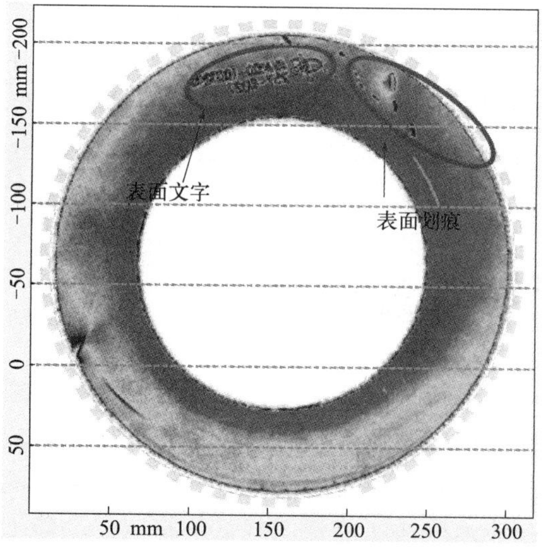

图 4-59　试块 3 表面检测结果

通过对试块 1、2 外侧面进行切片扫查，得到以下结果。

试块 1：扫查图为侧面展开图，如图 4-60 所示。图中偏黄色部分为油层较薄区域，偏蓝色部分为油层较厚区域。

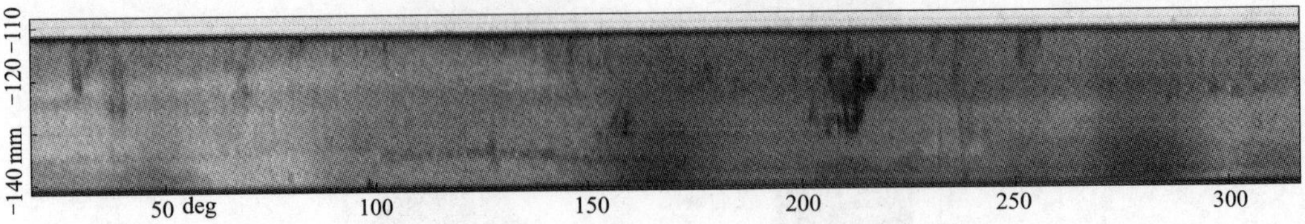

图 4-60 试块 1 切片扫查

试块 2：扫查图为侧面展开图，如图 4-61 所示。图中偏黄色部分为油层较薄区域，偏蓝色部分为油层较厚区域。

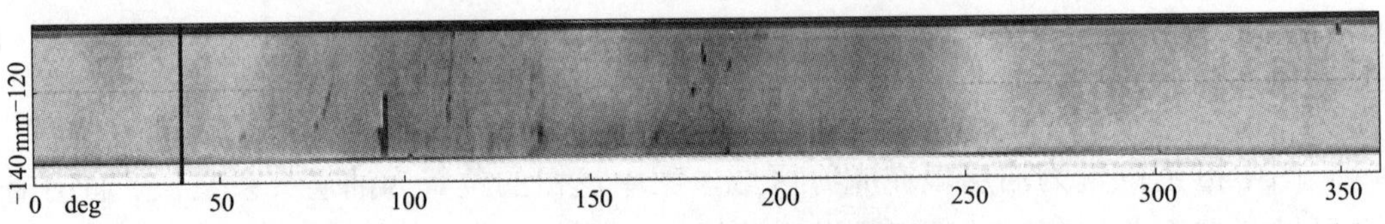

图 4-61 试块 2 切片扫查

通过分析某一点信号得到：按照水的声速，钢-油层的信号出现在 0.78mm，油层-惯性块的信号出现在钢-油层的信号后 0.361mm 处，通过声速换算得到：表面钢厚度为 3.17mm、油层厚度为 0.49mm。考虑到惯性块没有固定，与外壳会产生相对运动，所以每一点的油层厚度都不一致，所以测量值与实际值相吻合。

从以上检测结果看出，使用超声检测油层情况是可行的。实验中由于工件在运动，内部惯性块与外部外壳可能产生相对运动，所以得出的结果可能存在一些误差。

4.6 磁流变悬置设计

磁流变不仅可以应用于扭矩减振器，在悬置方面也起着重要作用，磁流变悬置是通过电流控制悬置内的磁场强度，使磁流变液中的磁性颗粒构成链状结构，进而提供阻尼力的半主动悬置。磁流变悬置结合了普通液压悬置的特点，使得悬置结构简单，同时又突出其响应速度快、能量消耗低的特点。功能上同时兼顾普通液压悬置与主动悬置的优点，在控制单元失效的情况下，磁流变悬置仍相当于普通液压悬置，与合适的控制策略相结合能起到与主动悬置大致相同的隔振能力。

4.6.1　磁流变悬置的结构与工作原理

本节设计的磁流变悬置结构如图 4-62 所示。在新型磁流变悬置中，控制励磁线圈中的电流大小可以改变磁流变悬置磁路结构中的磁感应强度。流动的磁流变液在磁场的作用下充分发挥其磁流变特性产生输出阻尼力，使磁流变悬置的动态特性具有可控性，进而达到对动力总成起到良好隔振的目的。

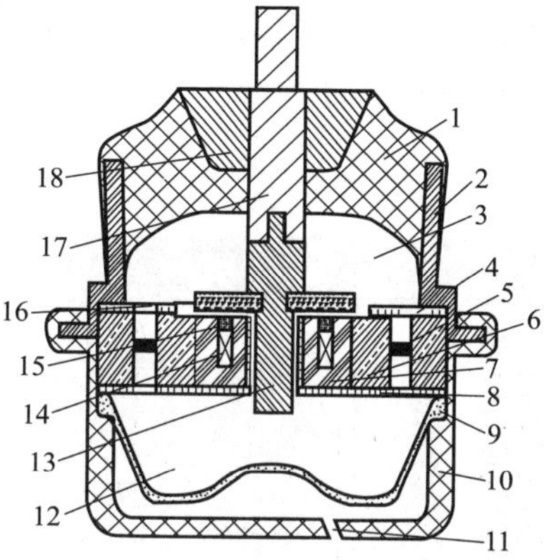

图 4-62　磁流变悬置结构示意图

1—橡胶主簧；2—上壳体；3—上液室；4—上隔磁盘；5—解耦膜；6—隔磁块；7—铁芯；8—下隔磁盘；9—橡胶底膜；10—下壳体；11—透气孔；12—下液室；13—浮动活塞；14—励磁线圈；15—隔磁环；16—上挤压盘；17—上连接杆；18—加强块

磁流变液悬置的工作原理为：上连接杆与动力总成刚性连接，随动力总成振动而上下振动，上隔磁盘与橡胶主簧下表面构成上液室，与橡胶底膜构成下液室。挤压盘与铁芯上表面形成的间隙为挤压通道，浮动活塞与铁芯隔磁板竖直表面形成的间隙为流动通道。当连接杆受到力的作用而产生向下振动时，磁流变液从上液室经阻尼通道流向下液室。

当动力总成处于低频振动状态时，上液室的磁流变液经过挤压通道与流动通道流向下液室，励磁线圈通过电流控制磁场大小，磁流变液流经挤压通道径向切割磁感线产生可控阻尼力使悬置产生不同的动刚度，下液室中的橡胶底膜利用自身弹性形变的能力承担由橡胶主簧变形产生的上下液室体积变化，这种情况适合低频、大振幅的工况下的要求。在高频工况下，磁流变液通过解耦膜通道进入下液室，此时磁流变悬置相当于普通液压悬置，所需阻尼力输出较小。

4.6.2　磁流变悬置磁路的设计方法

根据本节设计的磁流变悬置，磁路部分的挤压阻尼通道为悬置的核心部件，通过控制磁感应强度，控制流经挤压通道中的磁流变液的磁流变特性来达到控制输出阻尼力的目的，因此在设计磁路时的总体目标有以下几点：

① 设计的磁路部分尽可能是小磁场控制大阻尼的形式；

② 在挤压通道区域得到的磁场能量最大，而在非挤压通道得到的磁场能量最小，以便减小漏磁影响；

③ 有一定的磁流通截面积以便使磁流变液与导磁材料不会发生磁饱和现象。

本节设计的磁路结构，需确定关键部位的结构尺寸，以及选取符合要求的励磁线圈。在此目标基础上设计磁路结构，因为设计的磁路结构对称，为减少计算，选取 1/2 的磁路结构，磁路结构如图 4-63 所示。

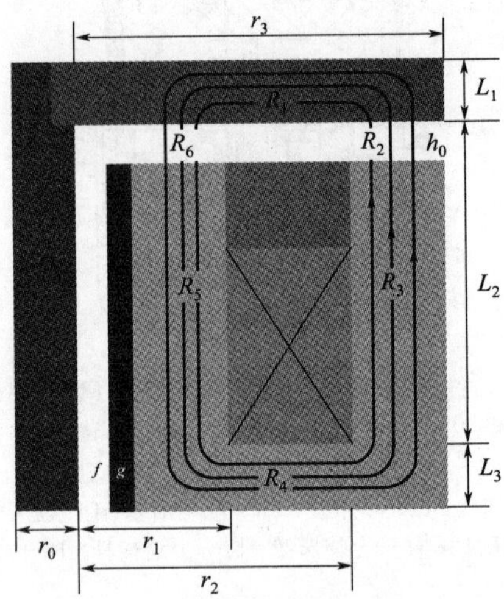

图 4-63 磁流变悬置磁路结构简图

R_1、R_2、R_3、R_4、R_5、R_6 分别为上极板、极板间隙外环、磁芯外环、磁芯底部、磁芯内环，以及极板间隙内环所在区域的磁阻，同时使用 R_1、R_2、R_3、R_4、R_5、R_6 表示所对应区域的编号，励磁线圈产生的磁力线从 R_1 开始，分别穿过 R_2、R_3、R_4、R_5，再穿过 R_6 区域到达开始区域 R_1，形成一个闭合回路。

图 4-63 中，r_2-r_1 为励磁线圈厚度深度；h_0 为挤压通道极板间隙；f 为流动通道间隙；r_0 为流动通道半径；L_1 为上极板厚度；L_3 为励磁线圈距磁芯底端的高度；r_3+r_0 为挤压盘半径。

流动通道相当于普通液压悬置的惯性通道，在流动间隙中无磁场作用，因此只考虑惯性通道的流动作用，f 取值一般为 2 ～ 4mm。目前挤压模式板间间隙一般在 0.8 ～ 2.0mm，作为挤压模式的磁流变悬置，极板间隙取值可以选择较大一些。

根据设计的磁路结构，计算磁路的总磁阻为：

$$R = R_1 + R_2 + R_3 + R_4 + R_5 + R_6 \tag{4-43}$$

$$R_1 = \frac{1}{\mu_0 \mu_1 \pi L_1} \tag{4-44}$$

$$R_2 = \frac{1}{\mu_0 \mu_2 \pi \left[(r_3 + r_0)^2 - (r_2 + r_0)^2 \right]} \tag{4-45}$$

$$R_3 = \frac{L_2 - h_0}{\mu_0 \mu_3 \pi \left[(r_3 + r_0)^2 - (r_2 + r_0)^2 \right]} \tag{4-46}$$

$$R_4 = \frac{1}{\mu_0 \mu_4 \pi L_3} \tag{4-47}$$

$$R_5 = \frac{1}{\mu_0 \mu_5 \pi (r_1 + r_0)^2} \tag{4-48}$$

$$R_6 = \frac{h_0}{\mu_0 \mu_6 \pi (r_1 + r_0)^2} \tag{4-49}$$

式中，μ_0 为空气磁导率；μ_1、μ_2、μ_3、μ_4、μ_5、μ_6 为 R_1、R_2、R_3、R_4、R_5、R_6 区域的相对磁导率；忽略漏磁影响，极板间隙间的外环部分与内环部分的磁感应强度为：

$$B_2 = \frac{NI}{RS_2} \tag{4-50}$$

$$B_6 = \frac{NI}{RS_6} \tag{4-51}$$

式中，S_2 为极板间隙外环的磁力线穿透磁流变液的有效面积；S_6 为极板间隙内环的磁力线穿透磁流变液的有效面积；N 为励磁线圈匝数；I 为励磁线圈电流。

将极板间隙外环磁感应强度与内环的磁感应强度在大小上保持一致，目的是使计算的过程较为简便。因此若要 $|B_2| = |B_6|$，则必须使 $S_2 = S_6$。由于磁力线与上极板垂直，则有：

$$\pi(r_2 + r_0)^2 = \pi(r_3 + r_0)^2 - \pi(r_1 + r_0)^2 \tag{4-52}$$

所以只需使 $(r_2 + r_0)^2 = (r_3 + r_0)^2 - (r_1 + r_0)^2$ 即可。

综合考虑磁路横截面积与零件装配状况等多方面因素，确定磁路结构相关尺寸参数如表 4-13 所示。

表4-13 磁路参数

结构参数	r_0	r_1	r_2	r_3	L_1	L_2	L_3	f	h_0
数值 /mm	5	12	18	23	5	20	4	3	2

4.6.3 库仑阻尼力与控制电流的关系

磁流变悬置在对动力总成进行隔振时，一般上极板的位移不会超过 0.5mm，因此可简化公式为：

$$C_{sq}=\frac{3}{2}\times\frac{\pi\eta(r_3+r_0)^4}{h_0^{\ 3}} \tag{4-53}$$

式中，C_{sq} 为磁流变悬置阻尼特性相关的结构系数 / 阻尼系数，用于描述磁流变悬置在特定结构、流体属性下，阻尼相关的固有特性；η 为磁流变液的动力黏度，反映磁流变液自身流动时的内摩擦特性。

极板间的库仑阻尼力为：

$$F_{sq}=\frac{3\pi r_3^{\ 3}}{4h_0}\tau(B)\operatorname{sgn}\left[\dot{X}_{(t)}\right] \tag{4-54}$$

式中，$\tau(B)$ 为磁流变液的剪切屈服应力；$\dot{X}_{(t)}$ 为极板相对运动的速度；符号函数 sgn( ) 作用是让阻尼力方向与运动速度方向相反

根据磁流变悬置恢复力公式可知，悬置恢复力随控制电流强度变化而发生变化。在磁流变悬置受到的振动激励形式、频率和幅值不发生变化的情况下，控制电流的改变就是可控阻尼力的改变，因此，可控阻尼力 F_c 可用公式表示为：

$$F_c=\frac{3\pi r_3^{\ 3}}{4h_0}\tau(B) \tag{4-55}$$

根据上述公式可以得到在控制不同电流时的极板间的库伦阻尼力大小，如图 4-64 所示。

考虑到极板间的库仑阻尼力与控制电流的关系曲线是根据多个公式共同计算得到的，因此，为简化这种关系，得到对磁流变悬置库仑阻尼力的实时控制调节，需对控制电流与库仑阻尼力对应的点进行曲线拟合，得到库仑阻尼力与控制电流的关系公式：

$$F_c=-7.139I^3+16.486I^2+95.761I-2.562 \tag{4-56}$$

由图 4-64 可以观测到，拟合的曲线与数据点之间拟合程度很高，其拟合的公式为后续的磁流变悬置控制系统提供了理论依据。图中磁流变悬置的库仑阻尼力在

小电流状态时与控制电流成线性关系。在电流逐步增大到一定值后，库仑阻尼力随电流的不断增加而不再产生明显变化，因为此时的磁流变液处于磁饱和状态。若通入的控制电流过大，则易使悬置内部零件损毁。

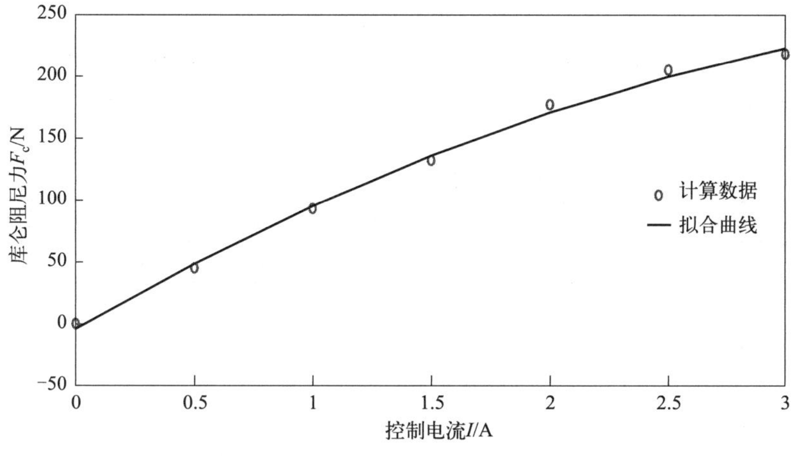

图 4-64　库仑阻尼力与控制电流的关系

综合考虑多方面因素，选择库仑阻尼力的范围在−200 ～ 200N 的区间内。电流强度控制在 0 ～ 2.4A。对控制电流与库仑阻尼力的数据点进行分析，可对数据点进行曲线拟合，如图 4-65 所示。

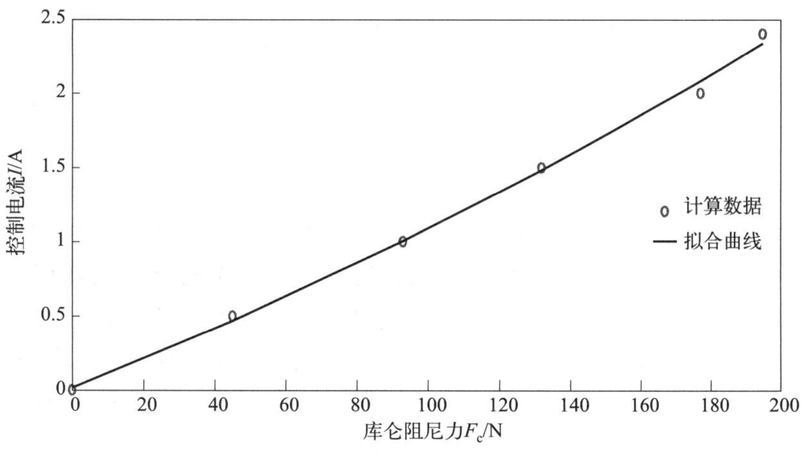

图 4-65　控制电流与库仑阻尼力的关系

根据图 4-65 中所拟合的曲线特点，可以看出其拟合曲线可用三阶关系表达式表示其控制电流与库仑阻尼力的关系，其关系式为：

$$I = 2.1548\times10^{-7} F_c^3 - 4.733\times10^{-5}\times F_c^2 + 0.01028F_c \tag{4-57}$$

控制电流与库仑阻尼力的曲线拟合证明磁流变悬置阻尼力具有可控性，为后续研究中控制磁流变悬置的阻尼力提供了依据。

4.6.4 磁流变悬置的动特性研究

通过对磁流变悬置的有限元分析以及对实际结构进行测量，获得磁流变悬置的结构参数如表 4-14 所示。

表4-14 磁流变悬置结构参数

参数	符号	数值	单位
等效刚度	K_r	200	kN/m
等效阻尼	B_r	520	N/m
等效面积	A_p	2.5×10^{-3}	m^2
柔度	C_1	3×10^{-11}	m^5/N
体积柔度	C_2	2.9×10^{-11}	m^5/N
磁流变液体密度	ρ	3.05×10^{3}	kg/m^3
磁流变液零场黏度	η	0.115	Pa·s
挤压模式间隙宽度	h_0	2.0×10^{-3}	m
流动模式间隙宽度	f	3.00×10^{-3}	m
挤压盘有效半径	r_3	23×10^{-3}	m
挤压模式阻尼通道长度	l_s	18×10^{-3}	m
流动模式阻尼通道长度	l_i	22×10^{-3}	m
流动模式阻尼通道弧长	w	11.26×10^{-3}	m
流动阻尼通道截面积	A_i	1.95×10^{-4}	m^2
解耦膜有效面积	A_d	4.52×10^{-4}	m^2
解耦膜阻尼	C_d	10	kg/s
解耦液体质量	m_d	1.02×10^{-2}	kg

利用 MATLAB/SIMULINK 对磁流变悬置的力学模型建立仿真模型。对仿真模型设定好仿真时间、步长、精度以及磁流变悬置的各个参数值等，对其进行仿真。

为研究磁流变悬置恢复力与控制电流之间的关系，输入幅值为 0.5mm，激励频率为 40Hz 的正弦波的振动激励，对励磁线圈输入不同的电流信号，得到恢复力在不同电流下的性能结果如图 4-66、图 4-67 所示。

图 4-66 中恢复力对应的控制电流强度按电流大小分别为 0.3A、0.6A、0.9A、1.2A、1.5A、1.8A、2.1A、2.4A、2.7A、3.0A，位移与恢复力构成的曲线面积是悬置在一个振动周期内消耗的能量。

由图 4-67 可知：随控制电流的逐渐增大，恢复力所包围的面积相应增大，磁流变悬置的阻尼力随电流改变而改变，证明悬置的阻尼力具有可控性。曲线所包围的面积随控制电流的增大而逐渐增大，说明磁流变悬置的每个周期内耗能也在随电流增大而逐渐增大。从图中可以看出，恢复力随电流增大而增大，当控制电流达到2.4A以后，恢复力曲线趋向于重合，说明励磁线圈已趋于饱和状态。

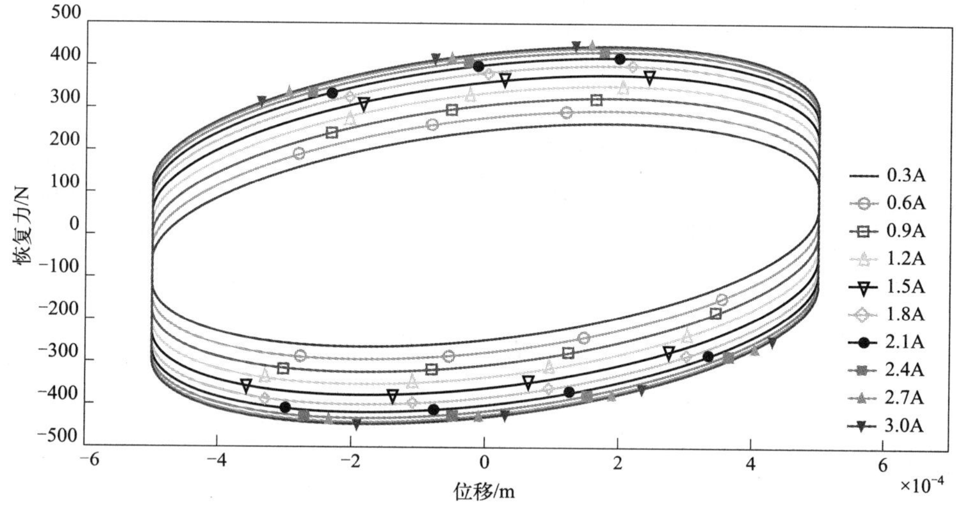

图 4-66　恢复力与位移的关系

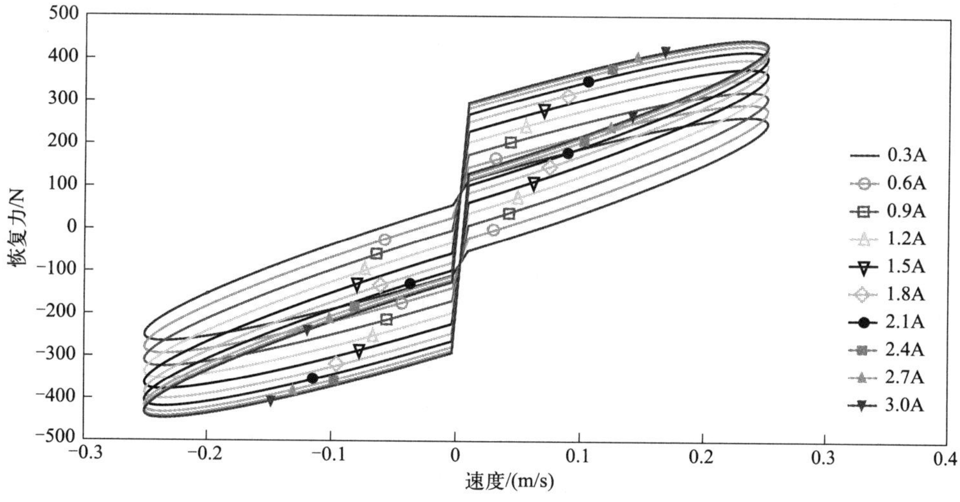

图 4-67　恢复力与速度的关系

为了探究磁流变悬置恢复力与激励频率的关系，输入振幅为0.5mm的正弦波激励，控制电流大小设为1.2A，将10Hz作为梯度单位，研究悬置在0～50Hz下的恢复力状况，如图4-68与图4-69所示。

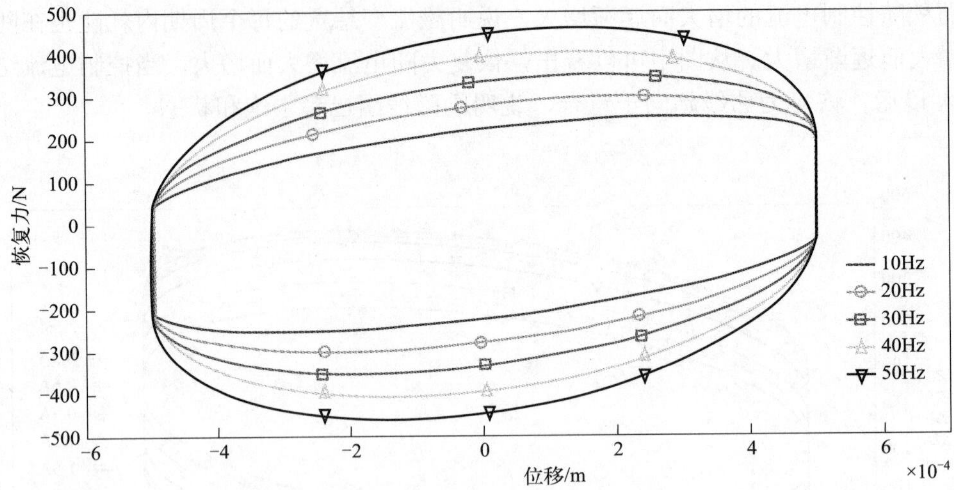

图 4-68 恢复力与位移的关系

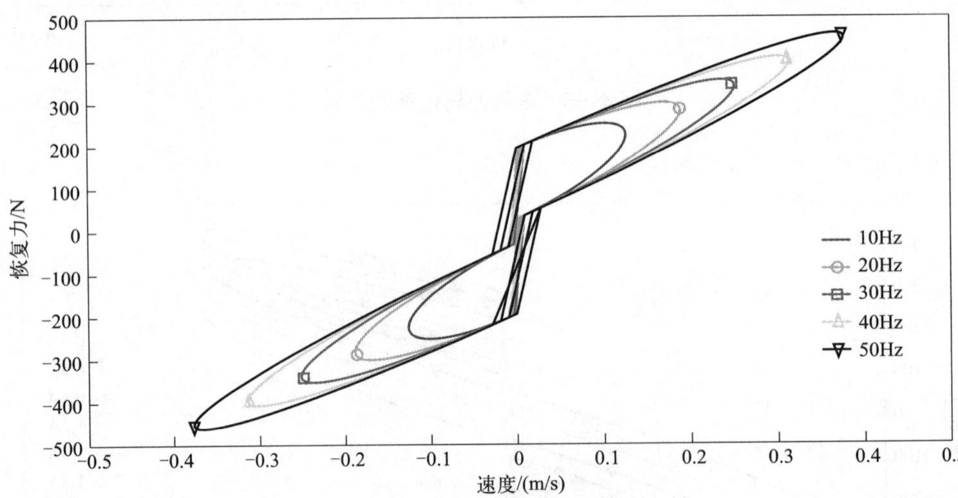

图 4-69 恢复力与速度的关系

由图 4-68、图 4-69 可知：将控制电流大小保持恒定时，磁流变悬置恢复力曲线所包围的面积随激振频率的增大而逐渐增大。因此本节设计的磁流变悬置在低频工况下具有大阻尼、高动刚度的特性。在同一激振频率下，恢复力随悬置振动位移增大而先增大后减小；在同一激振频率下，恢复力随悬置振动速度的增大而增大。

在低频大振幅激励作用下，由于解耦膜的泵送作用和结构中解耦膜的压盘限制，使解耦膜在此条件下难以发挥作用，因此可以排除解耦膜的影响，$Q_{\mathrm{f}}=A_{\mathrm{p}}\dot{X}_{(t)}$，所以此时的状态空间矩阵为：

$$\boldsymbol{A}_l=\begin{bmatrix}0 & 0 & 0 & 0\\ 0 & 0 & 0 & -\dfrac{1}{C_1}\\ 0 & 0 & 0 & \dfrac{1}{C_2}\\ 0 & \dfrac{1}{I_f} & -\dfrac{1}{I_f} & -\dfrac{R_\text{f}}{I_\text{f}}\end{bmatrix}\quad \boldsymbol{B}_l=\begin{bmatrix}1\\ \dfrac{A_\text{p}}{C_2}\\ 0\\ 0\end{bmatrix}$$

$$\boldsymbol{C}_1=\begin{bmatrix}K_\text{r} & A_\text{p} & 0 & 0\end{bmatrix}\ \boldsymbol{D}_1=\begin{bmatrix}B_\text{r}\end{bmatrix}$$

悬置的复刚度为：

$$K_1(s)=\boldsymbol{C}_1(s\boldsymbol{I}-\boldsymbol{A}_1)^{-1}\boldsymbol{B}_1 s+\boldsymbol{D}_1 s \tag{4-58}$$

式中，$\boldsymbol{I}$ 为与 $\boldsymbol{A}$ 相同阶次的单位矩阵。

在高频小振幅激励作用下，以悬置中心为轴线的垂向力与振动位移随频率的逐步增大而增大。在振动的过程中，悬置的恢复力随周期变化而不断增加，产生这种情况的原因主要有两个方面：一方面在振动的过程中，悬置会产生惯性力；另一方面在高频振动过程中，磁流变液产生动态硬化现象，产生共振效果。

此时的磁流变悬置相当于普通液压悬置在动力总成中进行隔振。分析可得，挤压通道与流动通道和解耦膜处的磁流变液流量和为 $A_\text{p}\dot{X}_{(t)}$，关系式可表示为：

$$Q_\text{f}+Q_\text{d}=A_\text{p}\dot{X}_{(t)} \tag{4-59}$$

式中，Q_f 为挤压通道的磁流变液流量；Q_d 为流动通道的磁流变液流量；A_p 为极板的有效作用面积；$\dot{X}_{(t)}$ 为极板振动的速度。

根据建立的磁流变悬置力学模型，可以看出此时流道和解耦膜上下的压力差相等，即：

$$\dot{Q}_\text{f}I_\text{f}+Q_\text{f}R_\text{f}=\dot{Q}_\text{d}I_\text{d}+Q_\text{d}R_\text{d} \tag{4-60}$$

式中，$\dot{Q}_\text{f}$ 为挤压通道流量的变化率（对时间的导数）；I_f 为挤压通道的液感（惯性系数）；Q_f 为挤压通道的磁流变液流量；R_f 为挤压通道的液阻（阻尼系数）；$\dot{Q}_\text{d}$ 为流动通道流量的变化率；I_d 为流动通道的液感（惯性系数）；Q_d 为流动通道的磁流变液流量；R_d 为流动通道的液阻（阻尼系数）。

以下将对本节设计的磁流变悬置在随励磁线圈电流变化的工况下对悬置的动刚度以滞后角进行分析。

以振动幅值 0.5mm 的正弦波为输入激励，探究在不同电流下磁流变悬置的动刚度、滞后角随频率的变化状况。如图 4-70 与图 4-71 所示，图中箭头所指的方向为电流增大的方向，两条线之间的区域为电流可调区域。

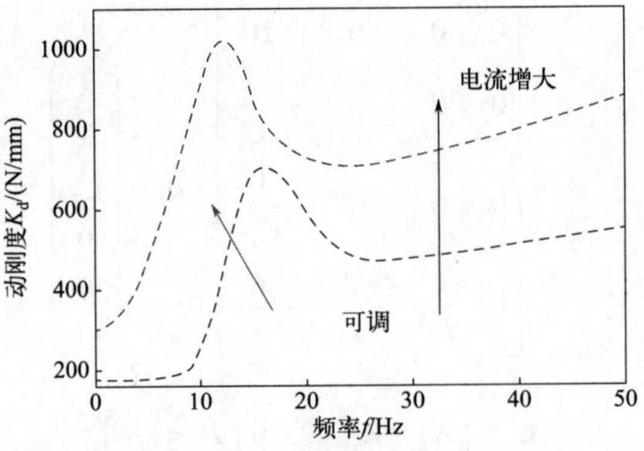

图 4-70 动刚度随频率变化曲线

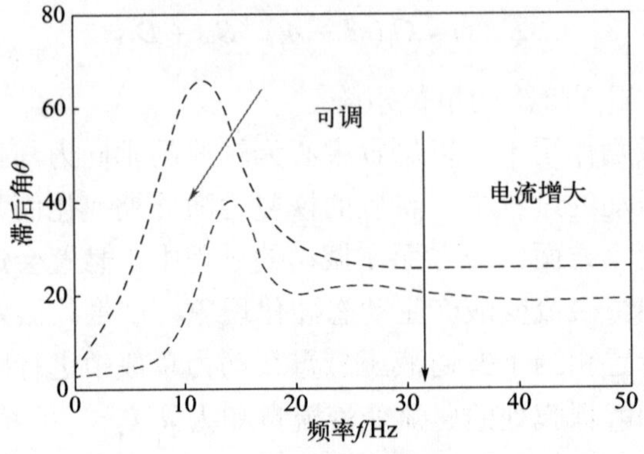

图 4-71 滞后角随频率变化曲线

根据图 4-70 可知：随控制电流的不断增加，磁流变悬置的动刚度随控制电流的不断增加而增加，其变化在 4 ～ 15Hz 范围内最为明显。在 11Hz 下，动刚度随电流增大由 263N/mm 上升到 887N/mm。由图 4-71 可知：磁流变悬置的滞后角随控制电流的不断增加而增加，其变化在 3 ～ 17Hz 范围内最为明显。在 12Hz 下，滞后角随电流的增大由 65°下降到 21°。由动刚度与滞后角的变化范围可知，本节设计的悬置可调区域满足要求。

高频小振幅磁流变悬置中流动通道中的磁流变液与挤压通道中的磁流变液产生固化现象，此时磁流变悬置相当于液压悬置，$Q_f = 0$，通电电流 $I = 0$。此时的状态空间矩阵为：

$$\boldsymbol{A}_b = \begin{bmatrix} 0 & 0 & 0 & 0 \\ 0 & 0 & 0 & -\dfrac{1}{C_1} \\ 0 & 0 & 0 & \dfrac{1}{C_2} \\ 0 & \dfrac{1}{I_d} & -\dfrac{1}{I_d} & -\dfrac{R_d}{I_d} \end{bmatrix} \quad \boldsymbol{B}_b = \begin{bmatrix} 1 \\ \dfrac{A_p}{C_1} \\ 0 \\ 0 \end{bmatrix}$$

$$\boldsymbol{C}=\begin{bmatrix}K_{\mathrm{r}} & A_{\mathrm{p}} & 0 & 0\end{bmatrix}\ \boldsymbol{D}=\begin{bmatrix}B_{\mathrm{r}}\end{bmatrix}$$

此时的悬置复刚度为：

$$K_{\mathrm{b}}=\boldsymbol{C}_{\mathrm{b}}(s\boldsymbol{I}-\boldsymbol{A}_{\mathrm{b}})^{-1}\boldsymbol{B}_{\mathrm{b}}s+\boldsymbol{D}_{\mathrm{b}}s \tag{4-61}$$

式中，$\boldsymbol{I}$ 为与 $\boldsymbol{A}$ 相同阶次的单位矩阵。

取激励振幅为 0.2mm 时，仿真结果如图 4-72 与图 4-73 所示。

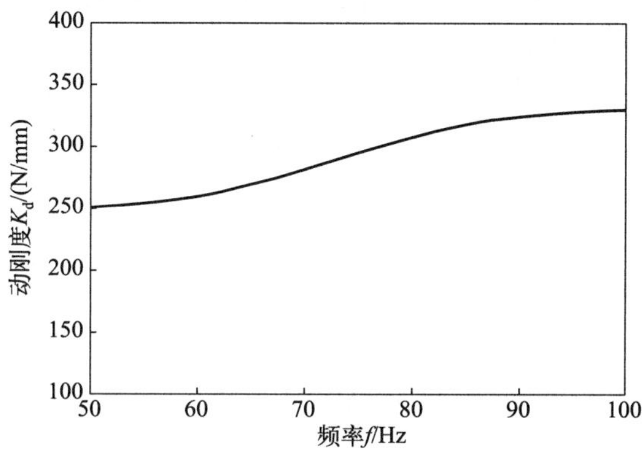

图 4-72　动刚度随频率变化曲线

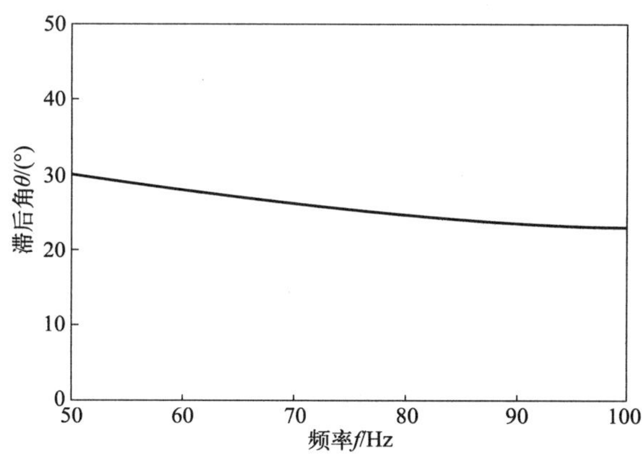

图 4-73　滞后角随频率变化曲线

根据图 4-72 与图 4-73 可知：在高频状态下，磁流变悬置阻尼通道中的磁流变液发生固化现象。上液室中的液体通过解耦通道流向下液室，励磁线圈不起作用。此时的磁流变悬置相当于普通液压悬置，具有小刚度小阻尼特性。通过上述建模可以得出在不同电流、不同激振频率下磁流变悬置的恢复力性能曲线以及在不同电流下随频率变化的磁流变悬置的动特性。仿真结果表明，设计的磁流变悬置具有良好的隔振效果。

综上所述，磁流变技术在扭矩减振器和悬置系统中的应用为车辆振动控制提供了创新的解决方案。对磁流变材料进行建模、仿真与分析能够更精确地预测和调节减振器和悬置系统的动态特性，从而提升整车的舒适性与安全性。磁流变技术的可调性和响应性使其在不同工况下展现出优异的性能，尤其在快速响应和优化控制方面具有显著优势。然而，现有技术仍面临着材料成本、系统复杂性和可靠性等方面的挑战，亟须进一步的研究和优化。未来，随着磁流变技术的不断发展和应用，预计将为汽车及其他工程领域带来更多高效、智能化的解决方案，推动振动控制技术的持续进步。

第 5 章

磁流变技术在汽车保险杠中的应用

5.1 磁流变脂缓冲器的结构设计

5.1.1 传统汽车碰撞仿真分析

磁流变技术是一种利用磁性流体的性质来控制其流变特性的技术。在智能汽车保险杠中应用磁流变技术可以使保险杠具有自适应性能，能够根据不同碰撞情况调整其硬度和吸能性能，从而提高汽车的安全性能。

具体来说，当汽车受到碰撞时，磁流变技术可以通过改变磁场的强度来调节磁性流体的流动性质，从而实现对保险杠硬度的调整。这样一来，可以使保险杠在低速碰撞时更加柔软，能够有效吸收碰撞能量，减少车辆和乘客受到的冲击力；而在高速碰撞时，保险杠则可以变得更硬，提供更好的保护。

磁流变技术在智能汽车保险杠中的应用优点：

① 有自适应性能。磁流变技术可以根据不同碰撞情况实时调节保险杠的硬度和吸能性能，使其能够适应不同的碰撞情况，提供更好的保护。

② 提高安全性能。通过调节保险杠的硬度，磁流变技术可以有效吸收碰撞能量，减少车辆和乘客受到的冲击力，提高汽车的安全性能。

③ 减少碰撞造成的损坏。由于保险杠可以根据碰撞情况调节硬度，磁流变技术可以减少碰撞造成的车辆损坏，降低维修成本。

④ 提升车辆性能。磁流变技术可以提高汽车整体性能，使汽车更加智能化、安全化，提升用户体验。

总的来说，应用磁流变技术的保险杠，可以提高汽车的安全性能，降低碰撞造成的损害，是一种具有广泛应用前景的新兴技术。

为了研究汽车碰撞过程，建立汽车碰撞动力学模型并对其进行碰撞仿真分析，以碰撞速度变化、加速度变化、位移变化以及冲击力变化四项指标对汽车碰撞过程进行评价分析，同时结合汽车碰撞特点，根据汽车碰撞过程涉及的结构进行分析，进一步研究了磁流变缓冲器的安装位置和空间尺寸要求，为磁流变缓冲器的结构设计奠定了基础。

为了研究汽车在碰撞过程中的加速度、速度和位移变化情况，以及对汽车保险杠系统进行改进，需要进行整车碰撞研究。然而，整车碰撞试验成本高、破坏性强，因此考虑使用仿真研究来替代。在汽车正面碰撞试验中，通常使用假人代替真人，让汽车以特定初速度撞向墙体，以分析汽车和假人的变化过程及受损程度，测试汽车的安全系数，汽车正面碰撞模型如图 5-1 所示。

因为汽车包含大量零部件，在构建汽车碰撞动力学模型时，很难确保模型的完整性和一致性。因此，在进行汽车碰撞仿真时，主要关注汽车前部保险杠的变化情况，而不考虑其他零部件的变形情况。所以，可以对整车模型进行简化分析。将汽车前部保险杠系统和后部车身看成两部分，两部分之间由线性刚度和非线性刚度相连，所建立的汽车碰撞动力学模型如图 5-2 所示。

图 5-1　汽车正面碰撞模型

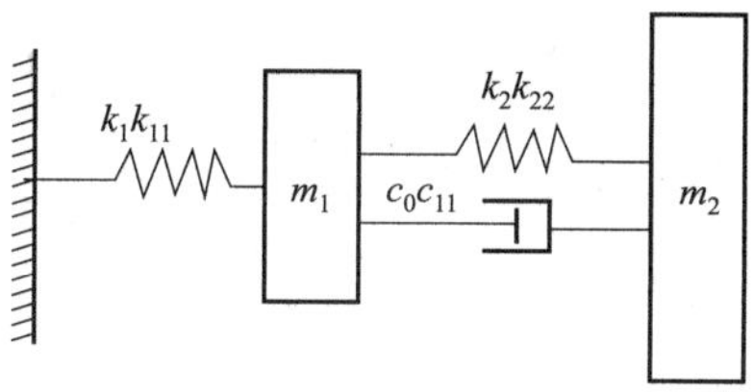

图 5-2　汽车碰撞模型简化

其中，保险杠部分质量为 m_1，汽车后部车身质量为 m_2。k_1 为汽车保险杠线性刚度，k_2 为汽车后部车身的线性刚度，k_{11} 为汽车保险杠非线性刚度，k_{22} 为汽车后部车身的非线性刚度；在碰撞过程中，会有一定的阻尼来吸收碰撞冲击力，以线性阻尼 c_0 和非线性黏滞阻尼 c_{11} 模拟，x_1、x_2 分别表示保险杠部分、车身部分绝对位移。

根据牛顿第二定律，根据简化模型建立汽车碰撞动力学公式，如式（5-1）所示。

$$\begin{cases} m_1\ddot{x}_1+k_1x_1+k_{11}x_1^3+k_2\left(x_1-x_2\right)+k_{22}\left(x_1-x_2\right)^3 \\ -c_0\left(\dot{x}_2-\dot{x}_1\right)-c_{11}\left(\dot{x}_2-\dot{x}_1\right)^2=0 \\ m_2\ddot{x}_2-k_2\left(x_1-x_2\right)-k_{22}\left(x_1-x_2\right)^3+c_0\left(\dot{x}_2-\dot{x}_1\right) \\ +c_{11}\left(\dot{x}_2-\dot{x}_1\right)^2=0 \end{cases} \tag{5-1}$$

选取一款中小型汽车为模型，保险杠质量块 m_1 =10kg，车身质量块 m_2 = 1200kg，线性刚度 k_1 = k_2 =50000N/m，非线性刚度 k_{11} = k_{22} =30000N/m。根据上述所建公式，用 MATLAB/SIMULINK 软件进行建模仿真。为了研究汽车在不同低速碰撞过程中的碰撞特点，设定碰撞初速度分别为 10km/h、20km/h 和 30km/h。

图 5-3 为 10km/h、20km/h、30km/h 的初速度碰撞仿真的汽车速度变化曲线。汽车在发生正面碰撞时，速度会在很短时间内降为零。从图中可以看出，汽车初速度越高，在碰撞发生时速度变化越明显，这说明当汽车以较低速度行驶发生碰撞时，汽车保险杠可以缓冲部分冲击力，汽车受到的伤害较小，但在行驶速度较快时发生碰撞，汽车保险杠的缓冲能力不够，汽车受到的伤害较大。

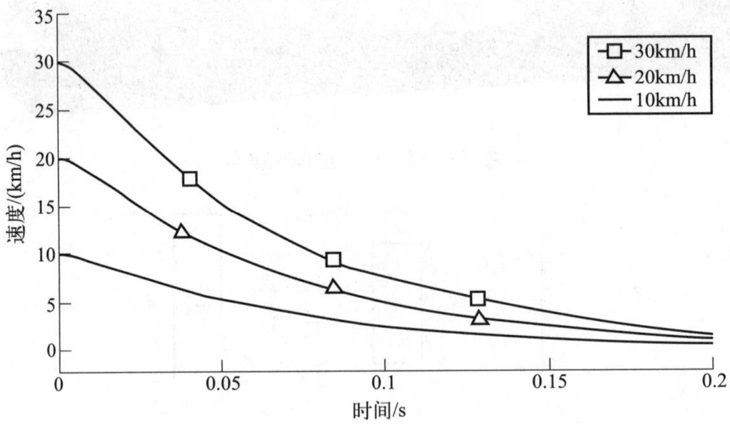

图 5-3 汽车碰撞速度变化曲线

图 5-4 为 10km/h、20km/h、30km/h 的初速度碰撞仿真的加速度变化曲线。汽车发生正面碰撞时，会导致车身形变和车辆加速度产生，从而导致乘员和车辆之间相对运动。车辆的动态响应可以通过加速度来展现。从图中可以看出，低速碰撞时，加速度变化较为缓慢。而当汽车初速度较高时，在碰撞瞬间加速度变化较快，达到峰值后下降也很快，这对车辆和驾乘人员都不利。从安全角度考虑，希望加速度变化更平缓。

图 5-5 为 10km/h、20km/h、30km/h 的初速度碰撞仿真的汽车碰撞位移变化曲线。汽车碰撞时的位移表示车辆的变形程度。在碰撞中，车身的变形主要集中在发动机舱，而车室的变形相对较小并且保持形状相对完整。在正面碰撞中，发动机舱的吸能构件包括前端纵梁、上边梁和吸能盒，这些结构通过轴向的压缩和弯曲来吸收能量。随着碰撞的继续，前端纵梁延伸部、A 柱和侧梁也开始变形，参与能量吸收。汽车碰撞位移可以直观显示车辆碰撞后的损伤情况。从图 5-5 中可以看出，在某一时刻位移达到最大值，随着弹性恢复，变形量开始缓慢减少，最终达到汽车碰撞后的残余变形量。汽车的初速度越高，碰撞变形量就越大，对车辆和驾乘人员造

成的损害也越严重。

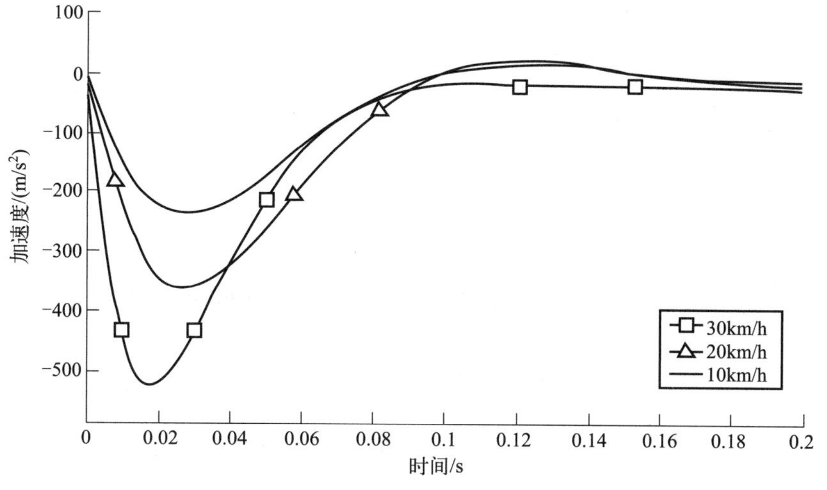

图 5-4 汽车碰撞加速度变化曲线

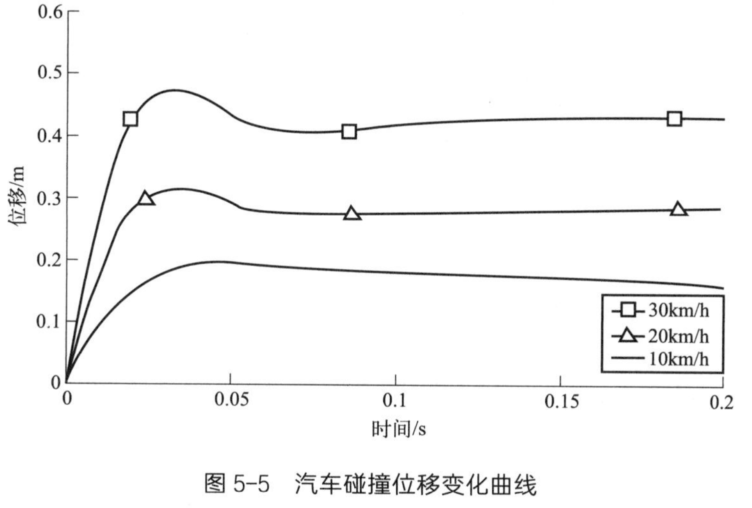

图 5-5 汽车碰撞位移变化曲线

图 5-6 为 10km/h、20km/h、30km/h 的初速度碰撞仿真的汽车碰撞冲击力变化曲线。当汽车发生正面碰撞时，由于力的作用，汽车会受到刚性墙壁的冲击。从图中可以看出，汽车的初始碰撞速度越高，碰撞时的峰值力也越大。当汽车以 10km/h 的速度发生碰撞时，冲击力会迅速达到峰值，然后逐渐平稳下降至零。但是当汽车以 30km/h 的速度发生碰撞时，冲击力的峰值急剧上升，然后快速下降。这表明传统的汽车保险杠无法有效缓冲冲击，从而可能使车辆和驾乘人员受到伤害。

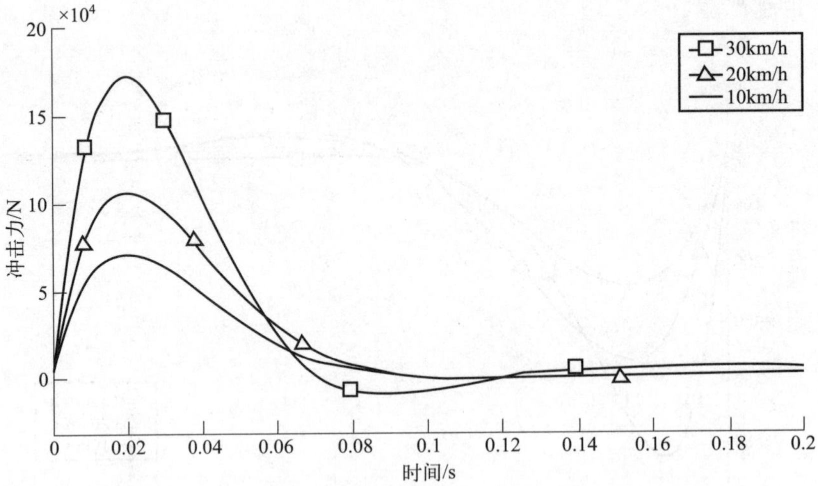

图 5-6 汽车碰撞冲击力变化曲线

在汽车碰撞过程中，过大的加速度可能会对驾乘人员和车辆造成损害。如果车身刚度过低，随着车身变形量的增加，车室的侵入量也会增大，在碰撞过程中可能与前方移动的乘员发生接触，造成严重的伤害。相反，如果车身刚度过高，在碰撞中车辆的加速度会变得很大，增加安全带对乘员身体的压力，可能导致乘员身体内部受伤，同时也会对行人造成严重伤害。因此，为了减轻加速度和冲击力对人和车辆造成的伤害，需要合理调节车身的刚度。

根据仿真结果显示，低速碰撞时产生的冲击力相对较小，传统汽车保险杠的刚度可以在一定程度上缓冲碰撞。但是在高速碰撞时，传统汽车保险杠无法调节刚度，只能依靠自身的变形来吸收能量，但冲击力基本不变，导致冲击力急剧增加，车辆的加速度、速度和位移明显增加，无法有效缓冲碰撞。传统汽车保险杠无法满足不同速度碰撞的需求。因此，磁流变脂缓冲装置可以根据不同碰撞环境实时调节刚度，在高速碰撞中进行缓冲，更进一步保护驾乘人员和车辆的安全。

5.1.2 磁流变缓冲装置设计方案一

汽车在受到正面碰撞时，汽车碰撞吸能区域结构如图 5-7 所示，主要用来缓冲的部件有保险杠壳、横梁、防撞盒、前纵梁以及上纵梁等。一般来说，保险杠壳采用的是塑料缓冲材料，一方面可以有效缓冲部分碰撞产生的能量，另一方面可以有效地保护行人的安全。

汽车横梁可以吸收和缓冲碰撞能量，保护汽车前置系统中的重要部件，是汽车被动安全系统的重要屏障之一。防撞盒位于横梁和前纵梁之间，在碰撞过程中通过压缩变形来吸收能量，常用的防撞盒可根据结构划分为四边形防撞盒和六边形防撞盒，采用铝合金制作而成。

车身纵梁是车身框架的一部分，一方面起到支撑车身的作用，另一方面在发生严重的碰撞事故时，车身纵梁会发生溃缩，以此来吸收一部分碰撞能量，但车身纵梁的溃缩也可能会造成车室内乘员和驾驶员的伤害。当汽车碰撞带来的冲击被汽车保险杠系统有效吸收时，会降低对车内乘员和汽车重要零部件的伤害，为了满足各种工况的需求，需要对汽车保险杠系统进一步改进。

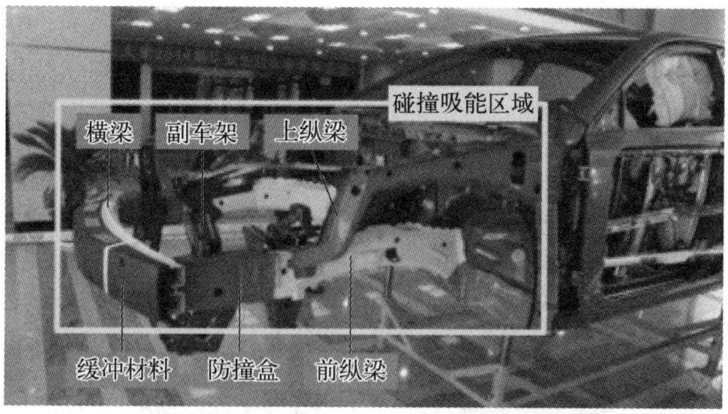

图 5-7　汽车碰撞吸能区域结构

汽车保险杠系统需要根据不同的碰撞环境实时调节自身刚度，在汽车不同速度碰撞过程中有效地起到缓冲作用，更进一步保护驾乘人员和汽车的安全。所以需要将磁流变技术引入汽车保险杠中，设计一种智能化磁流变缓冲装置。

根据有关企业车辆正面试验碰撞结果分析，防撞盒吸收的能力效率最低，且不是碰撞吸能区域的重要组成部分。因此，可将磁流变缓冲器代替现有的防撞盒，在设计磁流变缓冲装置时，以防撞盒空间尺寸为依据，对磁流变缓冲装置进行总体设计。

随着对磁流变阻尼器研究的深入，单一工作模式下的磁流变缓冲器已不能满足一些工程需要，因此研究了除三种基本模式外的混合模式，其中包括剪切阀式和挤压流动式。剪切阀式包括剪切模式和流动模式两种工作模式，挤压流动式包括挤压模式和流动模式两种工作模式，在工程应用中都能提供较大的缓冲力。

在面向汽车碰撞设计缓冲器时，根据汽车碰撞具有碰撞能量大、发生时间短、加速度波动剧烈以及压溃量大等特点，单一模式下的磁流变阻尼器提供的阻尼力较小，不能满足需要。相比之下，剪切阀式可以提供较大阻尼力，因此选择剪切阀式的工作模式进行磁流变缓冲装置的总体设计。同时考虑目前磁流变缓冲装置存在工作模式单一、磁场利用率低等缺陷，设计一款工作模式多样、磁场利用率高以及多通道流动的磁流变脂缓冲装置，可以有效平衡磁流变脂流动性和吸能性的矛盾。

根据磁流变的特性，磁场方向与磁流变流动方向垂直才能发挥最大作用，磁流变缓冲装置的设计应尽可能多地使励磁线圈产生的磁场方向垂直于磁流变剪切速度的方向。为了增加磁场利用率和提高阻尼力，多数学者采用多级线圈并联的方式，但线圈的增加会引起高温，从而降低磁流变效应。本书采用结构创新方式，一方面设计一种导磁环和非导磁环交替连接的方式，使得励磁线圈产生的磁场多次垂直经过阻尼通道，增加了磁场的使用率，同时也增加了磁流变脂的输出阻尼力。另一方面，考虑到磁流变脂流动性较差的缺陷，在活塞中间开设双孔，利用通流杆结构增加磁流变脂的流动性。最终设计了一款具有多通道、磁场利用率高、性能稳定、可重复使用的磁流变脂缓冲装置。图 5-8 是磁流变脂缓冲装置的三维图。

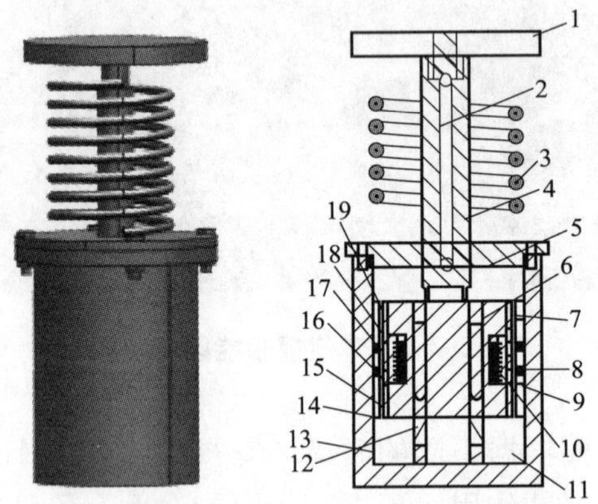

(a) 3D模型 (b) 2D剖面模型

图 5-8 磁流变脂缓冲装置图

1—冲击平台；2—线圈引线孔；3—弹簧；4—活塞杆；5—上端盖；
6—活塞；7—导磁环一；8—非导磁环一；9—导磁环二；10—励磁线圈；
11—磁流变脂；12—通流杆；13—筒体；14—阻尼通道；15—导磁环三；
16—非导磁环二；17—导磁环四；18—非导磁环三；19—导磁环五

图 5-9 为冲击平台、活塞杆和弹簧总成图，其中冲击平台与活塞杆是通过内外螺纹进行连接的，这不仅有利于拆装，还能够保证连接的可靠性。活塞杆内部有通孔，在接近冲击平台的上方设有斜孔，这是为了将励磁线圈从缓冲装置内部引出。弹簧具有加工方便、价格便宜、经济实用的特点，一方面在压缩过程中可以起到阻尼力的作用，另一方面可以起到支撑的作用。

图 5-10 为活塞、导磁环和非导磁环总成。图 5-11 为活塞三维图。活塞上方设有外螺纹，与活塞杆下方的内螺纹进行连接，同时，活塞内部设有两个通孔，与通流杆在同一竖直方向上，目的是在碰撞发生时，增加磁流变脂的流动性。活塞设计为“工”字形是为了缠绕励磁线圈。在励磁线圈缠绕完成后，通过活塞内部的斜孔穿出，再经过活塞杆，将引线引出器件外。活塞设置斜孔的目的是保护漆包线不被刮破，方便引线的穿出。

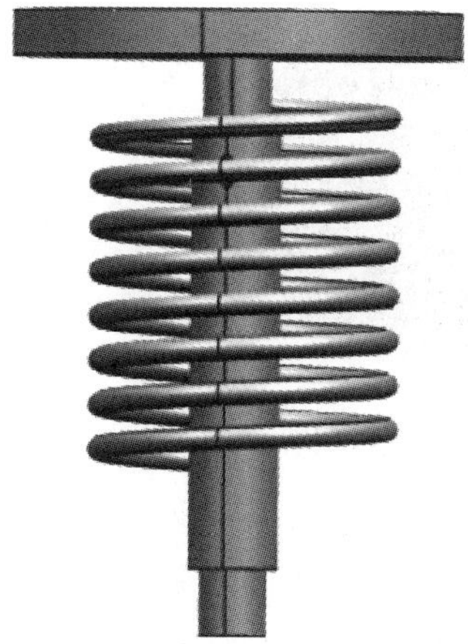

图 5-9　冲击平台、活塞杆和弹簧总成

图 5-10　活塞、导磁环和非导磁环总成

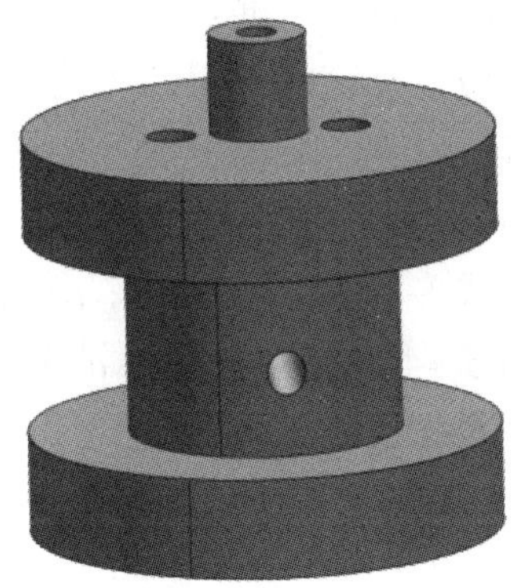

图 5-11　活塞三维图

当活塞开始移动时，会有部分磁流变脂经过通流杆流入活塞上方，当活塞移动一定距离后，通流杆上的孔处于活塞内部，此时，磁流变脂不再流经活塞上的孔，起到密封作用。活塞外部套有导磁环和非导磁环，外部导磁环与内筒接触，内导磁环和外导磁环中间的环形间隙形成阻尼通道。非导磁环和导磁环交替连接的作用是提高磁场的利用率，使得磁场多次有效地穿过阻尼通道。同时在导磁环和非导磁环上设有圆形阵列孔，目的是方便将多层导磁环和非导磁环连接，通过长螺栓和螺母的形式进行紧固。同时，外部导磁环和内部导磁环在活塞下方通过焊接形式连接，保证整体运动的一致性。

图 5-12 和图 5-13 分别为筒端盖和内筒三维模型。筒端盖和内筒设有四个圆形阵列孔，通过螺栓和螺母将筒端盖和内筒进行紧固连接。筒端盖内部设有密封圈，防止活塞杆在上下移动过程中磁流变脂溢出，起到内部密封作用。内筒下方设有两个外螺纹支柱，目的是与两个通流孔内螺纹连接，活塞内部的孔可以在通流杆上下移动。内筒里装有磁流变脂，内筒内壁光滑，外部导磁环在内筒内壁上下移动。

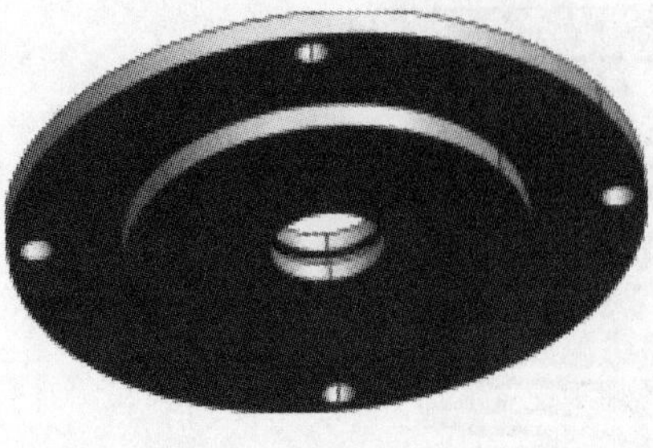

图 5-12 筒端盖三维图

图 5-13 内筒三维图

该磁流变脂缓冲装置工作原理如下：当汽车发生碰撞时，冲击平台在冲击力的作用下压缩弹簧，弹簧的压缩可以吸收部分冲击力，压缩弹簧的同时，使得活塞杆带着活塞向下运动，活塞运动过程中使得磁流变脂通过通流杆流动，第一时间有效缓解碰撞峰值。当活塞位移一定距离后，通流杆上的孔被活塞堵塞，使得磁流变脂材料只能通过阻尼通道进行流动，在磁场的作用下，阻尼通道内的磁流变脂发生磁流变效应，从而增加了阻尼力。可以根据不同的碰撞情况调节电流的大小，改变磁场强度，从而控制磁流变产生的阻尼力大小。当碰撞结束后，断开电流，磁流变脂又会回到原有状态，在弹簧的作用下回到最初位置，因此该结构具有可重复使用、缓冲方式多样、磁场利用率高等特点。

图 5-14 为磁流变脂缓冲装置分解图，从图中可以很清楚地看出各个零件之间的关系及作用位置。图 5-15 为磁流变脂缓冲器安装位置示意图。

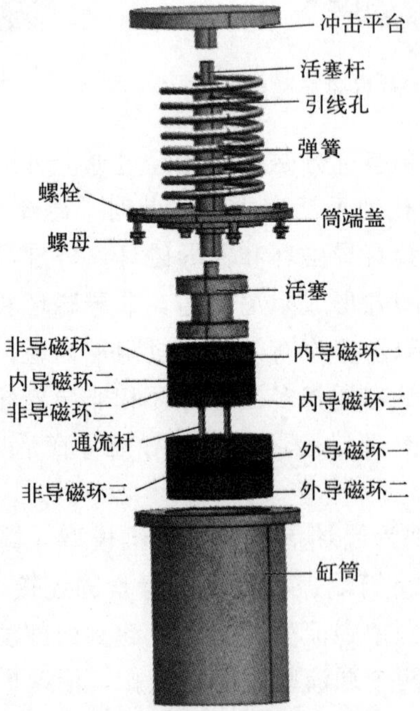

图 5-14 磁流变脂缓冲装置分解图

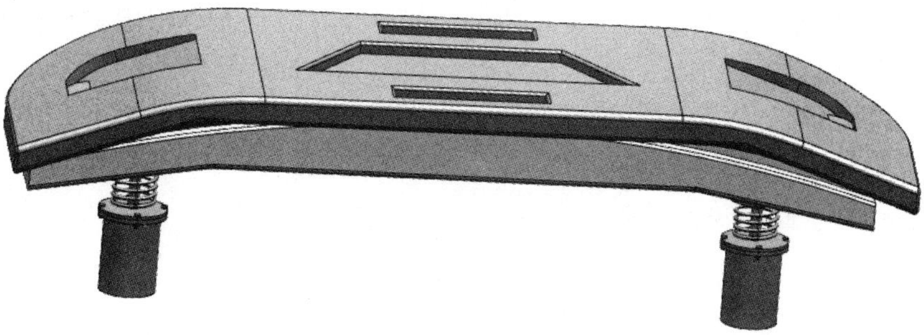

图 5-15　磁流变脂缓冲器安装位置示意图

在磁流变脂缓冲器设计中，材料的选择也十分重要，不同的材料具有不同的磁导率属性，不同的材料也会影响到磁场磁路的走势。对于设计的磁流变脂缓冲装置，影响磁路的零件有内筒、导磁环、非导磁环、活塞和活塞杆。在选择导磁材料时，应选择磁导率高、退磁快和磁滞损失小的材料，同时还应该具有一定的强度要求。表 5-1 为零件的材料选择表。

表5-1　零件的材料选择表

零件	内筒	导磁环	非导磁环	活塞	活塞杆
材料	不锈钢	45 钢	铝	45 钢	45 钢

由于内筒内部长期装有磁流变脂材料，可能会受到侵蚀，且内筒会在冲击作用下受到较大压强，而不锈钢具有良好的耐腐蚀性和较高的硬度，适合当作内筒的材料。45 钢具有良好的导磁性和退磁性，适合作为磁路材料。铝属于不导磁材料且价格便宜，加工方便，在隔绝磁场使用时效果最佳。图 5-16 为 45 钢磁化特性曲线。

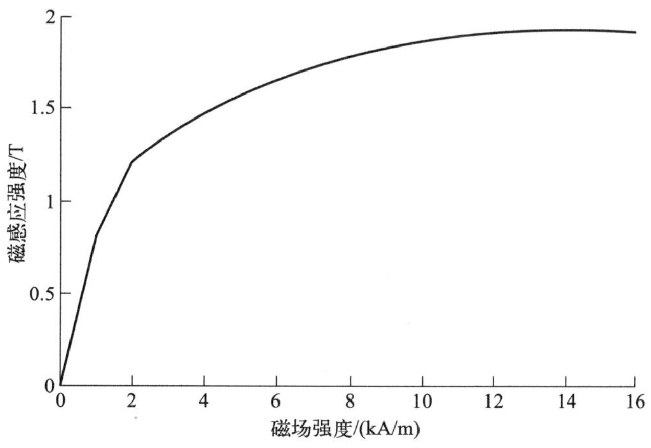

图 5-16　45 钢磁化特性曲线

由于磁流变脂缓冲装置用于缓冲冲击，在设计时应当充分考虑材料在强冲击下不受到破坏。而在强冲击过程中，活塞杆的尺寸和内筒的尺寸至关重要，应保证活塞杆的直径和内筒的厚度。内筒厚度的确定需要满足在最大压强下不会出现破裂等情况，根据机械抗压强度要求，由机械设计规范公式：

$$\delta \geqslant \frac{DP_{\max}}{2[\sigma]} \tag{5-2}$$

式中，D 为内筒直径；$P_{\max}$ 为最大设计压强；$[\sigma]$ 为材料的容许应力。在初始设计时，内筒直径为80mm，不锈钢的容许应力为100MPa，经过计算可得，内筒厚度需要 $\delta \geqslant 4\text{mm}$。为了留有较大余量以防止意外情况发生，内筒厚度取10mm，确保在使用过程中的绝对安全。

活塞杆直径主要由阻尼器工作时出力所产生活塞杆的拉应力确定，由强度公式得活塞杆直径为：

$$d = \sqrt{\frac{4F_{\max}}{\pi\sigma_s}} \tag{5-3}$$

式中，$F_{\max}$ 为最大压力；σ_s 为45钢的屈服强度。设定最大压力为50kN，查询可知，45钢的屈服强度为355MPa，经过计算可得，活塞杆直径为12mm。同理，为了留有较大余量，防止在冲击过程中出现活塞杆折断现象，在设计时取活塞杆直径为20mm，以满足使用要求。表5-2为具体尺寸参数。

表5-2　具体尺寸参数

参数	数值 /mm
缸筒内径	70
缸筒壁厚	10
活塞直径	48
内导磁环直径	58
外导磁环直径	70
阻尼间隙	1
活塞杆直径	20
活塞杆长度	130

线圈匝数的确定：磁流变脂缓冲装置中线圈的匝数可以根据磁路欧姆定律来确定。一方面，线圈匝数越多，在一定电流下产生的磁感应强度就越大；另一方面，通入最大电流过大时，容易造成线圈损坏，从而导致磁流变阻尼器失效，因此最大电流设定为2A。需要根据磁路来确定在最大电流时所需要的线圈匝数。磁路计算时一般将磁路结构近似为环状铁芯，图5-17为磁路计算简图。

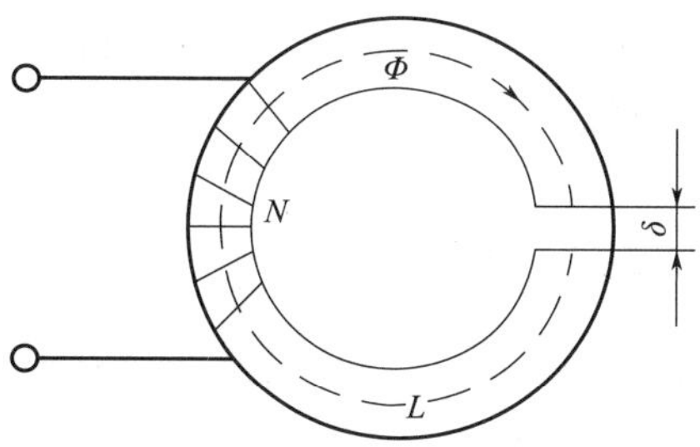

图 5-17 磁路计算简图

图 5-17 中，N 为线圈匝数；L 为磁路平均长度；δ 为间隙长度，一般很小。假设励磁线圈通入电流为 I，则有安培环路定律：

$$\oint H \mathrm{d}L = \sum I \tag{5-4}$$

求解可得：

$$HL = IN \tag{5-5}$$

由磁感应强度公式、磁通量公式、磁阻公式：

$$B = \mu H \tag{5-6}$$

$$\Phi = BS \tag{5-7}$$

$$R_{\mathrm{m}} = \frac{L}{\mu S} \tag{5-8}$$

联合上式可得：

$$\Phi = \frac{IN}{R_{\mathrm{m}}} \tag{5-9}$$

$$R_{\mathrm{m}} = \frac{h^2}{[\pi(r_1 + h)^2 - r_1^2]L_1\mu_0} \tag{5-10}$$

由上对磁流变脂参数分析可知，磁流变脂的磁饱和强度为 0.6T，因此要在通 2A 电流时达到磁饱和强度，经过计算所需匝数为 150 匝。

基于汽车碰撞区域空间尺寸，设计了一款缓冲模式多样、磁场利用率高以及缓解磁流变脂流动性差的缺陷的磁流变脂缓冲装置，利用导磁环和非导磁环相互结合的方式提高磁场的利用率，利用弹簧、阻尼通道和通流杆的方式达到多重缓冲效果。然后通过对工作强度进行校核，确定了缓冲装置关键尺寸大小，分析磁场对材料的影响，确定各个零件的材料。同时对磁流变脂材料进行选择，分析了磁流变脂磁感应强度对黏度和剪切应力的影响，确定了磁饱和强度，由磁饱和强度结合磁路欧姆定律，计算活塞所需线圈匝数。

5.1.3 磁流变缓冲装置设计方案二

为了设计合理的缓冲装置，需要估计磁流变脂缓冲装置的控制阻尼力的范围和行程，这里假设车辆以一定的速度与某一障碍物相撞，碰撞过程不再发生二次碰撞，需要在设定之前预估一个设计目标。现假定一汽车质量为1000kg，其冲击时的速度为3m/s，冲击时的最大行程距离为100mm，由能量守恒定理可计算出所需要的阻尼力f=45kN，因此需要冲击时提供的阻尼力为45kN。本节拟设计出1000kg的汽车在碰撞冲击速度为3m/s时，汽车磁流变脂缓冲装置最大阻尼力不低于50kN，阻尼力可调范围（最大阻尼力 / 最小阻尼力）需大于1.4，以确保装置能在35.7～50kN范围内连续调节，适应碰撞过程中的能量变化。

为了增加磁场利用率，磁流变脂缓冲装置的设计应尽可能多地使励磁线圈产生的磁场方向垂直于磁流变剪切速度的方向。平行于磁流变剪切方向的磁场对磁流变效应的贡献很小，而垂直于磁流变脂流动方向的剪切力最大，即设计一个垂直于磁流变脂剪切力方向的磁场对磁流变效应的贡献很大。所以图5-18中采用径向阻尼通道结构。其次，传统磁流变缓冲装置的设计吸能方式单一，本节采用受磁场作用的磁流变脂与弹簧共同作用产生阻尼力来抵抗冲击载荷。最后，汽车碰撞做“一次性”碰撞，传统磁流变缓冲装置一般采用一次性材料作为压溃位移装置，使用一次就要拆装一次来补充材料。拆装麻烦，时间成本高。本节采用活塞杆与补偿装置相结合，可多次重复使用，无须拆装。同时考虑到汽车正面碰撞情况较多和汽车构造的尺寸限制，且碰撞冲击能量通常耗散于汽车碰撞的压缩行程过程中，此处设计了一款结构简单、磁场利用率高、性能稳定、可重复使用的磁流变脂缓冲装置。图5-18所示是本节设计的磁流变脂缓冲装置结构图。

为了便于理解本节设计的磁流变脂缓冲装置，下文会对缓冲装置的各个部分进行分解剖析。

（1）活塞杆筒总成装置

如图5-19～图5-21所示分别为活塞杆、活塞筒以及活塞杆、筒总成图，本节利用弹簧（优点：易制造、易装拆、提供阻尼力等）与活塞杆和活塞筒相结合，组装成本节中所设计的磁流变脂缓冲装置的一部分。活塞杆的上端平台用来接收冲击力。活塞杆在活塞筒的上下移动使得受磁场作用的磁流变脂与弹簧共同作用产生阻尼力来抵抗冲击载荷。该弹簧在产生阻尼力的同时，还能与补偿装置的弹簧共同作用，利用回复力来起到补偿活塞筒磁流变脂的作用。在下文中对补偿装置进行介绍时会提到。

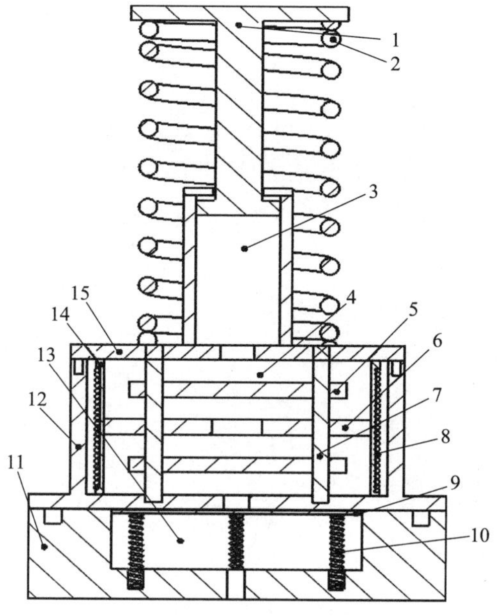

图 5-18　磁流变脂缓冲装置示意图

1—活塞；2—活塞弹簧；3—活塞通道；4—阻尼通道；5—圆形隔板；
6—圆形隔板（中间打圆孔）；7—隔板连接柱；8—励磁线圈；9—挡板；
10—挡板弹簧；11—底座；12—外筒；13—补偿腔；14—内筒；15—外筒端盖

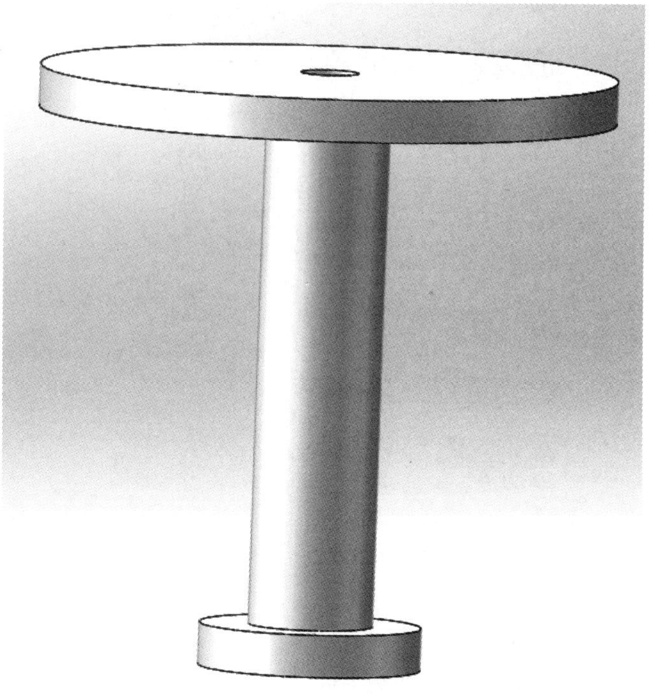

图 5-19　活塞杆

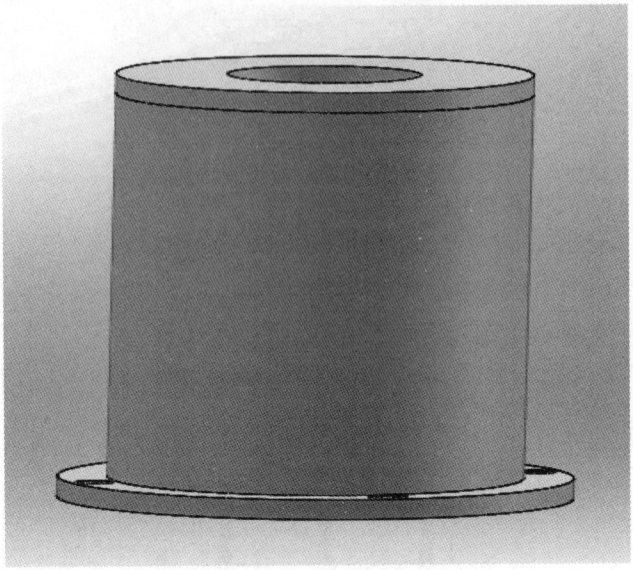

图 5-20 活塞筒

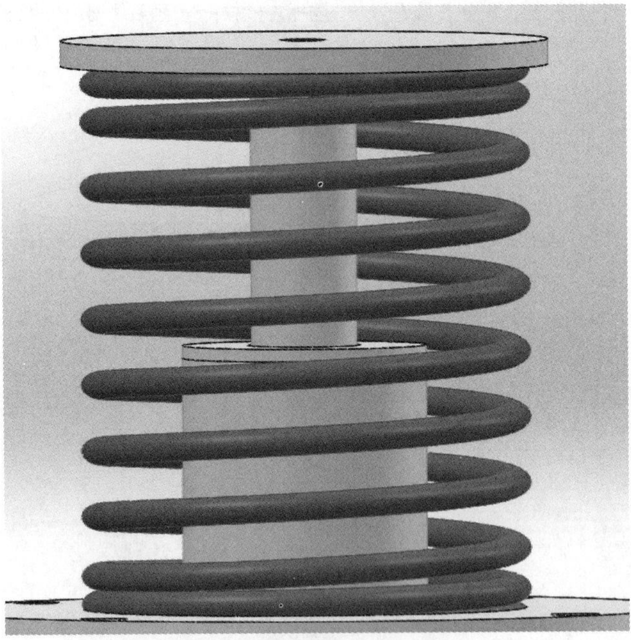

图 5-21 活塞杆、筒总成

（2）阻尼通道总成装置

图 5-22 所示为阻尼通道总成剖视图，该图是由圆形隔板、圆形隔板（中间打圆孔）、隔板连接柱、励磁线圈、工作缸等零部件结合而成的。圆形隔板与圆形隔

板之间即为阻尼通道（阻尼通道实际并无这般大小，为了方便观察故意画大）。

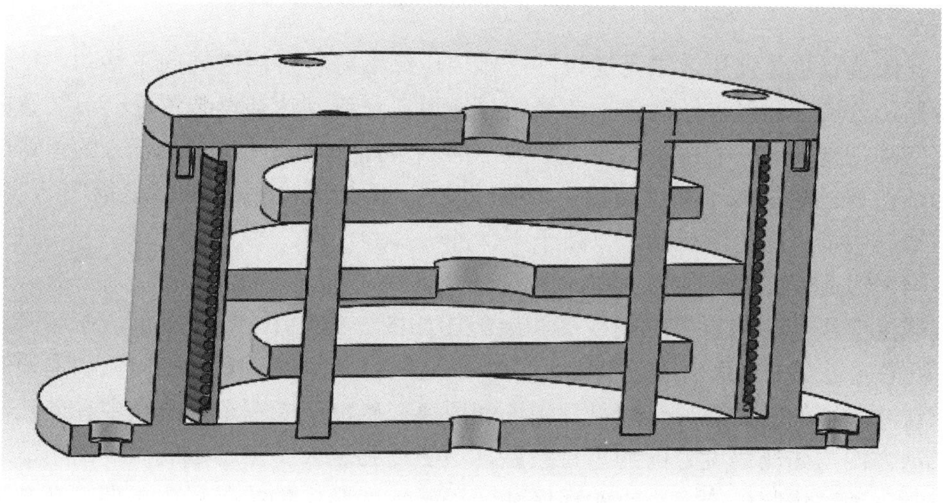

图 5-22　阻尼通道总成剖视图

为了提高磁场利用率，磁流变器件的设计应尽量使励磁磁路产生的磁场方向垂直于磁流变剪切速度的方向。平行于磁流变剪切力方向的磁场对磁流变效应的作用最小，而垂直于粒子成链方向的剪切力的作用最大，而其对应的垂直于磁流变剪切力方向的磁场对磁流变效应的作用也是最大的。励磁线圈与阻尼通道垂直，最终的结果就是通电后励磁线圈所产生的磁流与磁流变脂的流动方向垂直，此时产生的磁流变效应也是最大的。在下文中会有具体的磁场分析介绍。

（3）补偿总成装置

图 5-23 是补偿装置总成剖视图，由三个部分组成，分别是四个弹簧、弹簧挡板，以及装置底座。四个弹簧的作用有三个方面：一个是与受磁场作用的磁流变脂效果一样，能够提供阻尼力，达到缓冲效果；另外一个是利用弹簧恢复力起补偿作用；最后一个用处是支撑作用，支撑弹簧挡板。

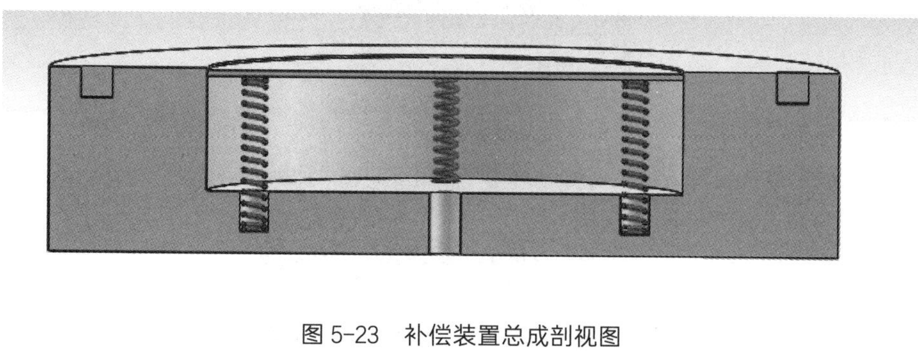

图 5-23　补偿装置总成剖视图

弹簧挡板的作用较好理解，弹簧挡板与底座内壁形成一个相对密封的空间，起到一个盛装磁流变脂的容器的作用，该容器能通过四个弹簧的压缩来改变空间的大小。

补偿装置总体使用效果是通过冲击作用压缩活塞杆，活塞杆向下移动，推动磁流变脂，磁流变脂经过活塞筒，流经阻尼通道，最终到达补偿装置处。该装置的作用是当冲击结束时，利用补偿装置总成中的四个弹簧以及冲击平台下方的弹簧的回复力，使得已经进入了补偿装置中的磁流变脂回到工作缸中（即活塞筒中），来补偿活塞筒中损失的磁流变脂，以便于下次冲击实验使用。

（4）磁流变脂缓冲装置工作原理

磁流变脂缓冲装置三维剖视图和装配图如图 5-24 和图 5-25 所示。在活塞通道 3 和阻尼通道 4 中充满着磁流变脂，其中阻尼通道采用的是多级径向流动通道来增大该缓冲装置的有效阻尼长度以及磁场利用率。磁流变脂在阻尼通道中径向流动时的流动方向与磁场强度方向为垂直关系，该磁场强度大小由励磁线圈中的电流大小来控制，通过控制电流大小来实现缓冲装置磁流变脂提供的阻尼力可调。在冲击载荷下，活塞向下移动，使得活塞通道和工作缸阻尼通道中的磁流变脂向下流动。在液体向下流动的趋势下，通过挡板 9 向下移动来压缩弹簧，从而起到补偿作用。当冲击结束后，利用活塞弹簧 2 和挡板弹簧 10 被压缩的弹性力使得缓冲装置恢复到初始状态。活塞弹簧和挡板弹簧以及在磁场强度下的磁流变脂共同提供冲击载荷下的阻尼力。

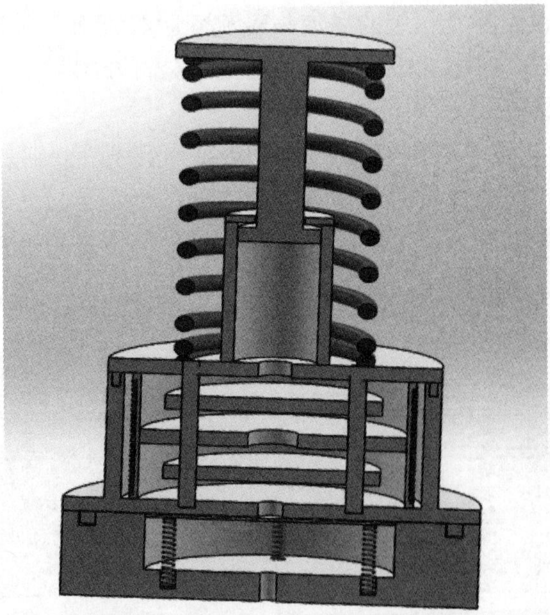

图 5-24 磁流变缓冲装置三维剖视图

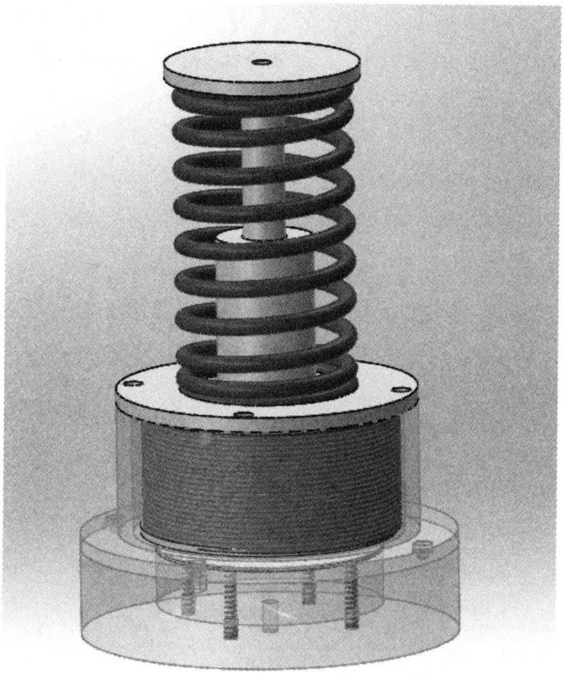

图 5-25　磁流变脂缓冲装置装配图

（5）材料选择

为了保证缓冲装置的磁流设计不能出现磁饱和现象，重庆交通大学数据显示，磁流变脂的剪切屈服应力与磁感应强度有关，且磁流变脂的剪切屈服应力随磁感应强度的增加而增大。表 5-3 是剪切应变率为 0.0009s^{-1} 时，不同磁感应强度下测得的磁流变脂剪切应力。此时的剪切应变率非常小，所测得的剪切应力可近似认为是磁流变脂的剪切屈服应力。图 5-26 为磁感应强度与剪切应力的关系。

表5-3　剪切应变率为0.0009s^{-1}时磁感应强度与剪切应力的关系

磁感应强度 /T	0.2	0.3	0.4	0.5	0.6
剪切应力 /Pa	314	671	1043	1553	1980

其中磁流变脂剪切屈服应力与磁感应强度的关系为：

$$\tau_y = -6062B^3 + 9199B^2 - 27B + 0.6 \tag{5-11}$$

磁流变脂的饱和磁感应强度约为 0.8T，磁流变脂最大的剪切屈服应力约为 2500Pa。

其次需要对缓冲装置的圆形隔板、外筒、内筒、外筒端盖等结构的材料进行合理选择，为了使缓冲装置中各部件能够迅速磁化并且退磁，所以部分零件需选用磁导率高、退磁性能强、磁滞损失小的材料。为了防止有漏磁现象发生，内筒材料需选用不导磁材料。根据以上相关特性，主要材料如表 5-4 所示，20 钢材料磁化曲线表以及磁化曲线如表 5-5 及图 5-27 所示。

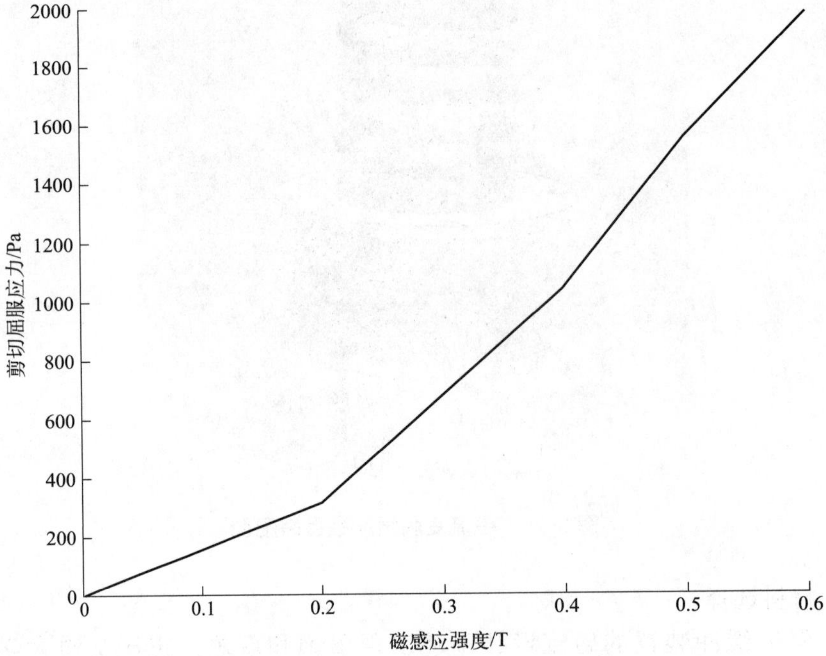

图 5-26 磁感应强度与剪切应力的关系

表5-4 材料选择表

结构	内筒	外筒	圆形隔板	外筒端盖
材料	不锈钢	20 钢	20 钢	20 钢

表5-5 20钢材料磁化曲线表

H/（A/m）	200	400	600	800	1000	1200	1400	1600	1800	2000
B/T	0.34	0.6	0.7	0.95	1.05	1.12	1.25	1.39	1.47	1.5

通过对磁流变脂几种不同的工作模式的研究，了解分析这几种工作模式的区别和优劣势，基于磁流变脂缓冲装置的工程应用场合选出一种磁流变脂的工作模式并加深对磁流变脂的机理认识。在这种工作模式下，提出合理的磁流变脂缓冲装置结构构型，完成了对磁流变脂缓冲装置的设计。其次介绍了磁流变脂缓冲装置的总体结构，由三个部分组成，分别是活塞杆和筒总成、阻尼通道总成、补偿装置总成；最后分别介绍了这三大部分在整个磁流变脂缓冲装置中的角色，它们各自零部件的

组成、工作原理，以及对部分基础装置材料的选择。

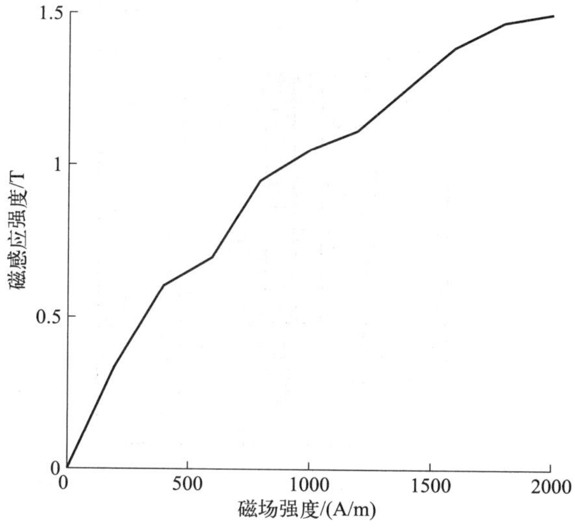

图 5-27　20 钢磁化曲线图

5.2　磁流变脂缓冲装置仿真分析

5.2.1　磁路部分仿真分析

汽车碰撞仿真是将磁流变脂缓冲装置安装在汽车保险杠系统中，利用 MATLAB/SIMULINK 软件进行碰撞分析，验证磁流变脂缓冲装置在汽车碰撞方面的优越性。在进行结构设计时，励磁线圈产生的磁场应尽可能多次有效地穿过阻尼通道，在此原则的基础上设计了一款可提高磁场利用率的磁流变脂缓冲装置。在相同电流大小的情况下，磁场多次有效地穿过阻尼通道，提高磁场的使用效率。

以下将利用 COMSOL 软件对磁路部分进行仿真分析。在仿真过程中分为不加磁流变脂时仿真和加有磁流变脂时仿真，在不加磁流变脂时，阻尼通道内部为空气，目的是后续将对阻尼通道内磁场进行实验验证。加有磁流变脂仿真分析的目的是验证缓冲装置工作时阻尼通道内部在不同电流下，磁流变脂的磁感应强度大小是否满足使用要求。

（1）几何模型绘制

由于所设计的磁流变脂缓冲装置磁场部分为二维轴对称模型，因此在仿真时可以选用二维轴对称、磁场稳态进行仿真分析。图 5-28 为几何模型的绘制，其中包括活塞、线圈、内部导磁环、内部非导磁环、外部导磁环和外部非导磁环。

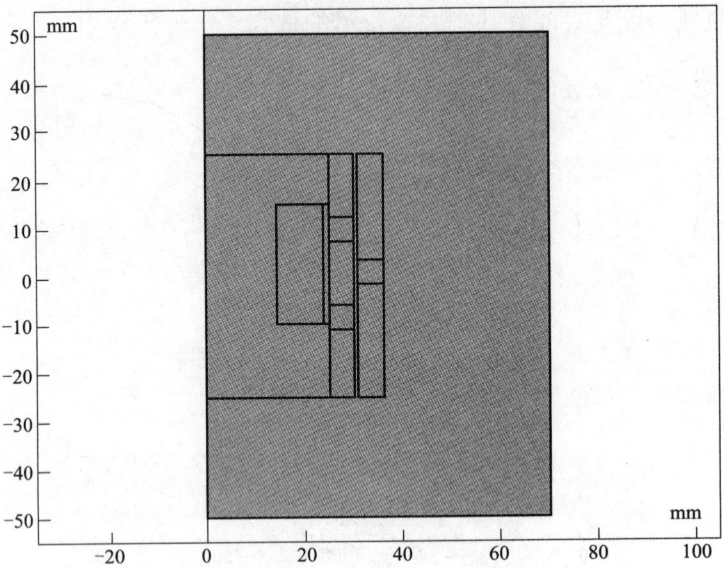

图 5-28 几何模型的绘制

（2）材料定义

图 5-29 为空气的定义，包含外部空气域和阻尼通道。图 5-30 为材料铝 3003 的设定，铝属于隔磁材料，目的是隔绝磁场，使得磁场按设定方案流动，铝的相对磁导率为 1。图 5-31 为线圈的设定，线圈的材料为铜。均匀地缠绕在活塞内部，线圈匝数为 150 匝，线圈参数为均匀多匝，可通过设定不同电流大小来控制线圈产生的磁场。图 5-32 是 45 钢的设定，其中内导磁环、外导磁环和活塞均设置为 45 钢材料，45 钢的磁导率要比空气大得多。

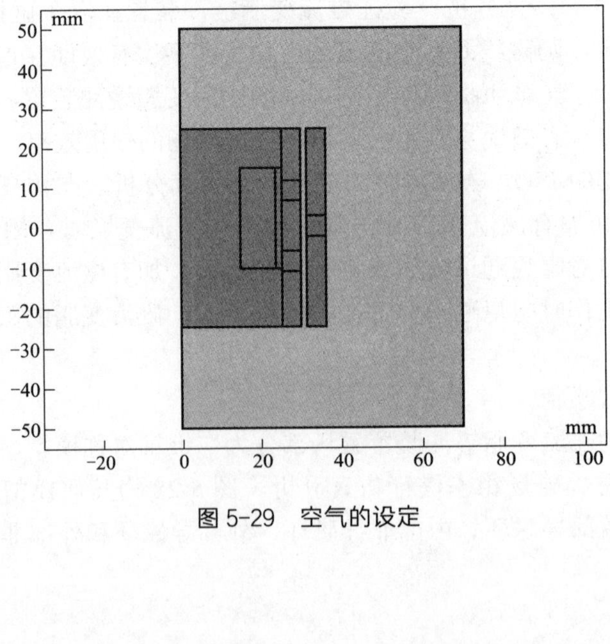

图 5-29 空气的设定

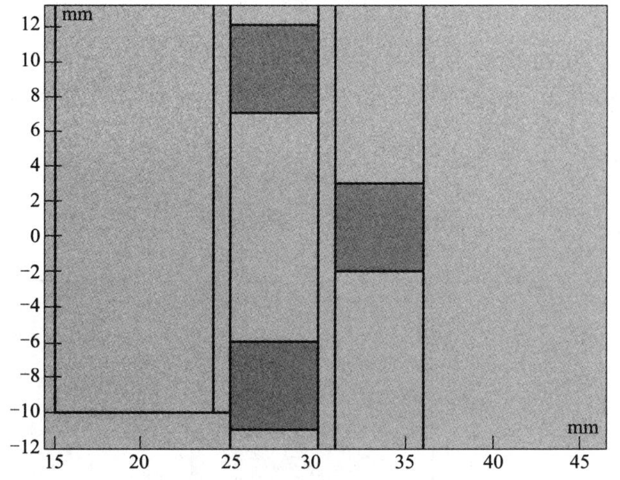

图 5-30 材料铝的设定

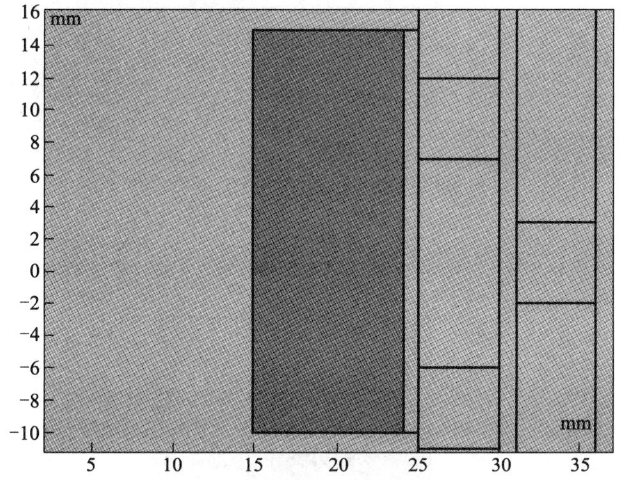

图 5-31 材料铜的设定

（3）网格划分

在对所有部件进行材料定义后，进行网格划分，网格划分的大小会影响后处理的精度，因此为了避免网格问题导致的结果不准确，同时保证仿真结果的精度，网格的单元大小选择较细化。网格划分结果如图 5-33 所示。

5.2.2 磁场仿真结果

根据磁控介质独特的流变学特性——磁流变效应的原理可知，当施加电流产生的磁场与磁控介质的流动方向垂直时，才能保证阻尼通道内的磁控介质具有最大限度的可控流变特性，且磁场强度越大，流变效果越明显；而平行于磁控介质流动方向的磁场，其对磁控介质流动特性的贡献非常小。可见，在磁流变执行器件的设计中，磁路结构的设计至关重要，合理的磁路结构能最大限度地提高执行器件的可控性。因此，在磁流变执行器件磁路设计时，通常以遵循下列原则为基础。

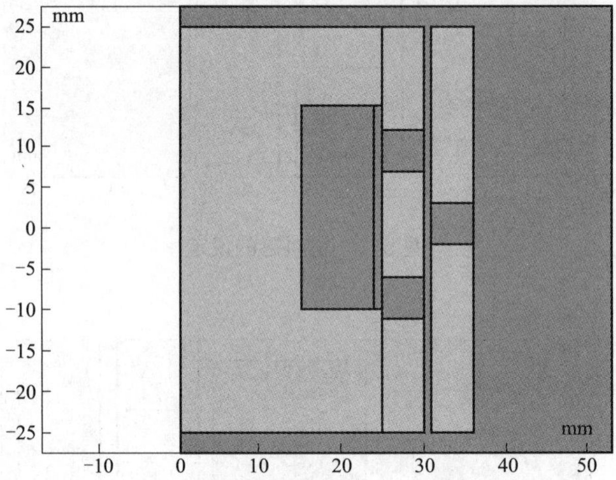

图 5-32 材料 45 钢的设定

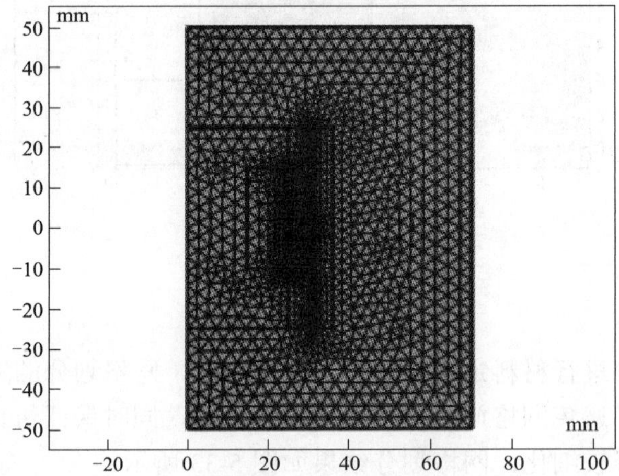

图 5-33 网格划分

① 磁场方向需满足垂直于阻尼通道的磁控介质流动方向。当磁场方向与磁控介质的流向垂直时，磁控介质内的铁磁颗粒受其作用而形成的磁链的方向才垂直于

其流动方向，进而起到阻碍磁控介质流动的作用。

② 磁路上不能有磁饱和现象。由材料的磁化特性可知，磁感应强度随磁场强度的增大而增大；当磁场强度达到材料的饱和值时，磁感应强度不再增大。这就要求磁路设计过程中，需要保障阻尼通道内的磁感应强度和避免磁路材料出现磁饱和，以获得具有较好可控范围的磁流变执行器件。

③ 避免磁路出现漏磁现象。磁路材料选择及结构设计的不合理，都会产生分布不均匀的磁场，严重时甚至会出现漏磁，即大量磁力线穿过其他部位而没有完全地穿过工作间隙，从而影响缓冲装置的可控性。

由此可见，满足以上设计原则的磁路结构即可使得磁流变缓冲装置内部产生的感应磁场对磁控介质的流变学特性产生的作用最大化，才能用最小的电流损耗来达到相应的阻尼效果及充分利用流变效应来改变执行器件的阻尼力。因此，磁路在此设计原则的指导下得到了理想的可控性能。鉴于此，设计并建立了相应的磁路结构及模型。依据磁路设计原则选择相应的磁性材料及设计相应的磁路参数。通过Maxwell有限元仿真，分析电流对磁感应强度的影响。最后，检测磁流变脂缓冲装置的磁感线分布及磁感应强度来验证建模的合理性。

在完成以上步骤后，进行磁场仿真求解，分别仿真输入0.5A、1.0A、1.5A和2.0A电流，观察磁场分布情况及阻尼通道内磁感应强度大小。图5-34～图5-37分别是电流为0.5A、1.0A、1.5A、2.0A时磁通密度的分布情况。

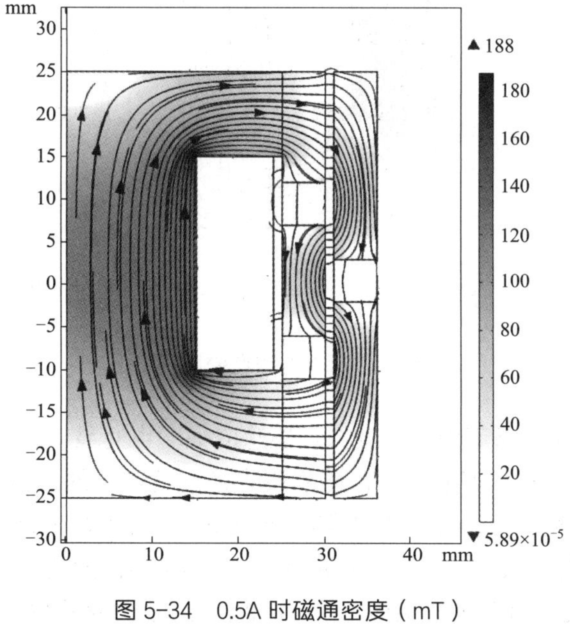

图5-34　0.5A时磁通密度（mT）

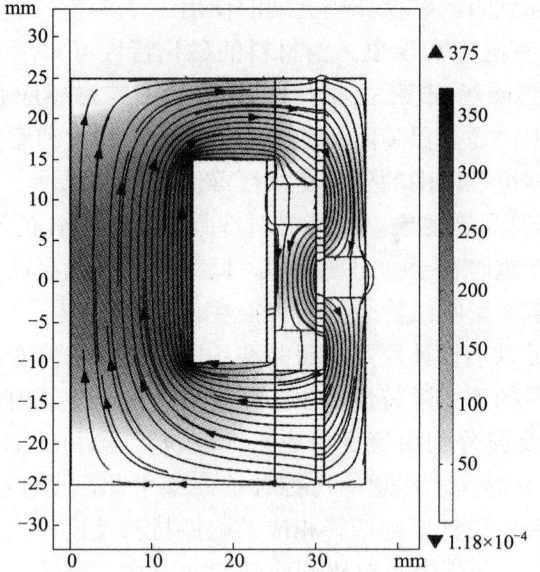

图 5-35 1.0A 时磁通密度（mT）

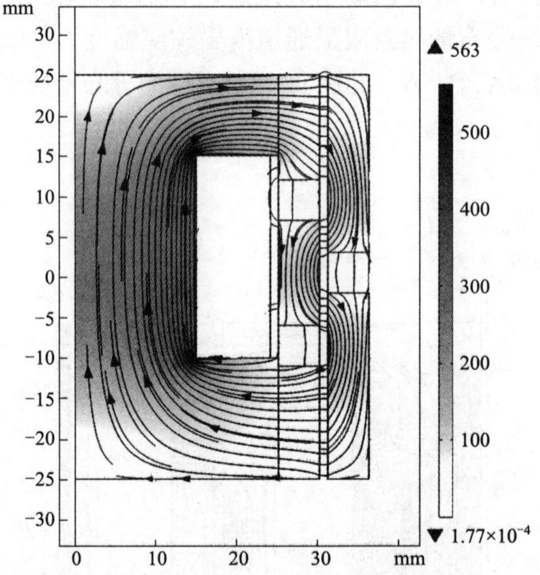

图 5-36 1.5A 时磁通密度（mT）

从图中可以看出，随着电流的增大，磁感应强度也明显增大，由于阻尼通道中设置的为空气，空气的磁导率非常小，磁阻较大，因此产生的磁感应强度较小。另外，不难发现，不管输入多大电流，励磁线圈产生的磁场在遇到非导磁环时，会改变原有的路线，使得磁场均多次有效穿过阻尼通道，形成 S 形磁场回路，证明了非导磁环的作用是可靠的。使用导磁环和非导磁环交替连接提高了磁场的利用率，符合预期的设想。

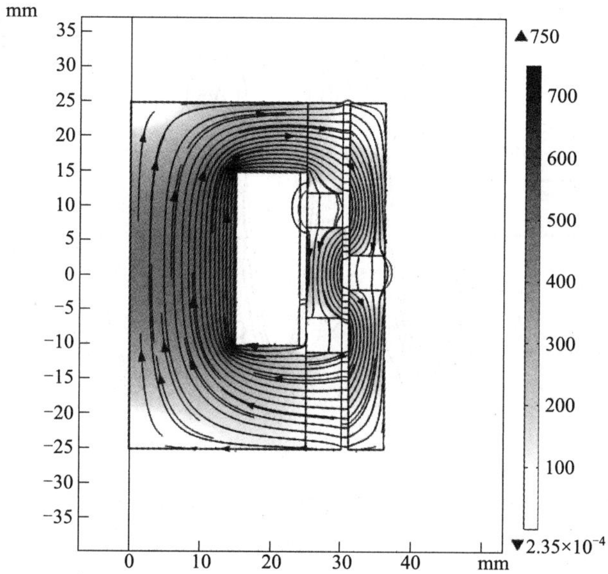

图 5-37 2.0A 时磁通密度（mT）

为了进一步研究励磁线圈在不同电流下产生的磁场在阻尼通道中的磁感应强度，在阻尼通道中间设置一条线，测量在电流的作用下，阻尼通道内部的磁感应强度大小。图 5-38 中点画线为测量线的位置，用于测量这条直线上的磁感应强度。分别测量 0.5A、1.0A、1.5A 和 2A 下阻尼通道中磁感应强度分布。图 5-39 为阻尼通道中磁感应强度分布曲线。

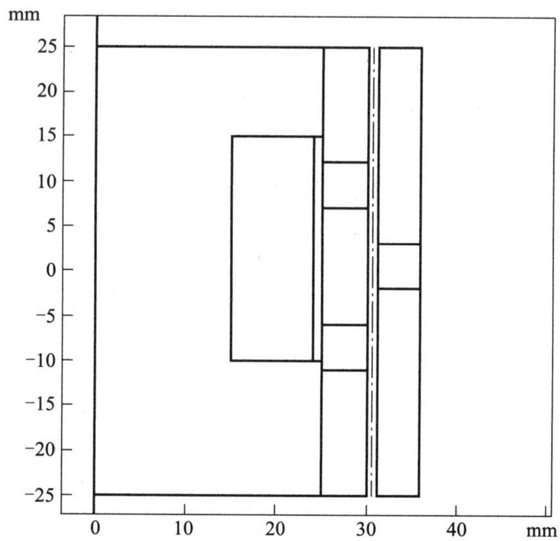

图 5-38 测量线的位置

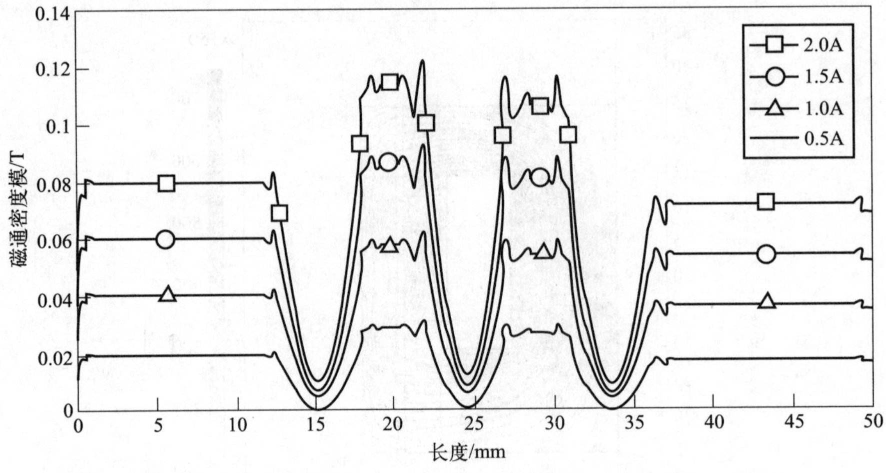

图 5-39 阻尼通道中磁感应强度分布曲线

从图中可以看出，励磁线圈产生的磁场在第一次穿过阻尼通道时，产生一定的磁感应强度，由于内部非导磁环的作用，在 12 ～ 17mm 处没有磁场穿过，此处的磁感应强度迅速降低。在经过第一个非导磁环后，由于外部非导磁环的作用，磁场第二次有效穿过阻尼通道，磁场通道中磁感应强度迅速升高，在一段距离后又迅速降低。在磁场形成回路的过程中，由于内部下方非导磁环的作用，磁场第三次有效穿过阻尼通道，阻尼通道中再次产生一定的磁感应强度，磁场回到外部下方导磁环，磁场为形成回路第四次穿过阻尼通道。

另外，在阻尼通道中，产生的磁感应强度高低不平，在第二次和第三次穿过阻尼通道时，产生的磁感应强度较大，原因是在磁通量一定的情况下，面积越小，磁感应强度越大。较大的磁感应强度可以增加磁流变脂的磁感应强度，提高磁场的利用率，验证了设计结构的合理性。

以上基于磁场的仿真是针对阻尼通道中无磁流变脂的情况，阻尼通道内部设置为空气。同样的方法，再对带有磁流变脂的磁场进行仿真，在设置材料时，将阻尼通道内部设置为磁流变脂材料，选择液体，设置相对磁导率，其他材料设定不变，图 5-40 为磁流变脂材料的设定。图中蓝色区域即代表阻尼通道，设定为磁流变脂材料。

对带有磁流变脂的装置进行磁场分析时，同样分别测量 0.5A、1.0A、1.5A、2.0A 四种电流情况下磁感应强度分布。图 5-41 ～图 5-44 分别为 0.5A、1.0A、1.5A、2.0A 时的磁通密度。

从图中可以看出，在有磁流变脂的情况下，磁场分布与设想一致，均为 S 形走势，多次有效地穿过阻尼通道，增加了磁场的利用率。同时相比无磁流变脂的情况下，磁场趋势较为一致，但励磁线圈产生的磁感应强度更大，随着电流的增加，磁感应强度也不断增大。

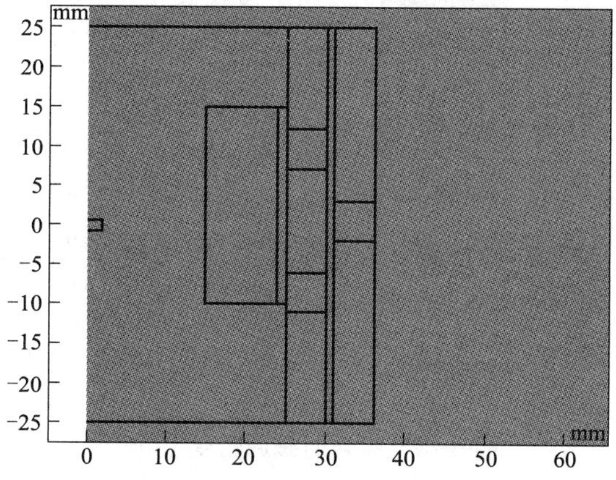

图 5-40　磁流变脂材料的设定

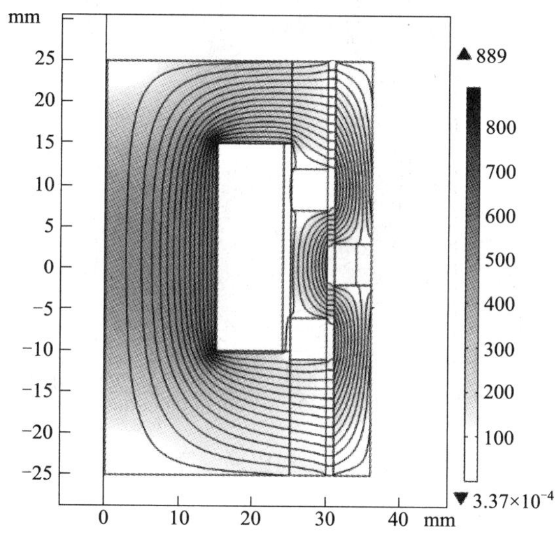

图 5-41　0.5A 时磁通密度（mT）

为进一步验证阻尼通道内磁流变脂磁感应强度的大小，用同样的方法在阻尼通道内设置一条测量线来测量磁流变脂的磁感应强度，如图 5-45 所示。

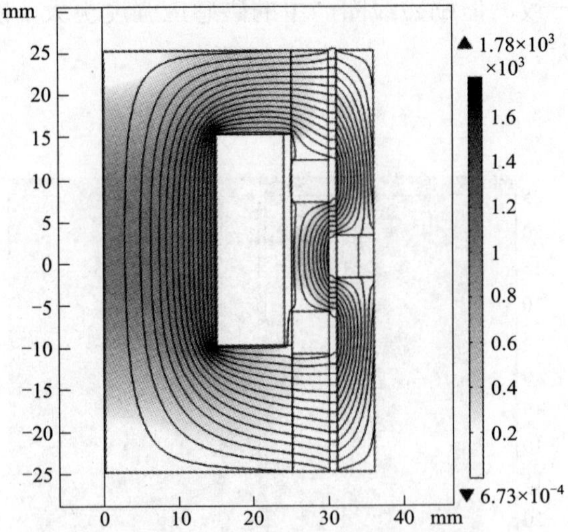

图 5-42 1.0A 时磁通密度（mT）

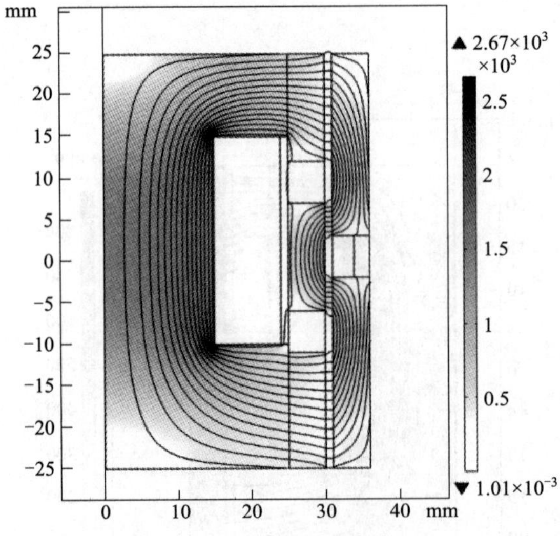

图 5-43 1.5A 时磁通密度（mT）

从图中可以看出，阻尼通道内磁感应强度变化曲线基本与无磁流变脂时磁感应强度变化曲线一致，但磁感应强度的大小要比无磁流变脂时大很多，这是由于磁流变脂的磁导率比空气要大。图中表明，阻尼通道内在 2.0A 时产生的最大磁感应强度在 0.85T 左右，能够达到磁流变脂的磁饱和强度，证明了磁流变脂的可控性。

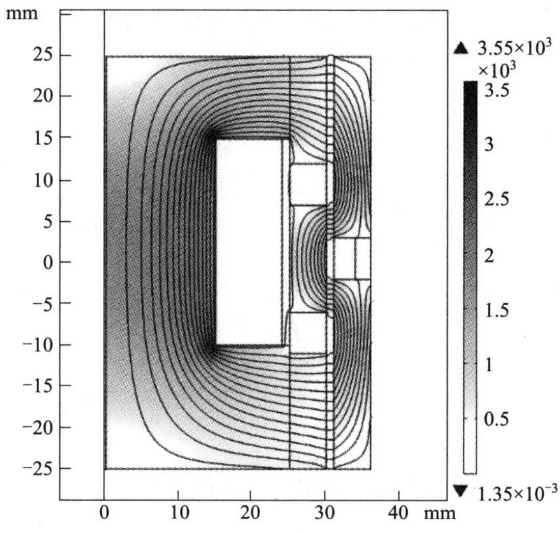

图 5-44 2.0A 时磁通密度（mT）

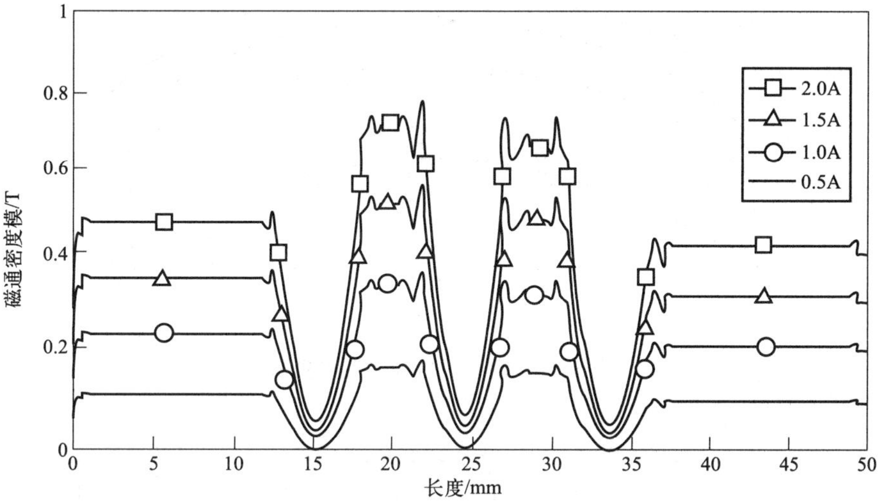

图 5-45 阻尼通道磁流变脂磁感应强度变化曲线

5.2.3 动力特性仿真分析

为了研究磁流变脂缓冲装置在冲击下的缓冲特性，对磁流变脂缓冲装置进行动态仿真。由于磁流变脂缓冲装置用于汽车碰撞方向，因此只研究单冲程下的缓冲特性。以推导的 HBK 力学模型作为依据，设定活塞杆以一定的正弦信号速度作为激励，最大运动速度为 3m/s，频率为 100rad/s，最大位移为 60mm，电流分别为 0A、1A、1.5A、2.0A。图 5-46 为速度随时间变化的曲线。

将上述的速度信号代入磁流变脂缓冲装置力学模型中，得到阻尼力随时间变化的曲线和阻尼力随位移变化的曲线。图 5-47 为在速度激励下阻尼力随位移变化的曲线，图 5-48 为阻尼力随时间变化的曲线。

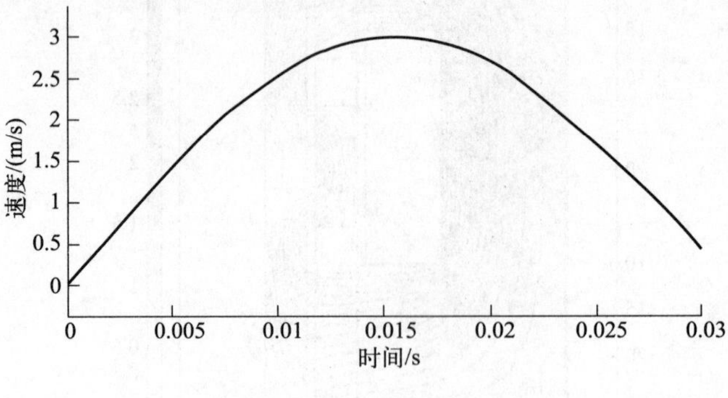

图 5-46 速度随时间变化曲线

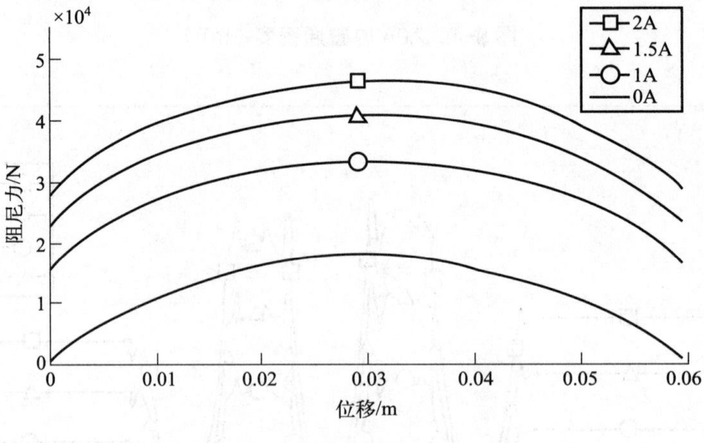

图 5-47 阻尼力随位移变化曲线

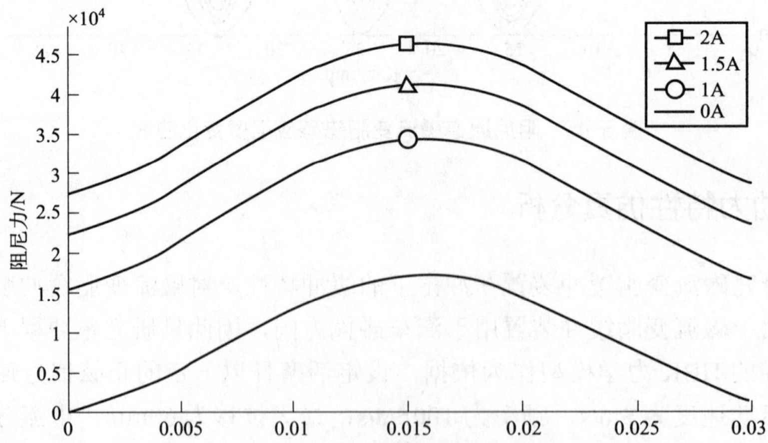

图 5-48 阻尼力随时间变化曲线

改变激励信号，再次进行动力特性仿真，以最大速度为 2.5m/s、频率为 70rad/s、最大位移为 70mm 为速度激励，分别研究 0A、1.0A、1.5A 和 2.0A 四种情况下阻尼力随时间、位移变化的曲线。图 5-49 为速度随时间信号激励。

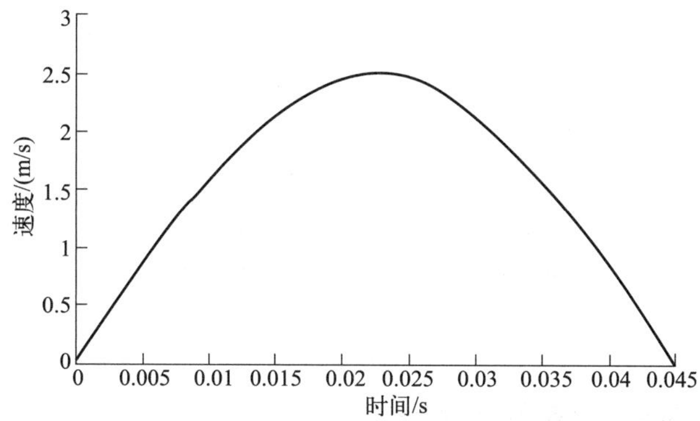

图 5-49　速度随时间信号激励

同样，以此信号激励代入 HBK 模型中，得到图 5-50 阻尼力随时间变化的曲线和图 5-51 阻尼力随位移变化的曲线。

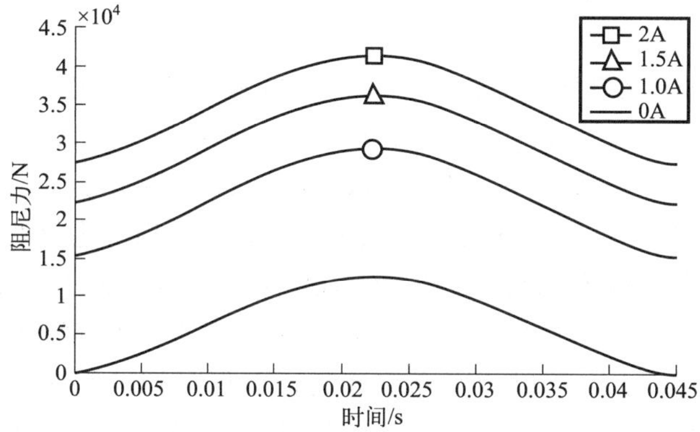

图 5-50　阻尼力随时间变化的曲线

从图中可以看出，通过给予不同频率、不同峰值的速度信号，不同电流下阻尼力随时间和位移有相应的变化。从阻尼力随时间变化的曲线可以看出，当速度在上升时，阻尼力也随之增加，且在同一速度下，电流越大，阻尼力也越大；当速度下降时，阻尼力也随之下降。从阻尼力随位移变化的曲线可以看出，随着位移的不断增大，阻尼力先增大，然后减小，且不同电流时，变化趋势相似，这是因为阻尼力的大小与活塞运动速度和电流大小有关。

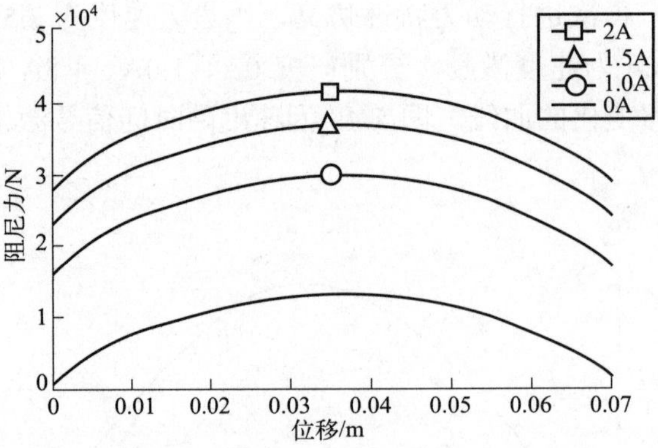

图 5-51 阻尼力随位移变化的曲线

5.2.4 磁流变脂缓冲装置碰撞仿真

整车的碰撞模型是研究磁流变脂缓冲装置在碰撞过程中主动控制的基础。将磁流变脂缓冲装置应用到汽车碰撞环境中，在汽车发生碰撞时可以根据不同的碰撞环境改变自身刚度，从而起到缓冲作用。将磁流变缓冲装置安装在汽车保险杠系统中，在对装有磁流变缓冲装置的汽车进行碰撞仿真时，由于保险杠在中低速碰撞中的重要性，世界各国都有相应的碰撞指标，其中包括汽车速度、位移等变化。

由上述传统汽车保险杠碰撞分析可知，在高速情况下碰撞，保险杠并不能很好地发挥缓冲作用，因此在仿真时，设定汽车碰撞初速度为30km/h，对磁流变脂缓冲装置分别给予 1A、1.5A、2A 励磁电流，分析三种励磁电流大小情况下，汽车磁流变脂缓冲装置的碰撞情况，并与传统汽车保险杠碰撞情况进行对比。

图 5-52 为汽车磁流变脂缓冲装置分别以 1A、1.5A、2A 的励磁电流进行碰撞仿真的速度变化曲线。一方面，从图中可以看出，对于传统汽车保险杠，碰撞后速度变化较快，而对于装有磁流变脂缓冲装置的保险杠，碰撞后速度变化较为平缓，且使用磁流变脂缓冲装置速度变化时间比传统保险杠要长，说明磁流变脂缓冲装置真正在高速碰撞时起到了缓冲作用。另一方面，对磁流变脂缓冲装置通入的电流越大，产生的阻尼力就越大，速度变化得越缓慢，说明了磁流变脂缓冲装置的可控性。

图 5-53 为汽车磁流变脂缓冲装置分别以 1A、1.5A、2A 的励磁电流进行碰撞仿真的加速度变化曲线。从图中可以看出，对于传统保险杠，汽车高速碰撞后加速度急剧下降和上升，整个过程时间短暂，容易造成重大伤害。而使用磁流变脂缓冲装置，在冲击瞬间，由于碰撞力的作用，加速度也在快速下降，由于通入电流的作用，磁流变脂缓冲装置改变了刚度大小，有效缓解了加速度的上升，使整个过程更

加平稳，且变化时间也要比传统保险杠变化时间长。

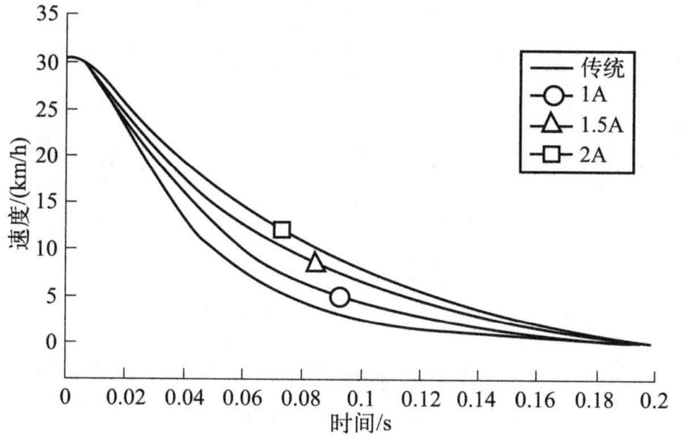

图 5-52　汽车磁流变脂缓冲装置碰撞速度变化曲线

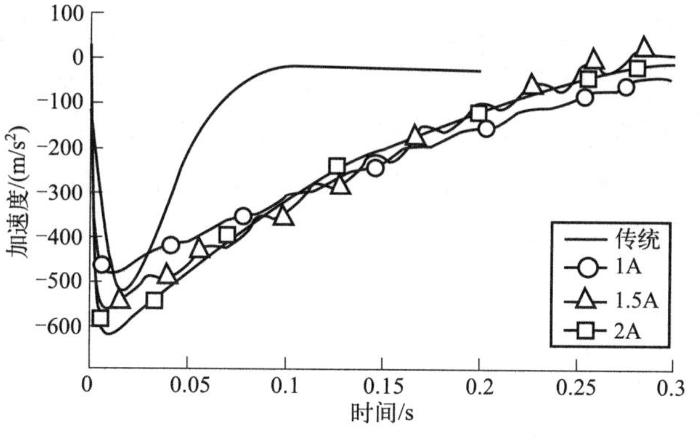

图 5-53　汽车磁流变脂缓冲装置碰撞加速度变化曲线

另外，通入励磁电流越大，磁流变脂缓冲装置刚度就会越大，即使由于缓冲器的作用使得加速度在减小过程中变得缓慢，但这同时会造成碰撞时加速度峰值增加。因此对于磁流变脂缓冲装置来说，并不是通入电流越大越好，从图中可以看出，相比通入 2A 电流，1A 电流不仅可以有效缓解加速度的急剧上升，还不会造成加速度峰值变大。

图 5-54 为汽车磁流变脂缓冲装置分别以 1A、1.5A、2A 的励磁电流进行碰撞仿真的汽车位移变化曲线。从图中可以看出，使用磁流变脂缓冲装置可以有效减少碰撞后车辆的变形，从而进一步保证驾驶员和乘客的安全。这是因为磁流变脂缓冲装置通入电流，缓冲器阻尼增大，在碰撞时通过压缩变形有效吸收了碰撞力，使得汽车位移减小。位移由最高点下降是因为在经过最大冲击力后，由于弹性元件恢复部分变形，使位移曲线产生了变化。

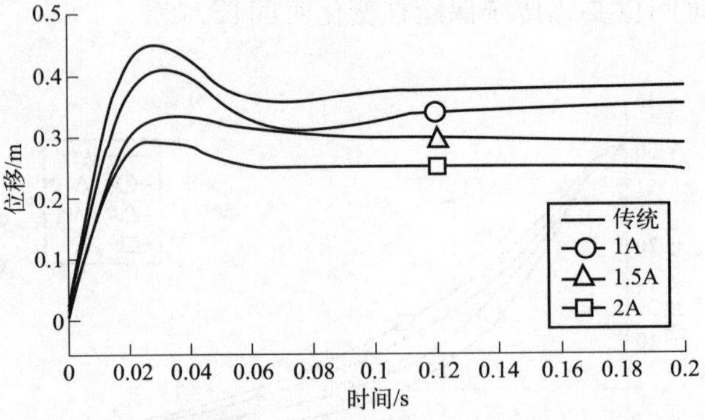

图 5-54 汽车磁流变脂缓冲装置碰撞位移变化曲线

图 5-55 为汽车磁流变脂缓冲装置分别以 1A、1.5A、2A 的励磁电流进行碰撞仿真的冲击力变化曲线图。从图中可以看出，传统汽车保险杠在受到碰撞后冲击力急剧上升和减小，变化剧烈容易造成大的损伤，而磁流变脂缓冲装置不仅可以有效降低冲击力的峰值，还可以使得冲击力缓慢减小。当通入不同电流时，磁流变脂缓冲装置阻尼也不一样，从图中可以看出，通入电流达到 2A 时，在碰撞瞬间峰值力并没有减小，那是因为电流过大时，整体刚度也会增大，对于刚性碰撞来说，刚度过大会造成冲击力峰值过大，因此对于汽车碰撞冲击力来说，并不是电流越大越好，而是应根据不同的碰撞环境匹配相应的电流。

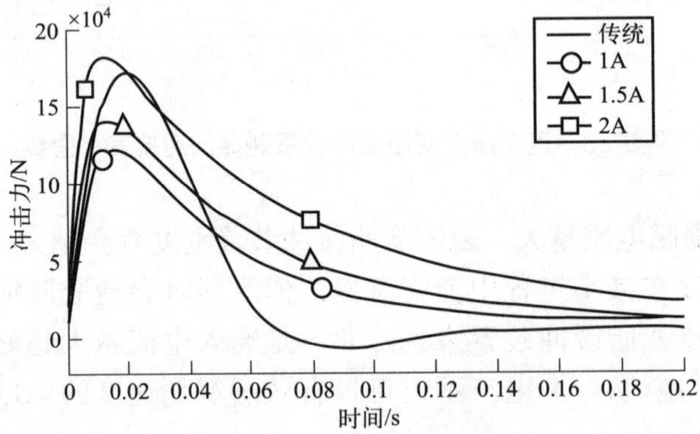

图 5-55 汽车磁流变脂缓冲装置碰撞冲击力变化曲线

综上所述，将磁流变脂缓冲装置应用到汽车碰撞当中比传统汽车保险杠更具有优越性，磁流变脂缓冲装置由于阻尼系数可调、输出阻尼力大等优点，不仅能够满足汽车在低速碰撞时的要求，也能够在汽车高速碰撞时产生相应的阻尼力，缓解碰撞冲击力，减小汽车碰撞变形，降低乘员和车辆的损伤。

5.2.5　主要部件静力学分析

为了检测所设计的磁流变脂缓冲装置是否满足刚度和强度要求，本书采用Abaqus有限元分析软件对磁流变脂缓冲装置的主要组成部件进行静力学分析，分析磁流变脂缓冲装置主要部件在所受的最大载荷情况下的变形和应力值。其中，磁流变脂缓冲装置中主要力学分析部件为活塞杆、外筒端盖、圆形隔板等。将这些主要组成部件分别添加到Abaqus有限元分析软件中，对其进行分析和处理，其中流程为定义单元类型、定义材料参数、创建几何参数、网格划分、添加约束条件、求解器设置、求解、后处理。静力学分析流程如图5-56所示。

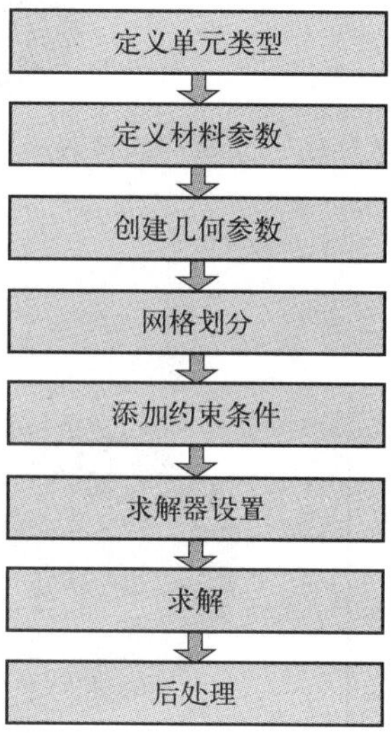

图5-56　静力学分析流程

（1）活塞杆静力学分析

将Solidworks软件中活塞杆的三维模型导出至paralid文件格式，利用Abaqus软件对三维模型进行加载和力学分析。网格划分的单位边长为2mm。由于活塞杆在径向方向上受到活塞筒的约束，只能进行上下的移动，需在活塞杆上添加径向约束，并将载荷施加于其上端。所得到的活塞杆的等效应力和等效位移分布如图5-57、图5-58所示。

从活塞杆的等效应力图中，可知活塞体所受的最大应力为153.1MPa，根据材料力学中的第四强度理论对其进行强度校核，取材料的安全系数为3，可知活塞体所受的最大应力远小于材料的许用应力278.3MPa，符合强度要求。

从活塞杆的等效位移分布图中，可以看出活塞体在所加载荷下的最大变形量为0.221mm，变形量较小，符合材料的许用范围，在活塞杆的工作中可以忽略不计。在实际工程应用中，这些变形程度可忽略不计，满足刚度要求。

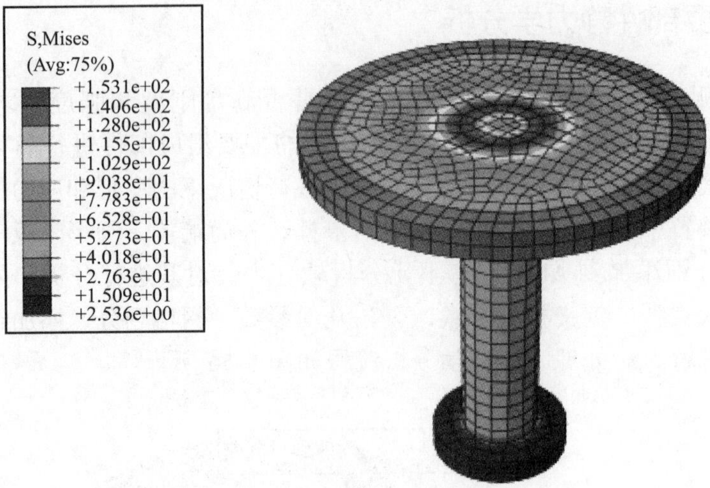

图 5-57 活塞杆的等效应力

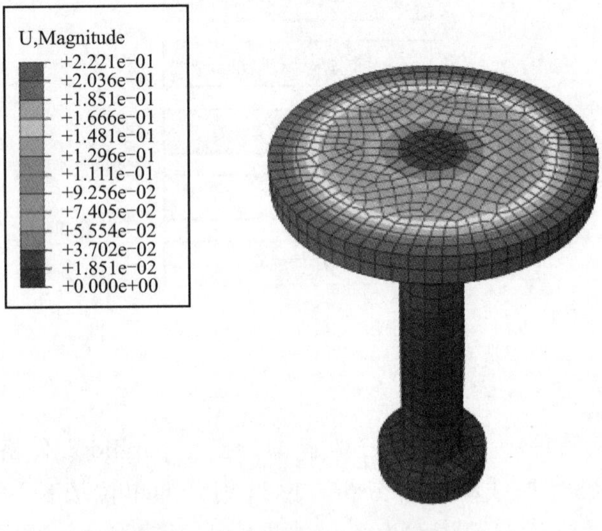

图 5-58 活塞杆的等效位移分布

（2）外筒端盖静力学分析

将 Solidworks 软件中外筒端盖的三维模型导出至 paralid 文件格式，利用 Abaqus 软件对三维模型进行加载和力学分析。网格划分的单位边长为 2mm。外筒端盖通过螺钉连接方法受到外筒的轴向约束。因此，在外筒端盖的下部给定一个约束条件，在外筒端盖的上部施加载荷。所得到的外筒端盖的等效应力和等效位移分布如图 5-59 与图 5-60 所示。

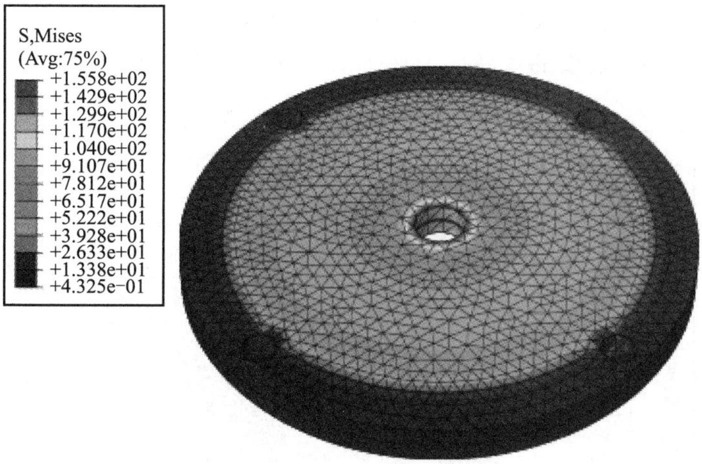

图 5-59　外筒端盖的等效应力

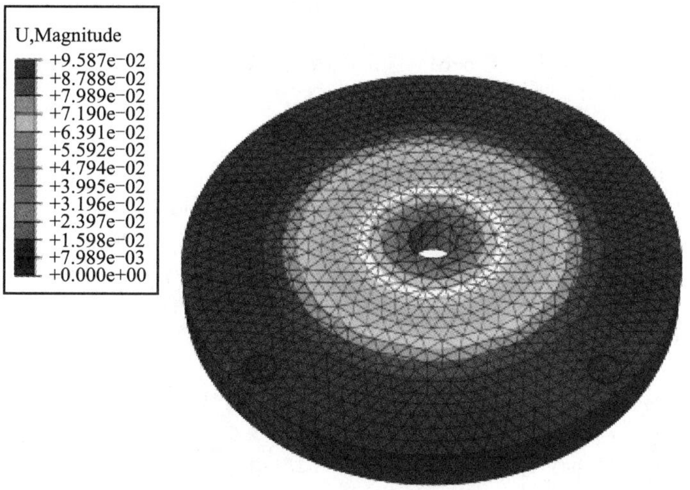

图 5-60　外筒端盖的等效位移分布

从外筒端盖的等效应力图中，可知活塞体所受的最大应力为 155.8MPa，根据材料力学中的第四强度理论对其进行强度校核，取材料的安全系数为 3，可知活塞体所受的最大应力远小于材料的许用应力 278.3MPa，符合强度要求。

从外筒端盖的等效位移分布图中，可以看出活塞体在所加载载荷下的最大变形量为 0.0958mm，变形量较小，符合材料的许用范围，在实际工程应用中，这些变形程度可忽略不计，满足刚度要求。

（3）圆形隔板静力学分析

将 Solidworks 软件中圆形隔板的三维模型导出至 paralid 文件格式，利用 Abaqus 软件对三维模型进行加载和力学分析。网格划分的单位边长为 2mm。圆形隔板受到轴向约束，因此，在圆形隔板的下部给定一个约束条件，在圆形隔板的上部施加载荷。所得到的圆形隔板的等效应力和等效位移分布如图 5-61、图 5-62 所示。

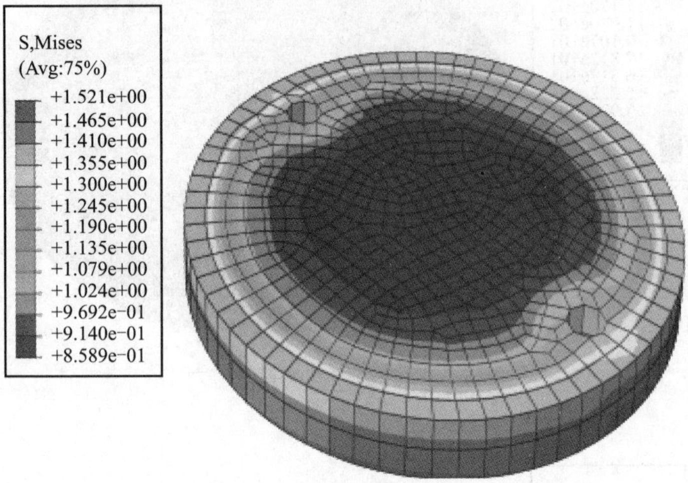

图 5-61 圆形隔板的等效应力

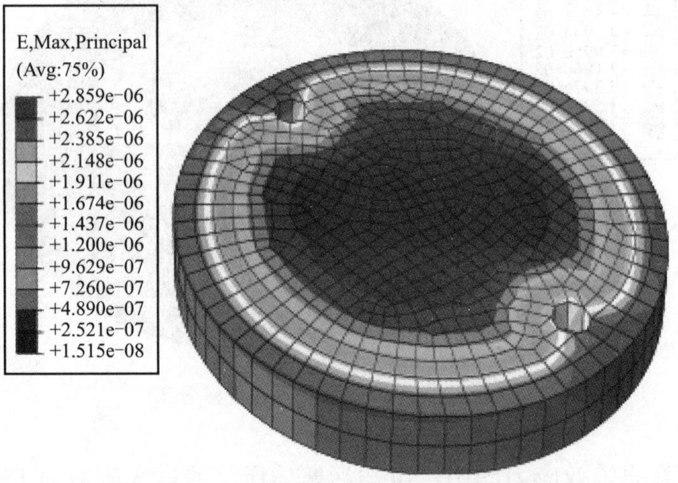

图 5-62 圆形隔板的等效位移分布

从圆形隔板的等效应力图中，可知活塞体所受的最大应力为 1.521MPa，根据材料力学中的第四强度理论对其进行强度校核，取材料的安全系数为 3，可知活塞体所受的最大应力远小于材料的许用应力 278.3MPa，符合强度要求。

从圆形隔板的等效位移分布图中，可以看出活塞体在所加载荷下的最大变形量为 $2.859\times e^{-6}$mm，变形量非常小，符合材料的许用范围，在实际工程应用中，这些变形程度可忽略不计，满足刚度要求。

5.2.6 阻尼特性仿真分析

为了验证上一章节中优化的结果是否符合初始设定目标，在特定条件下是否能够达到最大阻尼力为 50kN 以及阻尼可调系数为 1.4 以上。将优化的参数代入 Simulink 模型中，得出一些仿真图进行仿真分析。

在图 5-63 中，给予活塞通道半径一个正弦激励，振幅为 70mm。由上文中的电磁场仿真分析可知，电流设为3A时，磁场达到最大。此处电流为3A，速度为3m/s。从图中可以看出，随着活塞通道半径的不断增大，阻尼力也在不断增大。呈现出曲线式的增长。该活塞通道半径决定着活塞通道的横截面积 A_0，根据初始设定的目标，很明显地知道活塞通道半径在 50mm 左右相对适合初始目标。

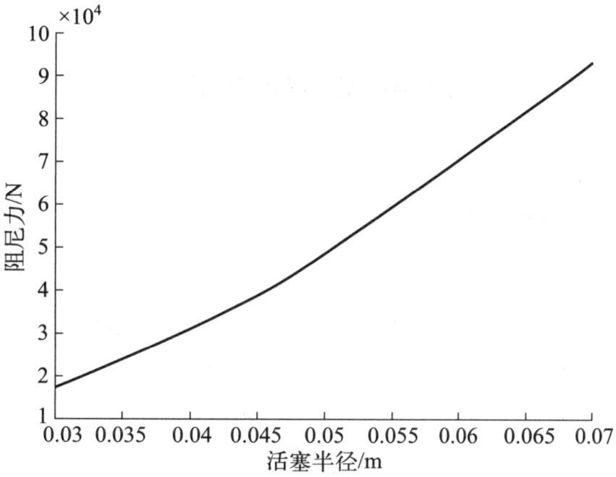

图 5-63 活塞半径与阻尼力的关系

在图 5-64 中，对于活塞通道半径为 47mm、52mm、57mm，做出了电流与阻尼力的关系图。其中速度设定为恒定值 3m/s，随着电流增大，提供的阻尼力也在增大，呈线性增长。在电流达到 3A 的时候，半径在 47mm 时的阻尼力大约为 40kN，而不在 50 ～ 55kN 之间，不符合条件；半径在 52mm 时的阻尼力在 52kN 左右符合条件；半径在 57mm 时的阻尼力在 65kN 附近不符合条件。在活塞通道半径为 52mm 时最大阻尼力大约为 52kN，最小阻尼力大约为 34kN，阻尼可调系数为磁场饱和时的阻尼力与无磁场时的阻尼力之比，即 52/34≈1.5，仿真结果与优化后的结果相符。

图 5-65 中，给定单侧阻尼通道长度的正弦激励，振幅为 60mm。其与活塞通道半径和阻尼力关系的趋势相同。随着单侧阻尼通道长度 h 的增大，阻尼力也在不断增大，通道长度与阻尼力关系呈现出了线性的增长。根据初始设定的目标和仿真图，单侧阻尼通道长度在 40mm 附近是比较合适的初始目标，能够达到的最大阻尼力为 50kN 左右。

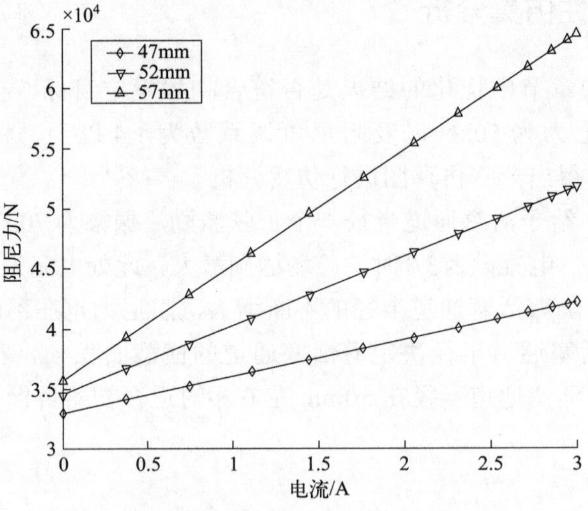

图 5-64 活塞半径变化时电流与阻尼力的关系

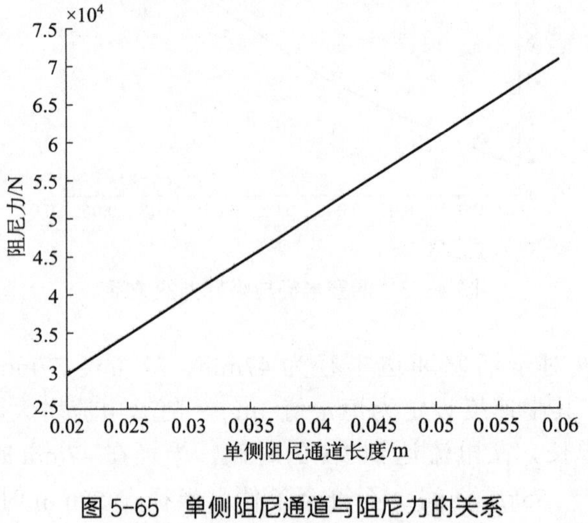

图 5-65 单侧阻尼通道与阻尼力的关系

图 5-66 中，就单侧阻尼通道长度在 30mm、40mm、50mm 三者间，画出了电流与阻尼力关系图。在电流达到 3A 的时候，单侧阻尼通道长度 h 在 30mm 时的阻尼力大约为 40kN，长度 h 在 40mm 时的阻尼力在 52kN 左右，长度 h 在 50mm 时的阻尼力在 60kN 以上。同理，单侧阻尼通道长度在 30mm、50mm 不符合条件，观察图形并进行计算，阻尼可调系数大约为 1.5。

图 5-67 中，给定单圆孔 1 半径正弦激励，设定振幅为 20mm 的圆孔 1 半径与阻尼力成反比，随着圆孔 1 半径的增大，阻尼力在不断地减小。根据初始设定的目标、上一章节的优化结果以及仿真图中显示，单侧阻尼通道长度取 9mm 左右是较

为合适的初始目标，能够达到最大阻尼力为50kN的设计目标。

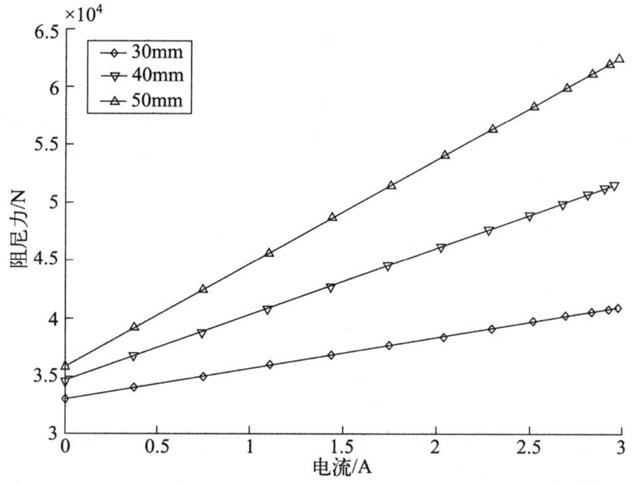

图 5-66 单侧阻尼通道长度变化时电流与阻尼力的关系

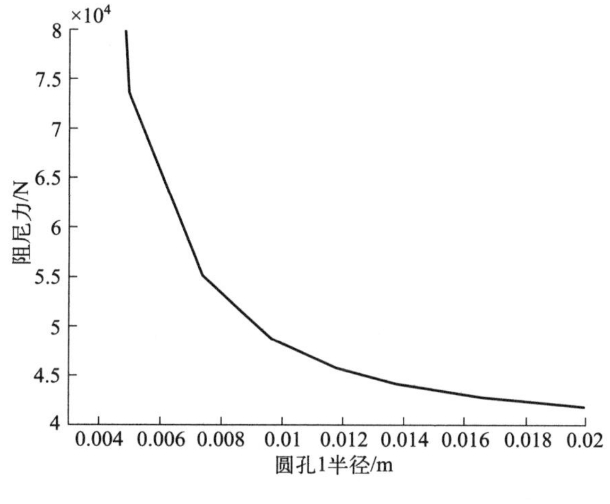

图 5-67 圆孔 1 半径与阻尼力的关系

图 5-68 中，以圆孔 1 半径间隔 5mm 为一组数据，就圆孔 1 半径在 4mm、9mm、14mm 三者间，画出了电流与阻尼力关系图。在电流达到 3A 的时候，圆孔 1 半径为 4mm 时的阻尼力大约在 90kN 以上，远远大于 50kN，圆孔 1 半径在 9mm 时的阻尼力在 52kN 左右，圆孔 1 半径在 14mm 时的阻尼力在 42kN 附近。同理，圆孔 1 半径在 4mm、14mm 不符合条件，观察图形并进行计算，阻尼可调系数大约为 1.5。

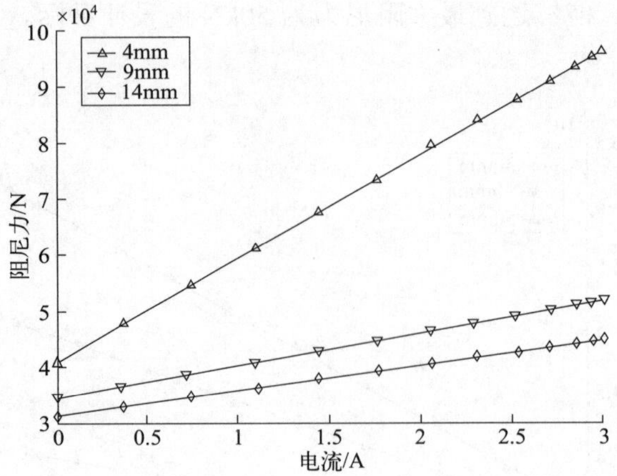

图 5-68 圆孔 1 半径变化时电流与阻尼力的关系

图 5-69 中，给予径向阻尼通道间隙正弦激励，设定振幅为 3mm。在图中明显可以看出，其与活塞通道半径和阻尼力关系的趋势相反，随着阻尼通道间隙的不断增大，阻尼力却在不断地减小，呈现出曲线式的递减。阻尼通道间隙 L 在 2 ～ 2.5mm 间是相对符合初始目标的。

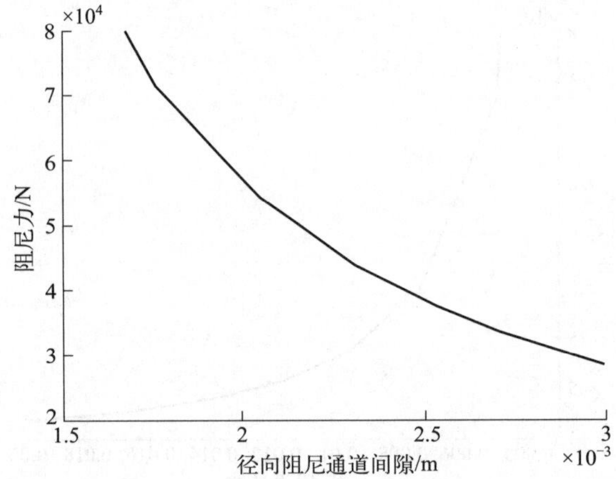

图 5-69 径向阻尼通道间隙与阻尼力关系

图 5-70 中，就阻尼通道间隙 L 为 1.8mm、2.2mm、2.6mm，画出了电流与阻尼力关系图。在电流达到 3A 的时候，阻尼通道间隙 L 在 2.6mm 时的阻尼力为 35 ～ 40kN，间隙在 2.2mm 时的阻尼力在 50kN 左右，间隙在 1.8mm 时的阻力在 65kN 以上。综合考虑下，选定阻尼通道间隙 L 为 2.2mm 比较适合。同理，阻尼通道间隙 L 在 1.8mm、2.6mm 不符合条件，观察图形并进行计算，阻尼可调系数大约为 1.5。

综上所述，在 Simulink 图中仿真出磁流变脂缓冲装置中的四个关键结构参数——活塞通道半径、单侧阻尼通道长度、圆孔 1 半径、径向阻尼通道间隙与最大阻尼力的关系。以优化后的结构尺寸数值为中心，选取四个关键结构参数附近的值进行对比分析。得出的结论是优化后的结构尺寸数值比其周围其他数值更加符合最初设定目标。

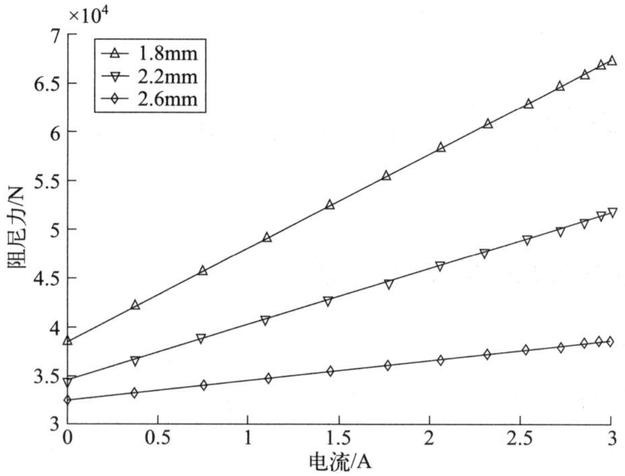

图 5-70　径向阻尼通道间隙改变时电流与阻尼力的关系

为了验证缓冲装置模型的有效性，利用所建立的磁流变脂缓冲装置力学模型，将优化后的相关参数输入模型中，在 MATLAB R2017b 的 Simulink 中对缓冲装置进行数值仿真。现模拟质量 1000kg 的汽车以 0 ～ 3m/s 的速度进行冲击碰撞试验，做出不同激励电流的速度-位移-阻尼力之间的关系。

由图 5-71 可知，在 1 ～ 3m/s 条件下，3m/s 下产出的最大阻尼力为 50kN 左右。此处设计的磁流变脂缓冲装置在 3m/s、满行程 100mm 的条件下提供的最大阻尼力大约为 52kN。该图中显示在未达到 100mm 的行程下就能提供该条件下的全部阻尼力。

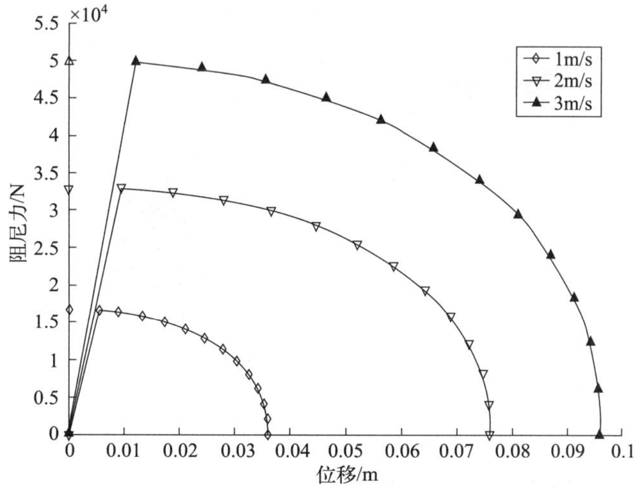

图 5-71　不同速度下的位移与阻尼力关系

综上所述，优化后的相关参数输入模型中得到的最大阻尼力能到达设定目标50kN，阻尼可调系数为1.5，大于设定目标1.4。因此在汽车碰撞速度在3m/s时，本节设计的该款磁流变脂缓冲装置最终提供的阻尼力能达到理想效果，磁流变脂缓冲装置总体设计合理。

5.3 磁流变脂缓冲装置实验分析

5.3.1 磁流变脂缓冲装置加工与组装

在完成对磁流变脂缓冲装置仿真分析后，需要对磁流变脂缓冲装置进行实验分析。本章主要是对磁流变脂缓冲装置进行加工与组装，在此基础上进行磁场实验和落锤冲击试验。磁场实验的目的是与磁场仿真形成对比，验证磁场仿真的可靠性和结构设计的合理性。落锤冲击试验的目的是研究磁流变脂缓冲装置在冲击情况下的力学特性，通过不同高度和不同电流下的落锤冲击试验验证该磁流变脂缓冲器在碰撞冲击方面的优越性。针对所需要加工的零件绘制相应的加工图纸，联系有关加工公司进行加工，磁流变脂缓冲装置需要加工的零件包括冲击平台、活塞杆、活塞、导磁环、非导磁环、内筒以及通流杆。所述零件按照设计要求进行加工，保证各个零件之间能够有效连接。图5-72所示为零件加工图，图5-73所示为活塞杆加工图，同时为了保证导磁环和非导磁环与活塞一起在内筒中运动，将底部的导磁环与非导磁环进行焊接处理。

图5-72 零件加工图

在加工零件的同时，购买不需要加工的材料。在磁流变脂缓冲装置中需要采购的零件包括弹簧、励磁线圈、磁流变脂、密封圈、螺栓、螺母、环氧树脂等材料。图5-74为所选用的磁流变脂材料，图5-75为励磁线圈材料。

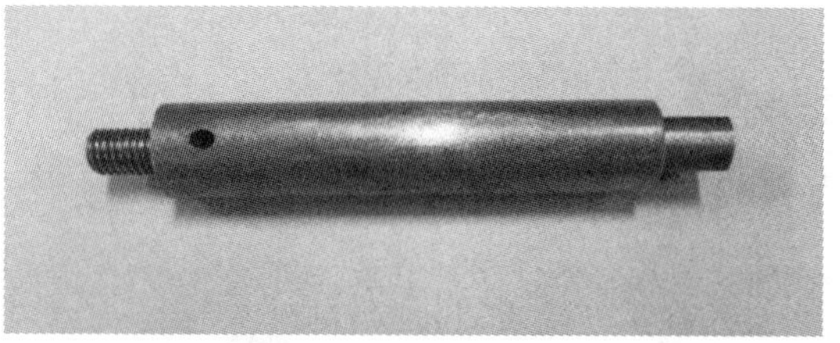

图 5-73 活塞杆

图 5-74 磁流变脂材料

图 5-75 励磁线圈材料

所有零件和材料准备齐全后，开始对磁流变脂缓冲装置进行组装，首先将励磁线圈均匀有效地缠绕在活塞内部，根据活塞“工”字形内部长度和励磁线圈直径，计算缠绕 150 匝所需长度，截取一定长度的励磁线圈。每缠绕完成一层使用环氧树脂材料进行紧固，防止线圈松动，待线圈缠绕完成后，最外层线圈也同样使用环氧树脂进行密封紧固。将引线使用热缩管套紧，使用热缩管的目的是防止励磁线圈漆包线在穿出过程中划破，导致线圈失效。

热缩管的引线从活塞内部斜孔穿过，再经过活塞杆内部孔，最终从活塞杆上方斜孔穿出，可外接电源，励磁线圈缠绕如图 5-76 所示。其次开始组装导磁环和非导磁环，将内部导磁环和非导磁环交替排列在活塞外部，外部导磁环和非导磁环也如此，排列完成后通过导磁环和非导磁环上的孔进行螺栓、螺母紧固，防止在运动过程中松动，导磁环安装如图 5-77 所示。最后将弹簧套在活塞杆中间，冲击平台与活塞杆连接，活塞孔对准内筒通流杆，将完成部分组装步骤后的磁流变缓冲装置组件放在内筒中，使用螺栓、螺母将上端盖与内筒紧固，完成磁流变脂缓冲装置的组装。图 5-78 为阻尼通道，图 5-79 为磁流变脂缓冲装置。

图 5-76 励磁线圈缠绕

图 5-77 导磁环安装

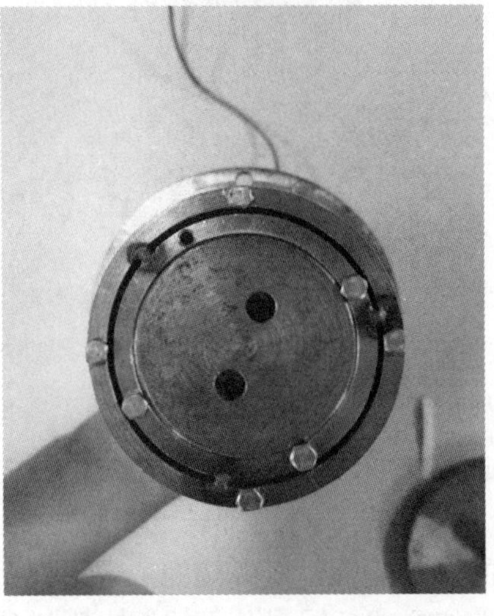

图 5-78 阻尼通道示意图

图 5-79 磁流变脂缓冲装置

5.3.2 磁场实验

为了验证磁流变脂缓冲装置磁场结构的合理性以及磁场仿真的可靠性，需要对阻尼通道中在不同电流下的磁感应强度进行测量。由于在装有磁流变脂时不方便测量磁感应强度，因此测量环境为阻尼通道中是空气的情况，与仿真进行对比。磁场实验测量所需器材为恒流电源和特斯拉计。恒流电源的作用是给励磁线圈通恒流大小的电流，特斯拉计用于测量阻尼通道中的磁感应强度。图 5-80 为恒流电源，该电源型号为 YB1731A，最大可提供 5A 电流，符合本实验的使用要求。图 5-81 为数字特斯拉计，该数字特斯拉计型号为 KCS-601B，量程可选择 200mT、2T 和 10T。

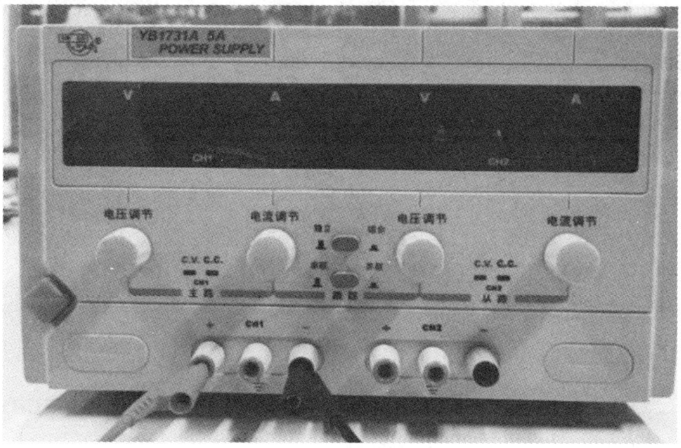

图 5-80　恒流电源

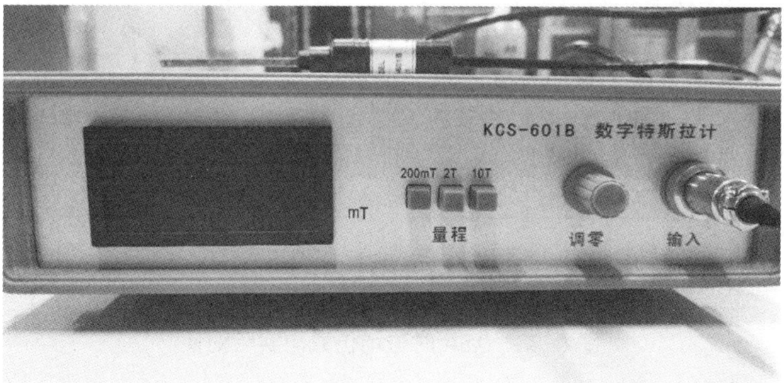

图 5-81　数字特斯拉计

实验方法：打开恒流电源开关，将电压调节旋钮调至最大，电流调节旋钮调至最小，连接 CH1 通道的正负极，将另一端连接到励磁线圈的引线，逐渐调节电流旋钮，使电流达到所需值。同时打开数字特斯拉计开关，由于阻尼通道中空气磁感应强度较小，在选择量程时选择 200mT 即可，将数字特斯拉计探头放入阻尼通道内，从上往下，每隔 5mm 选择一个测量点，同时记录磁感应强度。在测量时电流分别选择 0.5A、1.0A、1.5A 和 2.0A，与磁场仿真进行对比。图 5-82 为磁感应强度测量。

记录四种电流下不同位置的磁感应强度大小，然后将测量得到的数据与无磁流变脂磁场仿真得到的数据进行对比，分析理论仿真和实验之间的关系，然后进行数据误差分析。图 5-83 ～图 5-86 分别为 0.5A、1.0A、1.5A、2.0A 时磁场仿真与实验对比图和误差分析图。

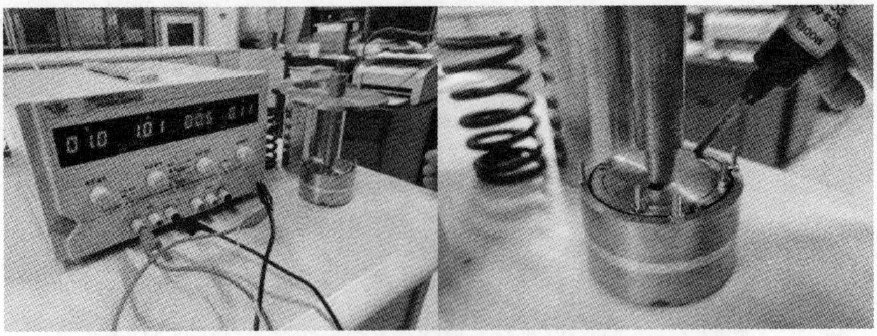

图 5-82 磁感应强度测量

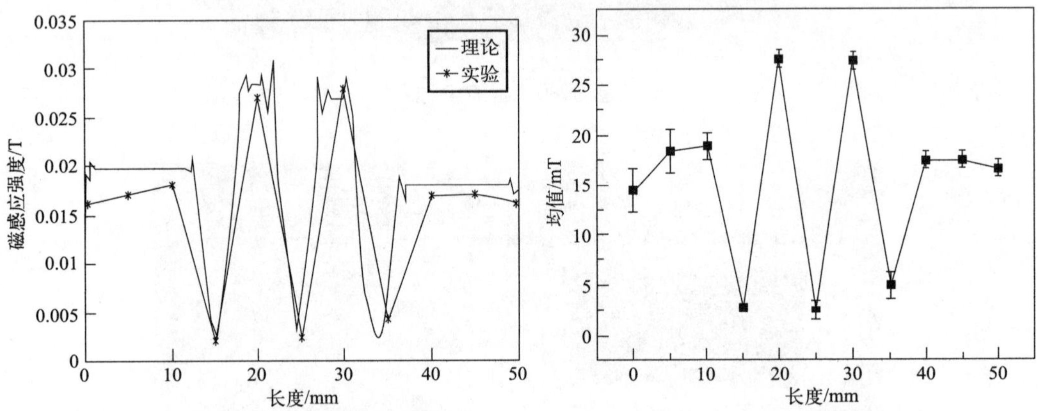

(a) 0.5A磁场仿真与实验对比 (b) 0.5A误差分析

图 5-83 0.5A 时磁场仿真与实验对比

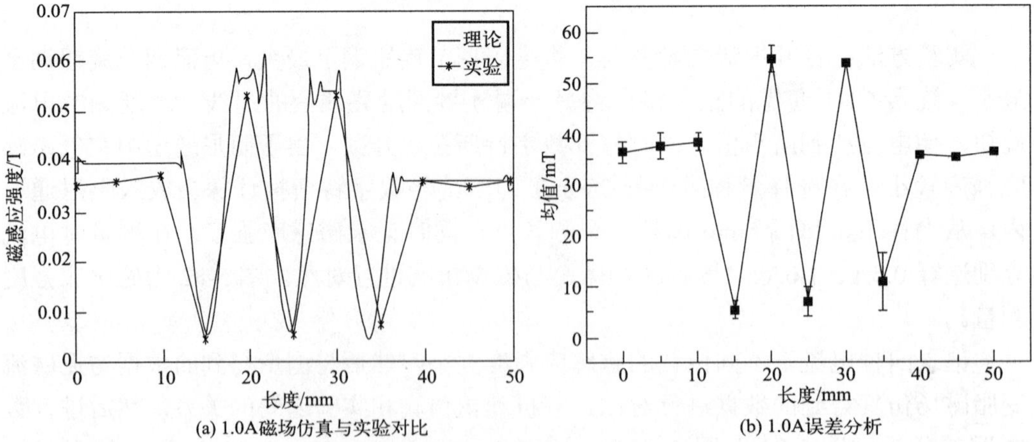

(a) 1.0A磁场仿真与实验对比 (b) 1.0A误差分析

图 5-84 1.0A 时磁场仿真与实验对比

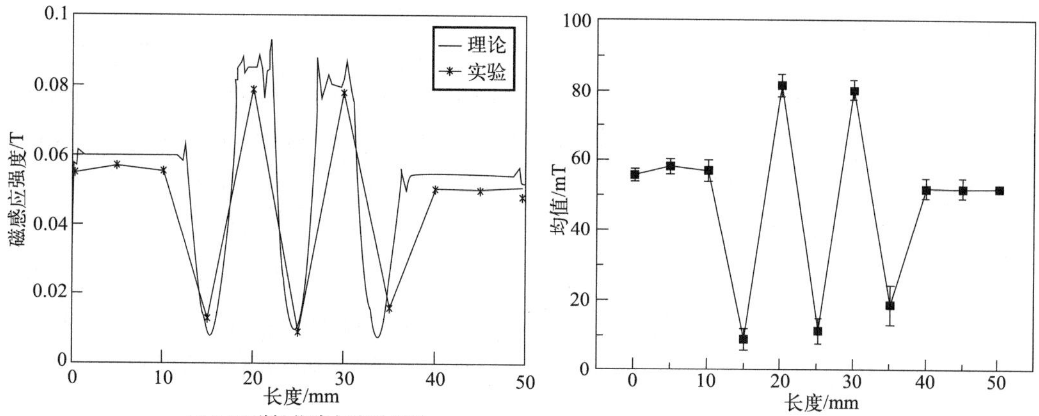

(a) 1.5A磁场仿真与实验对比　(b) 1.5A误差分析

图 5-85　1.5A 时磁场仿真与实验对比

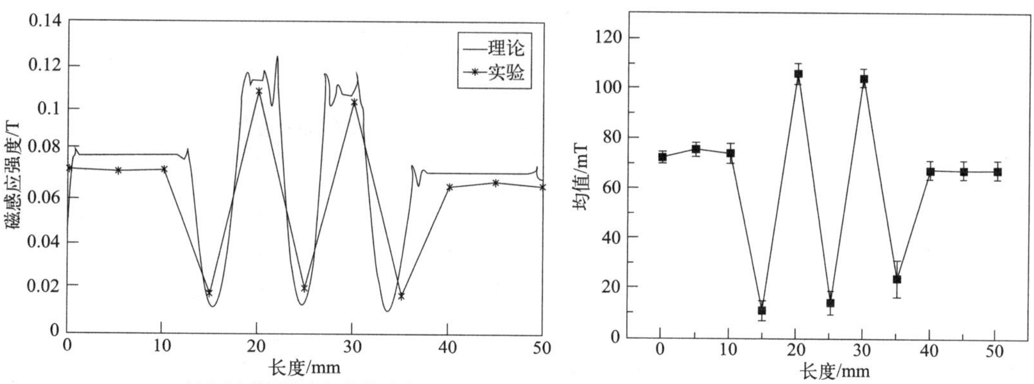

(a) 2.0A磁场仿真与实验对比　(b) 2.0A误差分析

图 5-86　2.0A 时磁场仿真与实验对比

从磁场实验结果来看，阻尼通道中产生的磁场是变化的，在阻尼通道中有四处有效的磁感应强度，这是因为导磁环和非导磁环的存在，改变了原有的磁场路线，从而使得励磁线圈产生的磁场多次有效地穿过阻尼通道。同时，随着电流的不断增大，阻尼通道中产生的磁感应强度也不断增大，不同电流下磁感应强度整体变化趋势相似。

随着电流的增大，磁感应强度也随之增大，实验和仿真两者整体变化趋势相同，验证了磁路设计的合理性。同时将仿真与实验结果进行对比分析，可以看出实验数值相对于仿真数值偏小，这是由于在线圈缠绕过程中无法保证精密排列，产生的磁感应强度有所减少。从不同电流下的误差分析来看，随着电流的不断增大，产生的磁感应强度也增加，误差所占的比例下降。因此，虽然实验数值与仿真有一定误差，但误差所占比例较小，且实验数值与仿真整体趋势较为吻合，因此该模型具有一定的可靠性。

5.3.3 落锤冲击实验

由于磁流变脂缓冲装置是针对汽车碰撞设计的智能化缓冲装置，需进一步验证磁流变脂缓冲装置在冲击状态下的力学性能，需要对磁流变脂缓冲装置进行落锤冲击实验。所需实验器材包括落锤式冲击试验机、力传感器、加速度传感器、信号采集器、恒流电源和计算机。

将上述所需器材准备完成后，进行连线，将力传感器安装在缓冲装置的下方，用于测量阻尼力的变化。加速度传感器安装在磁流变脂缓冲装置冲击平台的下方，用于测量活塞杆的加速度变化。可根据加装不同的砝码来改变落锤的质量。图 5-87 为落锤式冲击系统示意图。

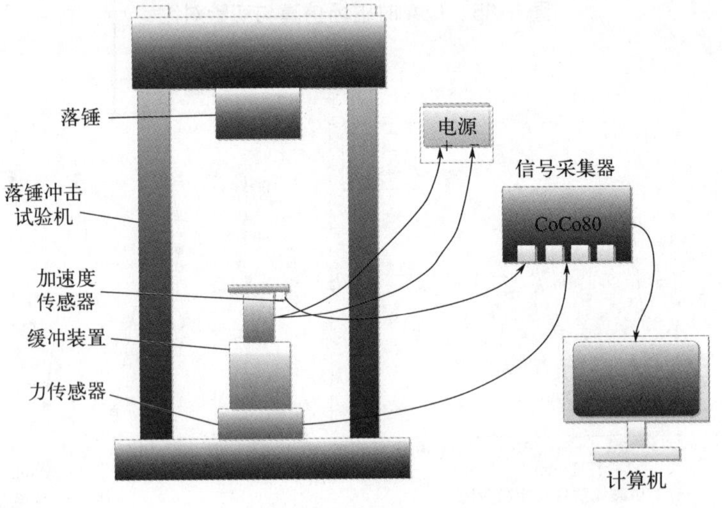

图 5-87 落锤冲击系统示意图

为了研究磁流变脂缓冲器的可调性，选择三种不同高度和五种不同电流，由于汽车碰撞具有冲击力大的特点，因此落锤质量选择 50kg，根据冲击过程以及缓冲器的长度，选择 300mm、500mm 和 800mm 三种冲击高度，对应的最大冲击速度分别为 2.42m/s、3.13m/s 和 3.96m/s。具体的实验方案如表 5-6 所示。分别测量磁流变脂缓冲装置在 0A、0.5A、1.0A、1.5A 和 2.0A 时阻尼力和活塞杆加速度变化值，得出阻尼力在不同电流、不同高度下的变化曲线以及加速度、速度和位移变化曲线。

表5-6 实验方案

落锤质量 /kg	50		
高度 /mm	300	500	800
速度 /m/s	2.42	3.13	3.96
电流 /A	0、0.5、1.0、1.5、2.0		

本实验采用的落锤式冲击试验机如图 5-88 所示。该落锤式冲击试验机是由机架、导管、锤体、升降机构和防二次冲击机构、自动落锤机构、电控箱等组成的。其中，链条起引导电磁阀座、锤体升降的作用。电动机带动减速机、链轮使锤体升降，显示屏显示高度。

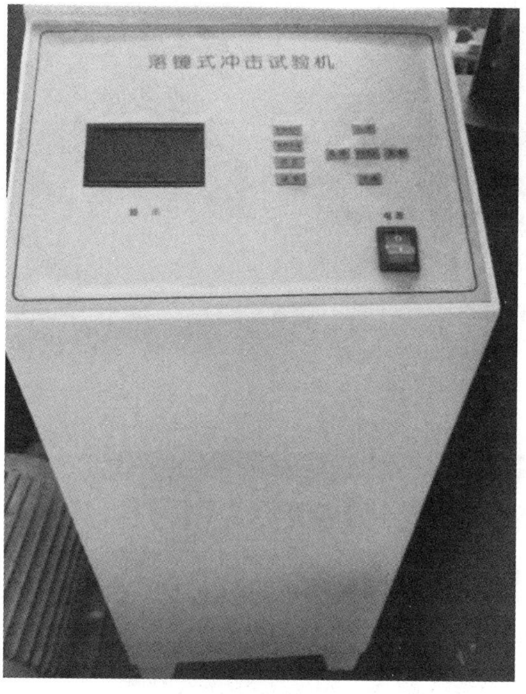

图 5-88　落锤式冲击试验机

使用方法：打开实验室门，将磁流变脂缓冲装置置于水平铁板上。关好防护门，按“上升”键，升至预定高度后自动停止。开始冲击时，先按一下“试验”键，此时界面提示是否落锤，是就按“确定”键，不是就按“返回”键，锤体下落，冲击试样。按“下降”键，锤体下降至装锤头处停止。实验完成后关闭电控箱电源开关和总电源。需要注意的是，每次断电后需要重新按“清零”键来对零；每次装好锤头后必须先关好小门再做实验。

力传感器量程为 40kN，能够满足使用要求，如图 5-89 所示。加速度传感器选择磁吸式传感器，可通过强大吸附力吸附在磁流变脂缓冲装置冲击平台下方，使用方便，如图 5-90 所示。

恒流电源的选择跟上述磁场仿真时选择的恒流电源一致，作用是对磁流变脂缓冲装置励磁线圈通电。信号采集器选择 CoCo80 信号采集器，如图 5-91 所示。该信号采集器具有信号采集和后处理功能，内置电池模块，充电完成后不需要外接电源，是一款功能强大、携带方便的数据采集设备，同时具有多种数据采集频率选择和多通道模式，可通过数据线或网线与电脑相连，将采集到的数据传输到电脑上。

图 5-89 力传感器

图 5-90 加速度传感器

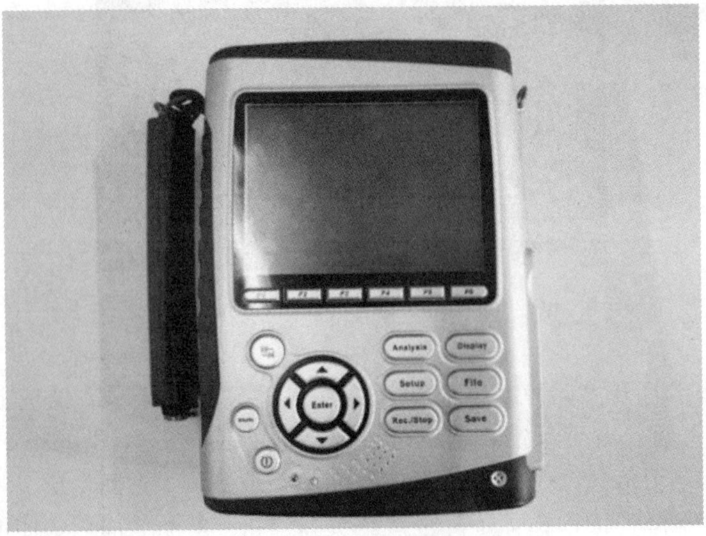

图 5-91 信号采集器

上述实验器材准备完成后，开始搭建落锤冲击试验台，在落锤杆上增加砝码，达到规定质量后，安装到落锤冲击系统中，调节落锤冲击系统水平板高度，以便安装磁流变脂缓冲装置。将磁流变脂缓冲装置放置在试验室门水平板上，且位置对准落锤孔，保证落锤下落时砸中磁流变脂缓冲装置正中心位置。同时将力传感器安装在磁流变脂缓冲装置下方，可测量磁流变脂缓冲装置的阻尼力，将加速度传感器吸附在冲击平台下方，冲击平台与活塞杆、活塞一起运动，即可测量活塞运动的加速度。同时将磁流变脂缓冲装置引线两端与电源正负极相连，如图 5-92 所示。

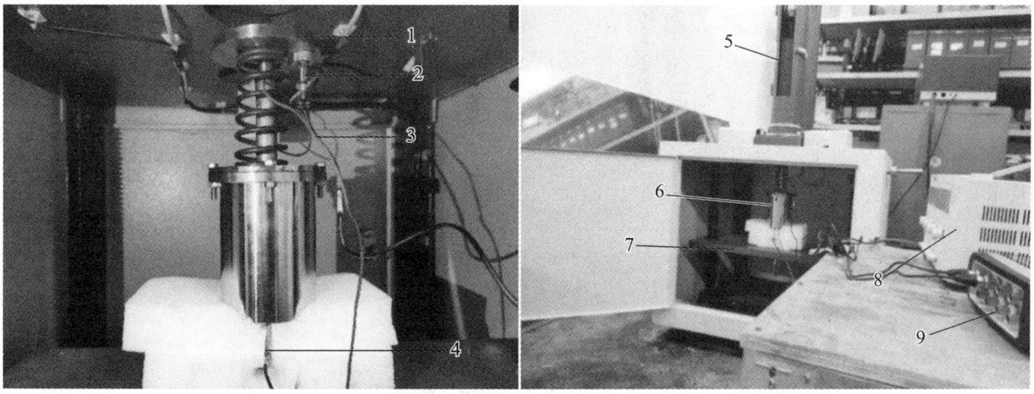

图 5-92　落锤冲击系统实物

1—冲击平台；2—加速度传感器；3—励磁线圈引线；4—力传感器；
5—落锤；6—磁流变脂缓冲装置；7—水平铁板；8—可调电源；9—信号采集器

所有器材搭建完成后，打开恒流电源开关，将电流调至最小的 0A，打开信号采集器进行采集参数设置，选择采样率，设置输入通道参数，设置分析参数，选择 1024/450，选择时间流设置记录，对 CH1 通道和 CH2 通道进行选择，设置记录时间为 10s。打开落锤式冲击试验机总开关，选择设定按钮，设置落锤高度 300mm，按清零键，落锤自动找零停止。信号采集器和落锤式冲击试验机参数设定如图 5-93 所示。

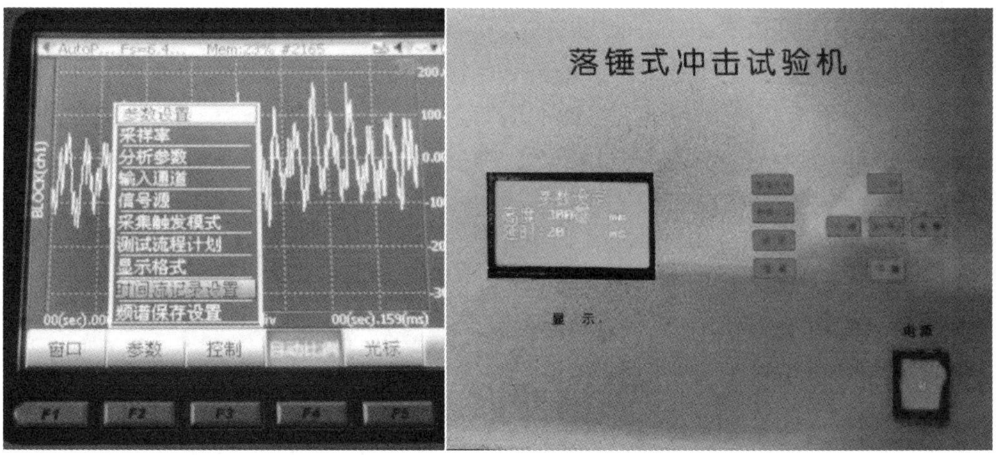

图 5-93　参数设定

待参数设定完成后，关闭防护门，点击上升键，此时落锤将上升到规定位置。点击试验，落锤向下冲击，此时信号采集器将记录力信号变化和加速度信号变化。多次进行试验，调节恒流电源大小，分别对励磁线圈引线通入 0A、0.5A、1.0A、1.5A、2.0A 电流进行落锤试验，再将落锤升到 500mm、800mm 处，进行五种不同电流下落锤冲击试验，记录力和加速度信号曲线。

将CoCo80信号采集器用内带网线与计算机相连接，计算机下载运行程序EDM软件，EDM软件可与CoCo80信号采集器相连接，进行数据后处理和数据导出。连接方式如下，点击搜索—查找—连接。图5-94为EDM软件界面。连接完成后即可导出数据。

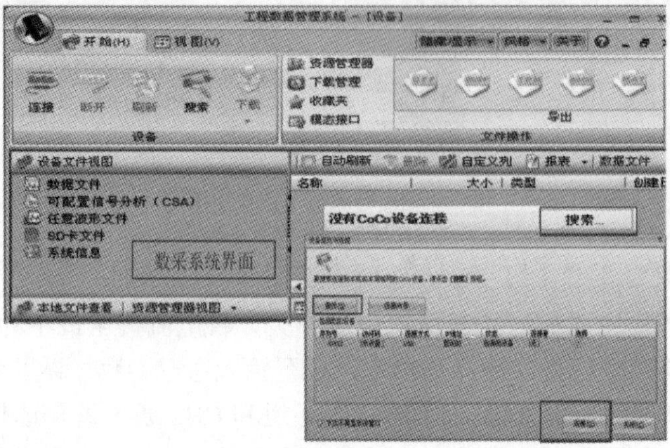

图5-94 EDM软件界面

首次试验将落锤高度设定为300mm，分别通入五种不同大小的电流，得到加速度随时间变化的曲线如图5-95所示。

从图5-95中可以看出，在落锤冲击下，加速度瞬间达到最大值，之后将逐渐下降，在一定范围内进行波动。在磁流变脂缓冲装置不加电流时，产生的瞬时加速度较大，随着电流的增大，加速度最大值有所下降，说明对磁流变脂缓冲装置通入电流后，能够起到一定缓冲作用，降低加速度峰值大小，不同的电流对应的加速度峰值不一样，说明了该磁流变脂缓冲装置具有一定的可控性。当电流达到2A时，加速度峰值有所上升，这是因为在2A电流的作用下，磁流变脂刚度增加到一定值，冲击高度不够，导致的瞬时加速度较大。

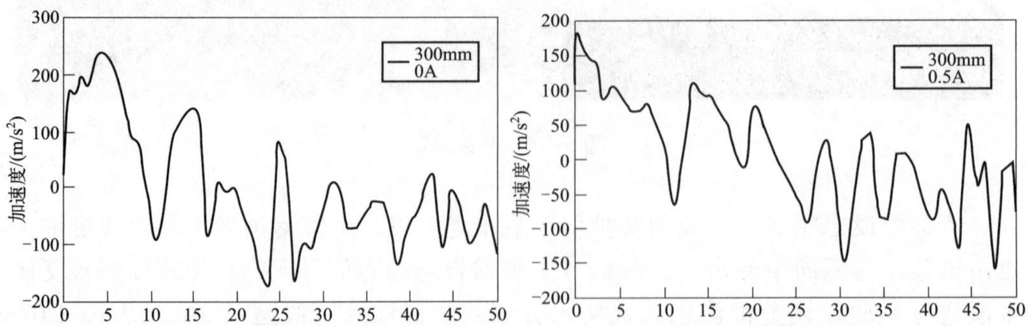

(a) 0A (b) 0.5A

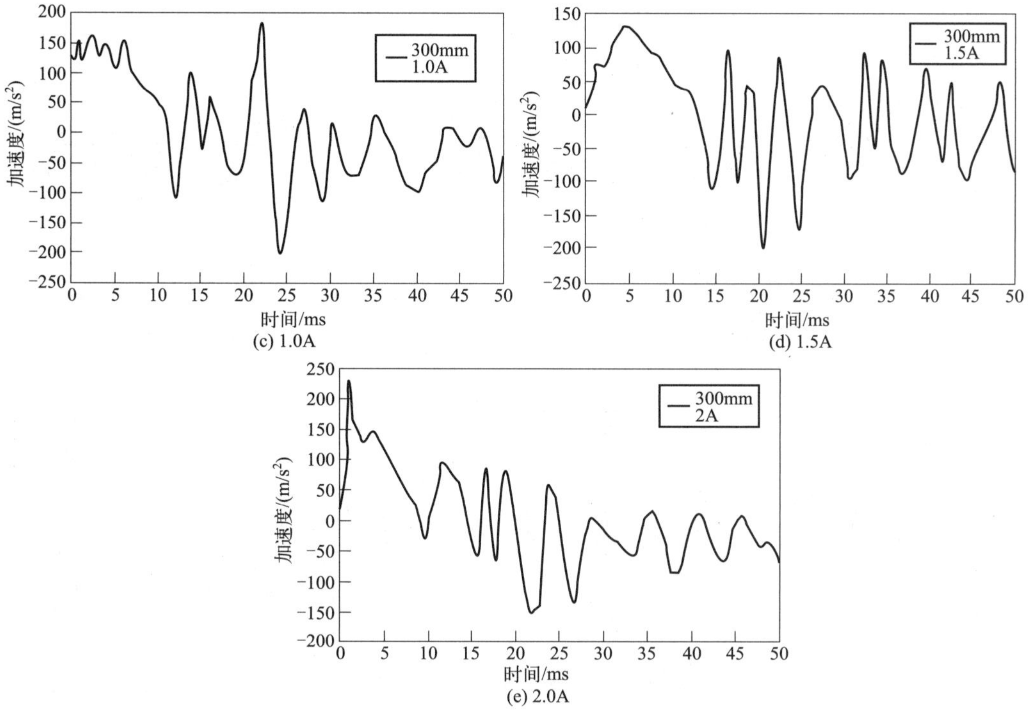

图 5-95　300mm 冲击加速度随时间变化的曲线

为了研究磁流变脂缓冲装置在不同高度下加速度的变化情况，将落锤高度升至 500mm、800mm 再次进行落锤冲击实验，分别对磁流变脂缓冲装置施加 0A、0.5A、1.0A、1.5A、2.0A 电流，得到加速度随时间变化的曲线如图 5-96 所示。

从图 5-96 中可以看出，无论在何种电流下，当落锤高度升高时，加速度峰值也会增大，且整体趋势变化较大。当电流逐渐增大时，无论何种高度下降，加速度峰值都会有所减小，这是因为增加电流时，磁流变脂黏度增大，产生的阻尼力也随之增大，有效缓解了冲击过程。同时从图中可以看出，当落锤高度为 800mm，输入电流为 1.5A 时，产生的峰值加速度同样有所提高，这是由于电流过大时，磁流变脂黏度过大，从而使得磁流变脂刚度增大，当刚度过大时，会造成峰值加速度增大。综上所述，从三种不同的落锤高度、五种不同电流大小的试验中可以看出，加速度峰值有明显变化，说明了该磁流变脂缓冲装置具有良好的可控性和缓冲作用。

在试验过程中由于加速度传感器是安装在冲击平台上的，冲击平台是与活塞杆连接并一起运动的，因此对加速度信号进行积分即可得到活塞杆速度信号。需要说明的是，该次试验是研究缓冲装置在冲击情况下的变化情况，当冲击完成后，会有向上的速度产生，不作为研究对象，即只考虑活塞向下运动过程中的运动情况。图 5-97 为不同高度、不同电流下速度随时间变化的曲线。

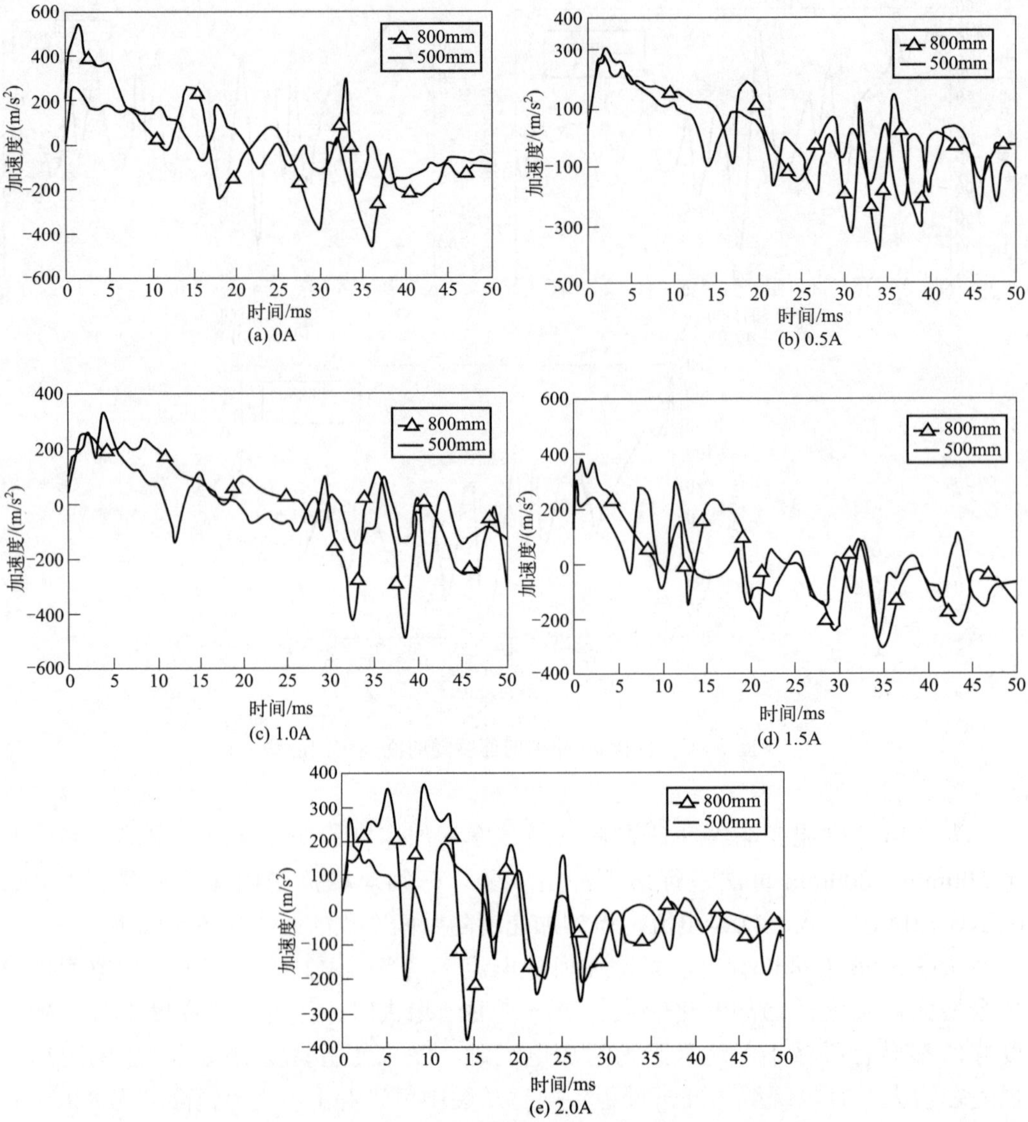

图 5-96　五种电流下不同高度加速度随时间变化的曲线

从图 5-97 中可以看出，电流的变化曲线为由零逐渐增大至最大值，然后逐渐减小至零，当活塞杆受到冲击时，活塞杆的速度会由零瞬间增大，然后因磁流变脂的阻尼力而逐渐减小，符合变化曲线。在同一电流下，高度越高，产生的速度变化就越大，这是因为高度越高，碰撞瞬间的初始速度就越大。在同一高度下，随着电流的增大，活塞杆最大运动速度有所降低，这说明了电流增大，增加了磁流变脂缓冲装置的缓冲效果，且在电流为 0.5A 和 1.0A 时最大速度变化效果较明显。从速度变化曲线同样可以看出，磁流变脂缓冲装置具有一定的可控性。

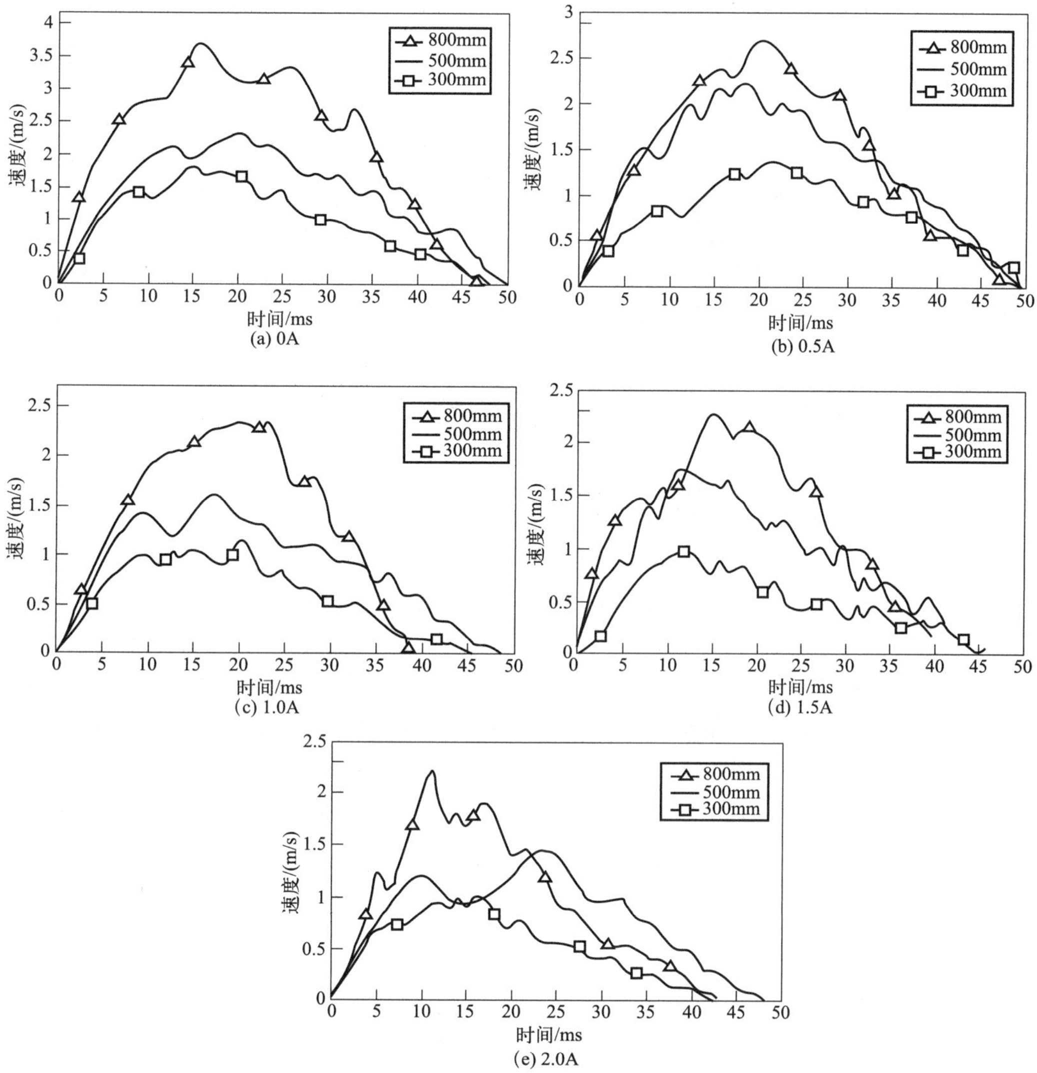

图 5-97　不同高度、不同电流下速度随时间变化的曲线

由上述可知，对加速度进行积分可得活塞杆速度变化曲线，再对速度进行积分即可得活塞杆位移变化曲线，从活塞杆位移变化曲线可以更加直观地看出磁流变脂缓冲装置的缓冲作用及可控性。在研究位移变化曲线时，同样只研究单个行程过程，即不研究活塞杆向上运动的过程。图 5-98 为 300mm 落锤高度在不同电流情况下位移变化的曲线。

从位移变化曲线可以看出，磁流变脂缓冲装置在受到冲击后，活塞杆位移逐渐增大，直至增加至最大值，五种不同电流下位移增加至最大值的时间并不相同。这是由于在增加到最大值后，弹簧的作用使得位移开始下降，因此并未考虑位移下降过程。随着电流的增大，活塞杆位移相对减小，当电流达到 1.0A 时，缓冲效果较好，随后再增大电流时，位移减小量并不明显，当电流从 1.5A 增加至 2.0A 时，位移曲线较为相近。这是因为电流从 1.5A 到 2.0A 时，磁流变脂黏度变化相对较小，阻尼系数变化也相应较小。

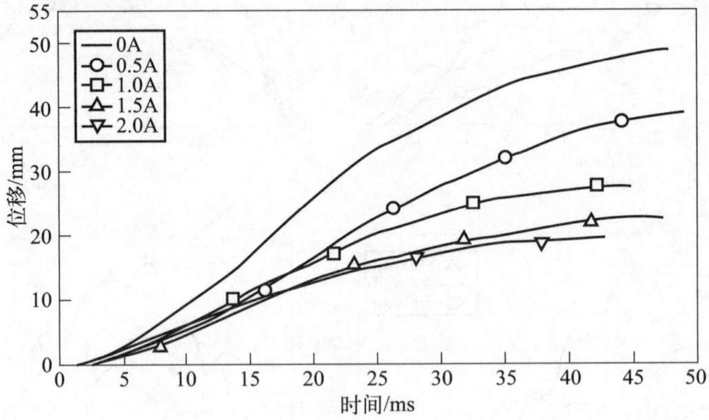

图 5-98 300mm 落锤高度在不同电流情况下位移变化的曲线

同样地，单一高度下的位移并不能很好地说明磁流变脂缓冲装置的缓冲效果，因此需要对 500mm 和 800mm 高度下的加速度再次进行两次积分，得到 500mm 和 800mm 落锤高度下位移在不同电流下随时间变化曲线。图 5-99 为 500mm 落锤高度位移随时间变化的曲线，图 5-100 为 800mm 落锤高度位移随时间变化的曲线。

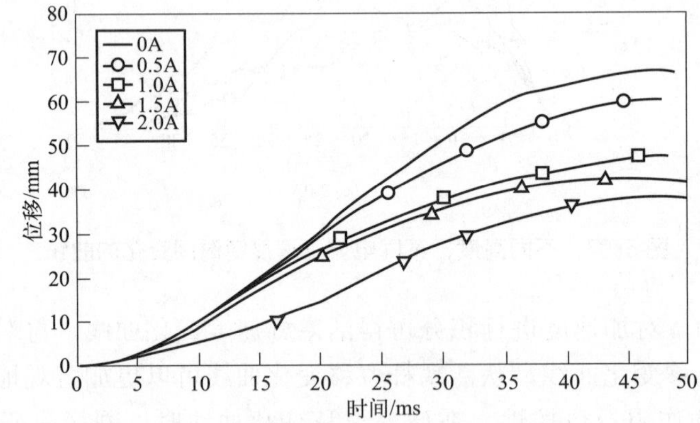

图 5-99 500mm 落锤高度位移随时间变化的曲线

从图中可以看出，位移的整体变化趋势较为一致，在同一高度下，随着电流的增大，最大位移都有所减小，变化较为稳定。同时落锤的高度越高，最大位移也就越大。这说明了活塞杆的最大位移与落锤高度和电流大小有关，在同一高度下，最大位移取决于励磁线圈的电流大小，这也说明了磁流变脂缓冲装置具有磁场可控性。

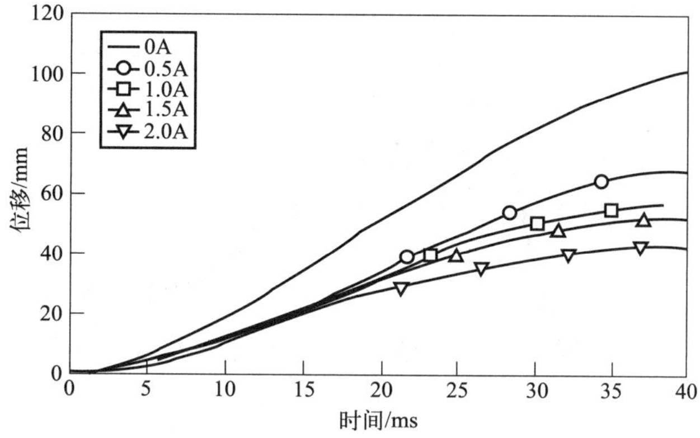

图 5-100　800mm 落锤高度位移随时间变化的曲线

在进行落锤冲击试验时，也测量了在不同高度下不同电流时阻尼力随时间变化的情况。测量阻尼力一方面可以验证磁流变脂缓冲装置的缓冲性能，另一方面也可以验证所推导的力学模型是否具有可靠性。本次试验中同样测量了 300mm、500mm、800mm 三种落锤高度在 0A、0.5A、1.0A、1.5A、2.0A 五种电流情况下阻尼力随时间变化的情况。图 5-101 为在五种电流下不同高度阻尼力随时间变化的曲线。

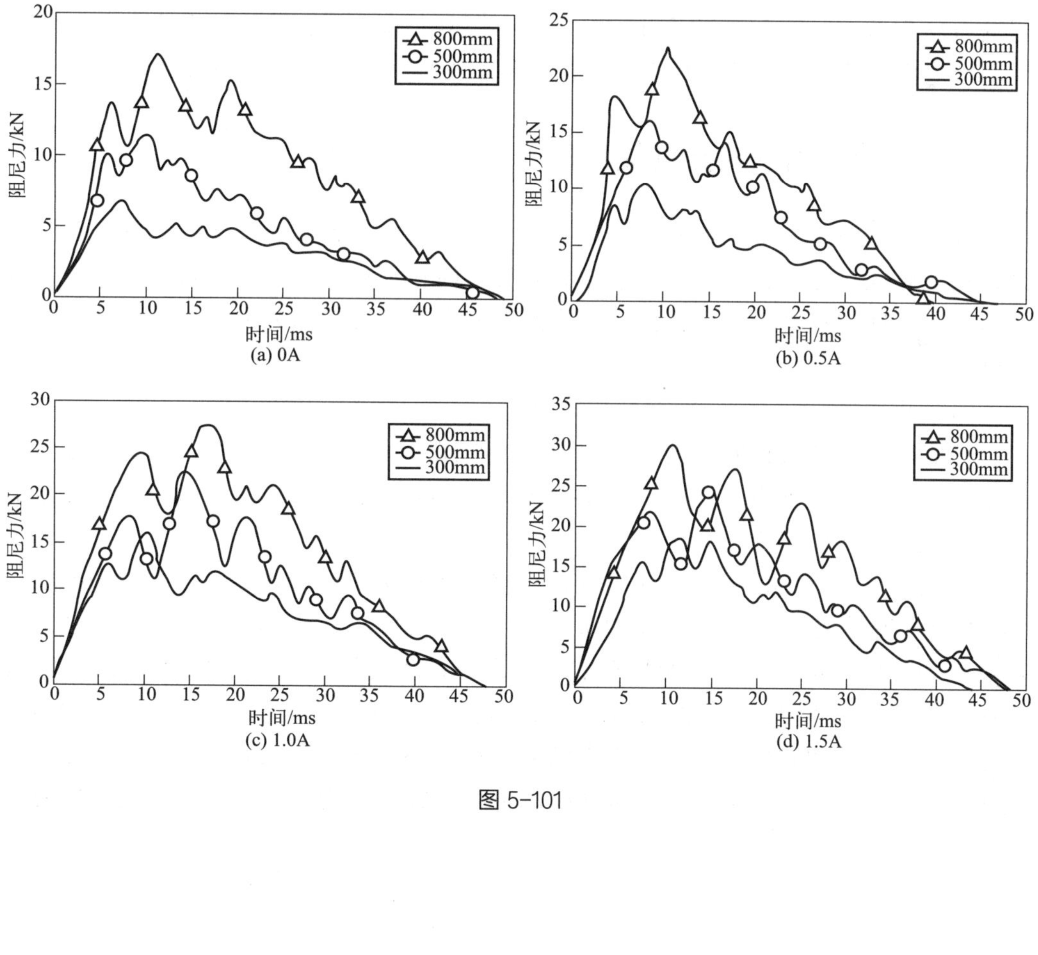

图 5-101

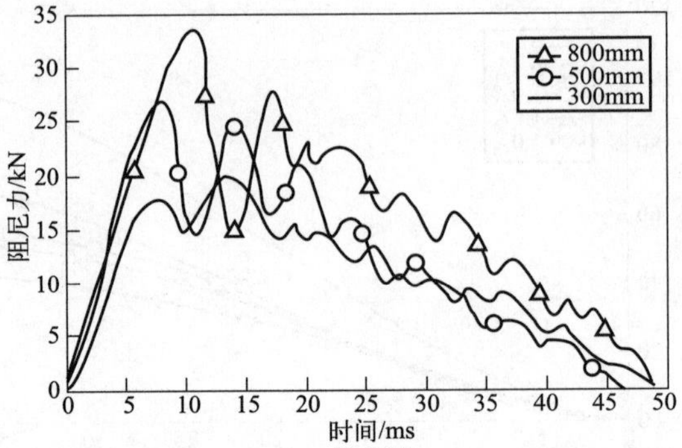

(e) 2.0A

图 5-101 不同电流下不同高度阻尼力随时间的变化曲线

从图 5-101 可以看出，磁流变脂缓冲装置在受到冲击时，产生的阻尼力在很短时间内急剧上升，到达一定值后开始缓慢下降，由于冲击发生的过程非常短暂，因此阻尼力的变化过程也非常短暂。从单个图中可以看出，落锤高度越高，产生的阻尼力就越大，这是由于落锤高度越高，在下落过程中产生的速度就会越大，阻尼力大小与活塞运动速度相关，活塞速度越大，阻尼力就会越大。结合图 5-101（a）、（b）、（c）、（d）、（e）五张图可以看出，在同一高度下，输入的电流越大，产生的阻尼力也会越大，这也说明了阻尼力的大小与电流有关，通过控制电流大小，即可控制磁流变脂缓冲装置的阻尼力，验证了磁流变脂缓冲装置具有可控性。

5.3.4 磁流变脂缓冲器性能评价

针对汽车碰撞，结合磁流变脂智能材料，设计出该磁流变脂缓冲装置，并对其进行实验研究。为了进一步验证缓冲器的有效性和可靠性，根据实验结果，将对该磁流变脂缓冲装置进行性能评价，以峰值阻尼力、动态范围和最大位移三个指标进行性能评价。

（1）峰值阻尼力

峰值阻尼力是反映磁流变脂缓冲装置吸收能量的重要参数之一，实验过程中记录了不同高度和不同电流下的最大阻尼力。图 5-102 是在三种不同的高度下峰值阻尼力随电流的变化曲线。

从图中可以看出，随着电流的增大，峰值阻尼力也不断增大，电流从 0A 增加到 1A 时，峰值阻尼力的变化较为明显；电流从 1A 增加到 2A 时，峰值阻尼力的增加较为缓慢。这与磁流变脂材料的特性有关：当电流从 0A 变化到 1A 时，磁流变脂的黏度变化较大，因此峰值阻尼力变化也较大；当电流从 1A 变化到 2A 时，在电流接近磁饱和强度时，磁流变脂黏度变化较小，从而造成峰值阻尼力在此期间变化较小。从不同曲线来看，在相同电流下，落锤高度越高，造成的峰值阻尼力也越大，这是因为落锤高度越高，在自由落体时产生的速度就会越大，活塞运动速度就会越大，而阻尼力与活塞速度有关，峰值阻尼力与活塞最大速度有关，因此随着落锤高度的提高，峰值阻尼力也会变大。由上可以看出，该磁流变脂缓冲装置在受到一定冲击时，可以提供不同的阻尼力来缓解冲击力，达到吸能效果，在受到不同程度的冲击时，同样可以提供相应的阻尼力来缓冲冲击力，达到智能吸能的效果。

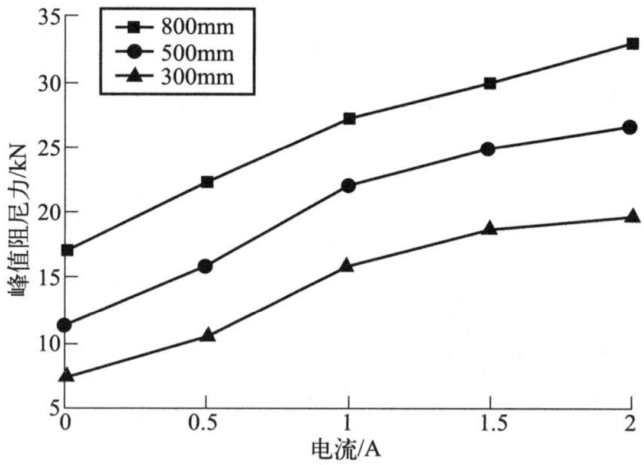

图 5-102　峰值阻尼力随电流的变化曲线

（2）动态范围

动态范围反映的是磁流变脂缓冲装置在一定条件下的可调性，即在一定电流范围内，最大阻尼力与最小阻尼力之比。分别记录三种不同落锤高度下的动态范围，图 5-103 是动态范围随不同落锤高度的变化曲线。

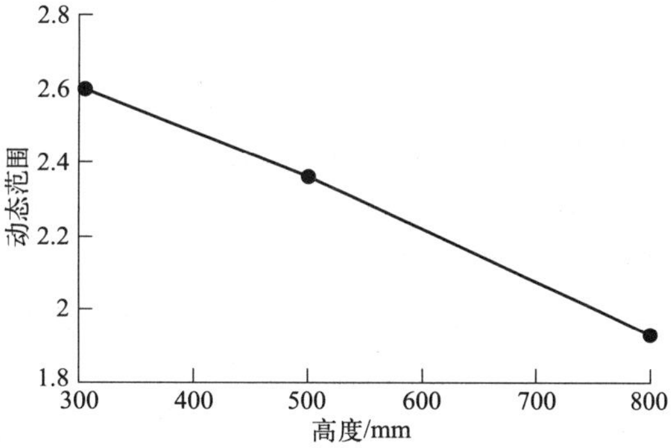

图 5-103　动态范围随不同高度的变化曲线

从图 5-103 中可以看出，当落锤高度为 300mm 时，动态范围可达 2.6，说明了阻尼力可在较大范围内进行调节变化。随着落锤高度的增大，动态范围在逐渐减小。一方面，落锤高度越大，初始速度就越大，磁流变脂在瞬间的流动速度会增大，增加了磁流变脂缓冲器的可控难度；另一方面，活塞运动初始速度增大，增加了零电流时的阻尼力，造成动态范围在一定程度上有所减小。总的来说，该设计的磁流变脂缓冲装置相对于其他磁流变装置，动态范围相对较高，这是由于该结构中增加了通流孔，增大了磁流变脂的流动性，通过引流的方式降低了零磁场时的阻尼力，从而增加了阻尼器的可控范围。

（3）最大位移

最大位移是指在落锤冲击过程中，活塞单次运动的最大位移，最大位移一方面反映的是磁流变脂缓冲器平均吸能的效果，另一个方面也可以反映磁流变脂缓冲器的可控性。在实验过程中，分别记录三种不同落锤高度下，在 0A、0.5A、1.0A、1.5A、2.0A 时的最大位移。图 5-104 是不同高度下最大位移随电流变化的曲线。

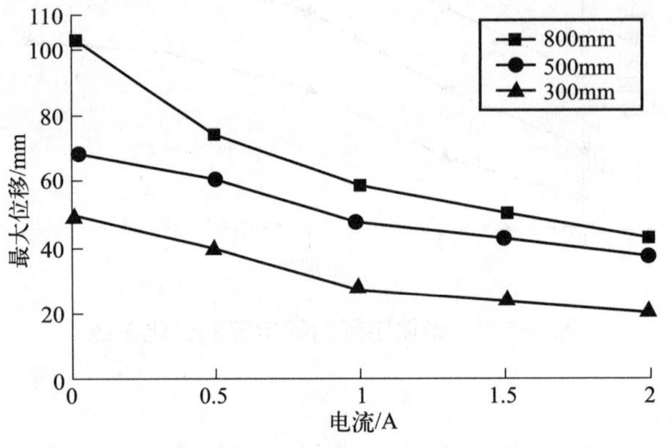

图 5-104　不同高度下最大位移随电流变化的曲线

从图 5-104 中可以看出，在相同落锤高度下，随着电流的增大，最大位移有所减小，这是因为电流增大时，磁流变脂在电磁场的作用下黏度增大，增加了磁流变脂缓冲器的阻尼力，从而减小了最大位移，这说明了该磁流变脂缓冲器具有一定的可控性。从不同落锤高度来看，落锤高度越高，最大位移也就越大，这是因为落锤高度越高，冲击能量就越大，在相同电流时需要更大的位移来缓解冲击力。当电流在 2A 时，在 500mm 和 800mm 落锤高度下，最大位移变化相对较小，这是由于磁流变脂在高磁场的作用下变得相对黏稠，流动性较差，增大位移需要更高的冲击力。总的来说，三种不同高度下最大位移随电流的变化都相对一致，即随着电流的增大，最大位移随之减小，验证了该磁流变脂缓冲装置具有一定的可控性，随着冲击高度的增大，最大位移也增大，从而提高了平均吸能。

总之，磁流变技术在保险杠上的应用，主要包括磁流变脂缓冲器的设计，数学模型的建立，仿真实验，优化方式的选择和实物实验。磁流变缓冲器是一种利用磁流变技术来调节阻尼力的装置，主要用于减振和缓冲碰撞力。当受到外力作用时，磁流变缓冲装置中的磁场电流发生变化，从而提高阻尼力，减缓碰撞力或振动力，保护设备或结构不受损坏或影响。磁流变缓冲器可在汽车领域中广泛应用，提高设备的可靠性和安全性。

第6章 磁流变技术在汽车悬架中的应用

6.1 磁流变阻尼器设计

6.1.1 汽车悬架阻尼器的类型和工作原理

（1）阻尼器结构类型

阻尼器作为吸能减振的装置，历经多年的研究，在水陆空领域都发挥着重要的作用。其主要分为两类，即传统黏滞阻尼器、智能型阻尼器。

① 传统黏滞阻尼器需要提供黏度很高的液体，活塞运动时迫使液体在较短时间内通过小孔，从而缓冲振动带来的冲击。这类阻尼器的耗能装置没有控制器，是不可控的，减振效果不佳。

② 磁流变阻尼器是一种智能型阻尼器，可以根据实际路况信息实时调控阻尼力，且调控时间可以在几毫秒内完成。但是磁流变阻尼器如果长时间处于不工作状态下，铁磁颗粒会发生沉降，液体中的铁磁颗粒含量减少，使磁流变阻尼器的减振效果变差甚至失效。

基于传统黏滞阻尼器的不可控性和磁流变液沉降现象，本节在磁流变阻尼器的基础上加一个圆柱形永磁体，套在活塞上，外部缠绕线圈。圆柱形永磁体的加入提供了永久磁场，可以在线圈不通电流的情况下仍然能提供阻尼力，很好地避免了传统磁流变阻尼器的弊端。

（2）内置永磁环式磁流变阻尼器工作原理

该阻尼器阻尼通道内的磁场由永磁环和电磁线圈共同提供。其工作原理为通过控制电磁线圈的电流大小和方向，使其所产生的磁场与永磁环所产生的磁场共同作用，从而改变阻尼通道内的磁场强度，达到阻尼力可调的目的。根据上述工作原理，由磁场变化方式可将该种阻尼器的工作模式分为三种，即强化模式、衰弱模式和永磁环单独工作模式。

① 强化模式。当阻尼器处于磁场强化模式下，电磁线圈所通电流而产生的磁场与永磁环磁场方向相同，达到磁场增强的目的，从而提供较大的阻尼力。此模式的磁路原理如图 6-1 所示。

② 衰弱模式。当阻尼器处于磁场衰弱模式下，电磁线圈所通电流而产生的磁场与永磁环磁场方向相反，达到磁场减弱的目的，从而提供较小的阻尼力。此模式的磁路原理如图 6-2 所示。

③ 永磁环单独工作模式。在该模式下，阻尼通道内的磁场由永磁环单独提供。此模式的磁路原理如图 6-3 所示。

通过上述工作模式可以看出，将永磁环加入磁流变阻尼器中，可实现当阻尼器出现故障时，阻尼器仍能提供较大的阻尼力。同时，通过改变电磁线圈电流的大小和方向，可方便、快捷地调节阻尼力，从而实现主、被动混合控制模式。

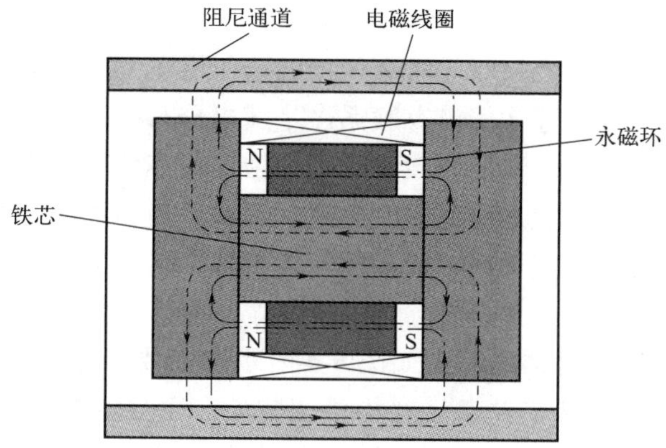

图 6-1　磁场强化模式的磁路原理

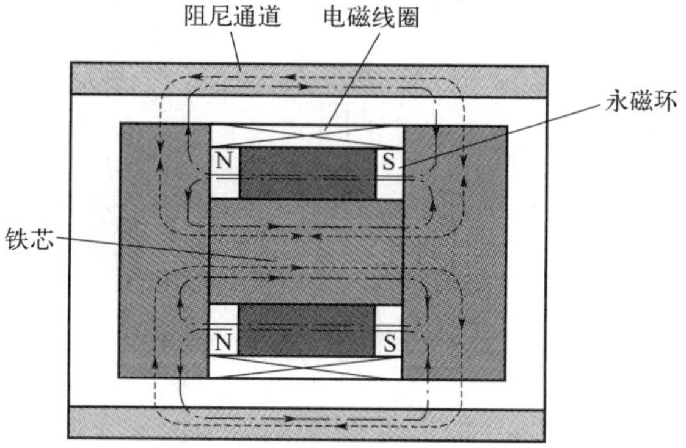

图 6-2　磁场衰弱模式的磁路原理

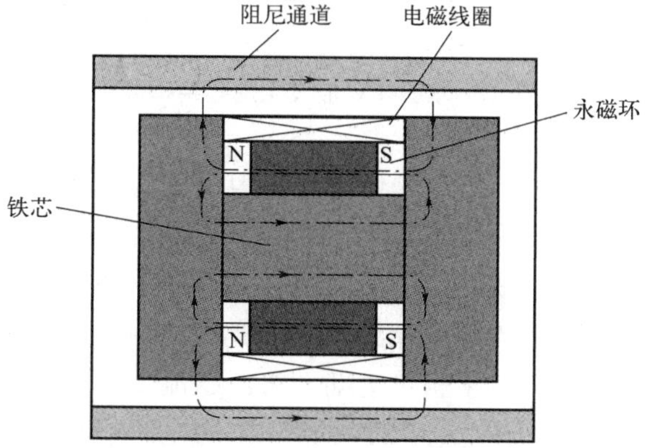

图 6-3　永磁环单独工作模式的磁路原理

6.1.2 永磁体磁流变阻尼器的工作原理

磁流变液是一种智能型材料，没有外加磁场作用时，磁流变液呈现牛顿流体特性，液体中的铁磁颗粒相互之间没有联系，是随机分布的，液体黏度低，具有一定的流动性。施加磁场时，磁流变液会在毫秒内由牛顿流体转化成固体，此时液体中的铁磁颗粒会由无规则的状态瞬间转变为链状结构，液体黏度很大，流动性差。当撤销磁场作用时，磁流变液又恢复成牛顿流体特性，这种转换是可逆的，取决于磁场的有无状态。

永磁体磁流变阻尼器结构简图如图 6-4 所示，主要由缸筒、活塞头、活塞杆、线圈、永磁体、磁流变液、浮动活塞构成。此处在主要结构部分上附加了导向机构，其作用主要是保证活塞杆相对运动时，在缸筒内是直线运动，不发生偏移，避免与缸筒发生摩擦，提高部件的使用寿命。另外将空气弹簧换成了钢性弹簧，空气弹簧要求阻尼器的气密性很高，而换成钢性弹簧，气密性要求不高，减小了制作的难度。

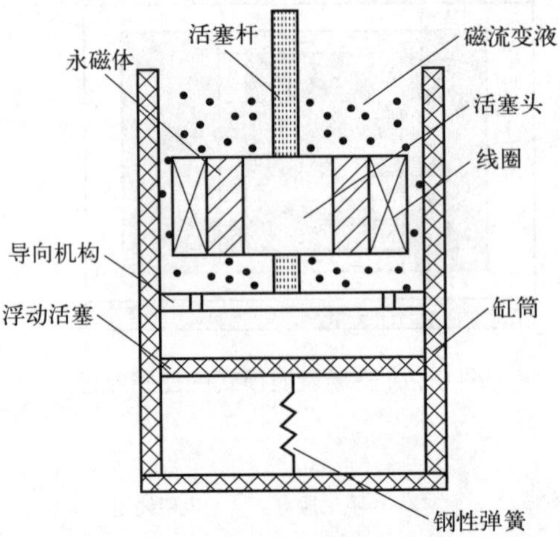

图 6-4 永磁体磁流变阻尼器结构简图

下面以本节设计的单杆单筒永磁体磁流变阻尼器为主体，说明其工作过程。圆柱形永磁体套在活塞头上，外部用聚酯漆包线 QZ-2/130 漆包圆铜线缠绕，缠绕 N 圈后用环氧树脂进行固定，线圈两端从活塞杆中间开的圆孔导出接电源。线圈通电流时，永磁磁场和电流产生的磁场叠加，磁流变液特性发生变化。当阻尼器受到外部冲击时，活塞相对缸体会发生相对运动，挤压磁流变液通过间隙，而磁流变液在磁场作用下，由液体变成固体，会产生大的阻尼力来缓解活塞的运动冲击。控制电流的大小可以控制磁流变液的固体状态从而控制阻尼力的大小，控制电流的方向可以改变磁场的强弱。当通入正向电流时，线圈产生的磁场和永磁体产生的静态磁场方向一致，此时阻尼通道内的磁场叠加，产生很大的阻尼力；当线圈中不通入电流时，永磁体单独作用，此时磁场只由永磁体提供；当线圈中通入反向电流时，磁场不是进行叠加，而是进行抵消，磁场会减弱，在阻尼通道内产生小的阻尼力。通过控制电流大小和电流方向可以控制阻尼力的大小，这就是智能型阻尼器的一种可控阻尼力的半主动控制装置。

6.1.3　磁流变阻尼器结构方案选型

目前常见的磁流变阻尼器在结构上借鉴了传统阻尼器的结构。首先对几种常用磁流变阻尼器的结构优缺点进行对比分析。

（1）单杆单筒式

根据阻尼通道和磁路不同，此类阻尼器可分为有补偿腔和无补偿腔两种类型。

① 有补偿腔结构：此结构在缸筒一端有一充气腔，可根据不同的使用情况和设计要求充入不同压力的气体。其作用是抵消由活塞杆的上下运动所造成的缸筒内的体积差。同时，充气腔可以起到空气弹簧的作用，为磁流变阻尼器提供一定的阻尼力。

在补偿腔与活塞之间有一浮动活塞，其作用是防止磁流变液进入补偿腔和减小活塞对补偿腔的冲击，这样的结构可以起到很好的密封作用。其缺点是浮动活塞与缸筒之间必须有很好的密封，从而提高了制造成本。

② 无补偿腔结构：此类阻尼器的优点在于使阻尼通道与活塞分离，在大载荷作用下活塞与缸筒之间能够保持较好的同心。同时，由于线圈不再位于缸筒内部，从而使磁路设计不再受活塞结构的影响，而且可以使线圈有较好的散热。但此结构会造成阻尼器结构不紧凑。单杆单筒式磁流变阻尼器结构如图 6-5 所示。

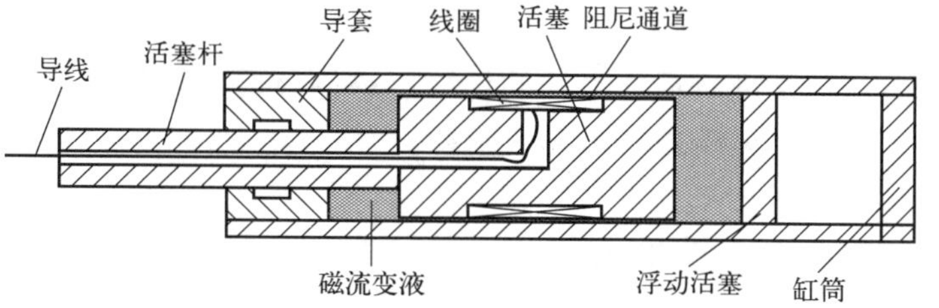

图 6-5　单杆单筒式磁流变阻尼器结构示意图

（2）单杆双筒式

此结构是传统阻尼器中最为普遍的一种，其特点在于内筒为工作缸，外筒作为补偿腔。这种结构能够产生较大的阻尼力且阻尼力可调范围宽。其缺点在于内部零件较多，结构复杂，其结构如图 6-6 所示。

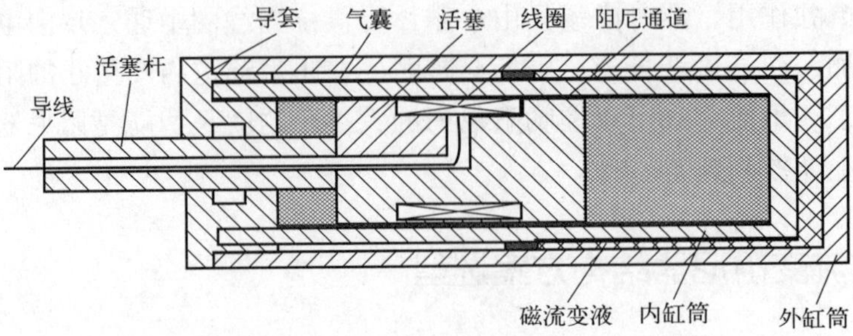

图 6-6 单杆双筒式磁流变阻尼器结构示意图

（3）双杆单筒式

此类阻尼器在结构上可分为有回路和无回路两种类型。双杆单筒式结构由于缸筒两端皆有活塞杆，从而使活塞与缸筒有较好的同轴度，使阻尼器可以承载较大的冲击载荷。同时，此类结构不会造成缸筒内体积差，因此不需要补偿腔，其结构如图 6-7 所示。

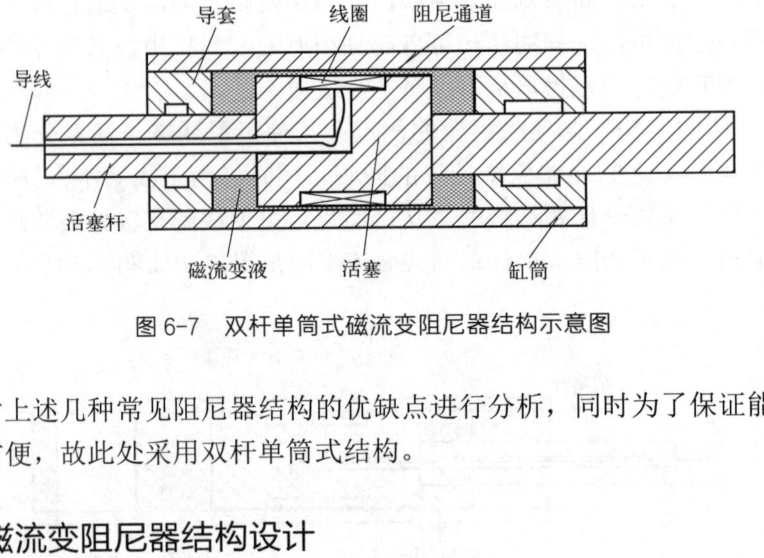

图 6-7 双杆单筒式磁流变阻尼器结构示意图

通过对上述几种常见阻尼器结构的优缺点进行分析，同时为了保证能量回收装置的安装方便，故此处采用双杆单筒式结构。

6.1.4 磁流变阻尼器结构设计

（1）内置永磁环式磁流变阻尼器结构设计

所设计的内置永磁环式磁流变阻尼器结构示意图如图 6-8 所示。阻尼器由上下活塞杆、工字形活塞头、永磁环、电磁线圈和工作缸组成。工作缸内充满磁流变液且安装有活塞；工字形活塞头两端均连接有活塞杆，活塞头由内到外依次布置有永磁环、电磁线圈和环氧树脂；活塞外侧和工作缸内壁之间设置有磁流变液流过的阻尼通道，当汽车行驶时，活塞在工作缸内上下运动，迫使磁流变液在阻尼通道内流动，从而产生阻尼力。

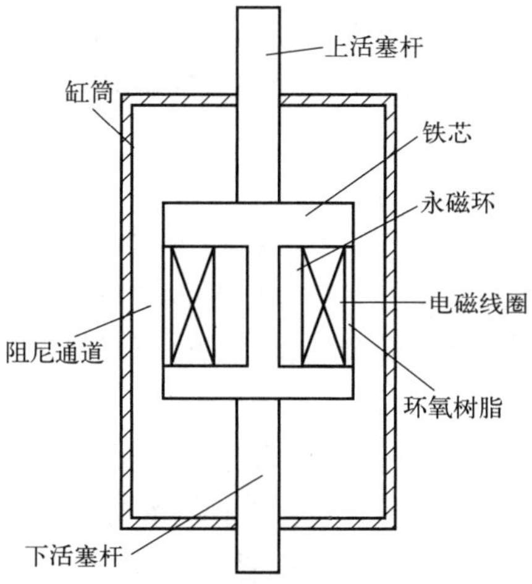

图 6-8 内置永磁环式磁流变阻尼器结构示意图

（2）馈能磁流变阻尼结构设计

磁流变阻尼装置利用滚珠丝杠可将直线运动高效转化为旋转运动，将车身垂向直线振动作为动力输入源，电磁能量捕获部件旋转作为动力输出源，从而产生电能，进而实现能量回收。图 6-9 所示为所设计的馈能磁流变阻尼装置结构剖面图。

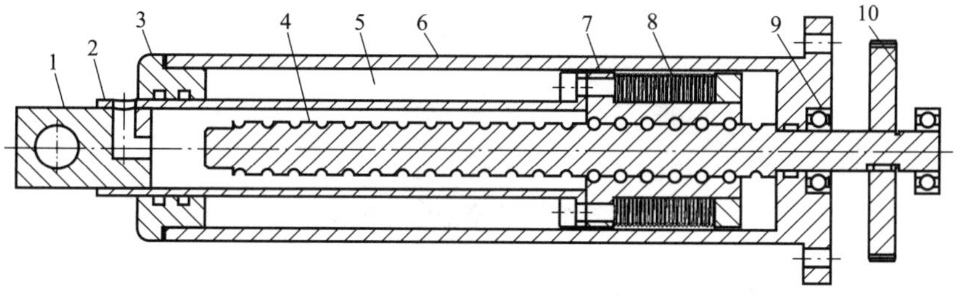

图 6-9 磁流变阻尼装置结构剖面图

1—上连接头；2—活塞轴；3—堵盖；4—滚珠丝杠；
5—磁流变液腔；6—缸筒；7—活塞；8—线圈；9—轴承；10—齿轮

如图 6-9 所示，上连接头通孔用于连接车身固定点，上连接头和活塞轴使用螺纹连接并保证励磁线圈引出线孔在同一位置。工字形丝杠螺母作为磁流变阻尼器的活塞头组件，将漆包线均匀缠绕在丝杠螺母上，漆包线两头穿过空心活塞轴与外部电流控制单元连接。缸筒左部分使用尼龙材质堵盖螺纹连接，堵盖内圈设置了两层密封圈凹槽，用于磁流变液的密封，外缸体右部分使用单层的密封圈密封，整套装置通过右侧的齿轮进行能量输出。

工作原理如下：振动能量经过上连接头、活塞轴传递给活塞，反向推动滚珠丝杠旋转，进而传递给电磁能量捕获装置进行能量回收。根据法拉第电磁感应原理，线圈在通电后产生固定方向的感应磁场，磁流变液在磁场作用下屈服强度发生改变，在流经阻尼间隙处产生剪切应力，从而实现阻尼力的输出。改变通电线圈的电流值，可以实现对磁场强度的控制，进而达到精确调节输出阻尼力和抑制外部振动的目的。

（3）永磁体磁流变阻尼器结构设计

UG是SPS公司创造的一个产品工程解决方案，它可以为设计师提供一个强大的设计平台，平台内部包含了先进、广泛的产品设计应用模块，设计师可以完成复杂的产品三维模型建立与改进。此处将采用UG软件建立永磁体磁流变阻尼器三维模型，并进行参数优化。

由结构简图可知，活塞头和活塞杆是阻尼器的主要组成部分，活塞头部有永磁体和线圈缠绕，活塞半径比缸筒内径略小，留有间隙，产生阻尼通道，活塞头和活塞杆之间通过螺纹连接。当活塞部件受到外力作用时，与缸筒发生相对运动，如果阻尼器减振效果不佳，活塞会在缸筒内部产生剧烈振动，不仅达不到吸能减振的效果，还会缩短阻尼器的使用寿命。活塞杆及活塞头结构如图6-10所示。

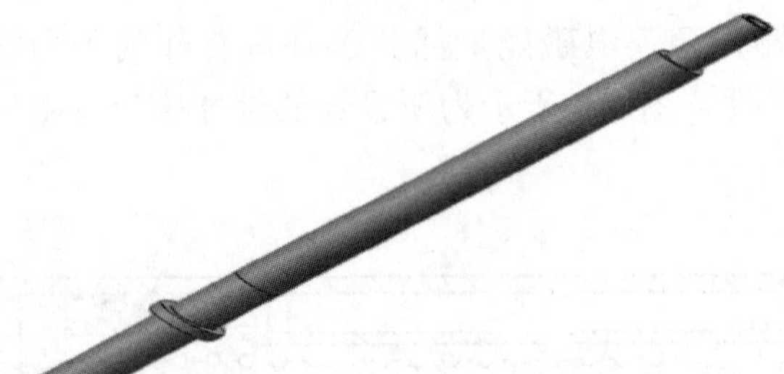

图6-10 活塞部分总成图

由于活塞部分最大直径小于缸筒的内径，在活塞行进的过程中，难免会发生活塞偏移，导致活塞与缸筒之间发生摩擦，摩擦产生热量，液体温度升高，磁流变液发生热膨胀效应，阻尼力减小。为了避免发生偏移，在活塞下端加装一个导向机构，导向机构的直径与缸筒内径一致，且导向机构开有小孔，便于磁流变液流动不受任何影响。导向机构三维图如图6-11所示。永磁材料制成的永磁体，应用场合不同，形状各异，有长方形、圆柱形等，在使用过程中，永磁体能够提供稳定的磁场。线圈在无电流通入时，无法产生磁场，但永磁体可以提供磁场。这样就可以避免阻尼器电路发生故障时，阻尼器无法正常工作的情况出现。永磁体三维图如图6-12所示。

图 6-11 导向机构三维图

图 6-12 永磁体结构

设计的新型磁流变阻尼器是单杆单筒，这样就避免不了磁流变液在上下腔体积不平衡问题。为此需设计一个缓冲腔，通常设计一个空气弹簧来解决体积不平衡问题，但是设计的空气弹簧对气密性要求很高，所以设计一个刚性弹簧（图 6-13）取代空气弹簧，气密性要求不高，还能节约成本。设计的缸筒内径比活塞外径略大，这样就可以形成一个阻尼通道，磁流变液可以在间隙中流动，在缸筒两端安装有上下两个端盖，为了防止磁流变液溢出，上下端盖加有 O 形圈，提高密封性。缸筒三维图如图 6-14 所示。

图 6-13 内部刚性弹簧

图 6-14 缸筒

将阻尼器主要部件在 UG 软件装配环境中进行静态装配，总装配图如图 6-15 所示。

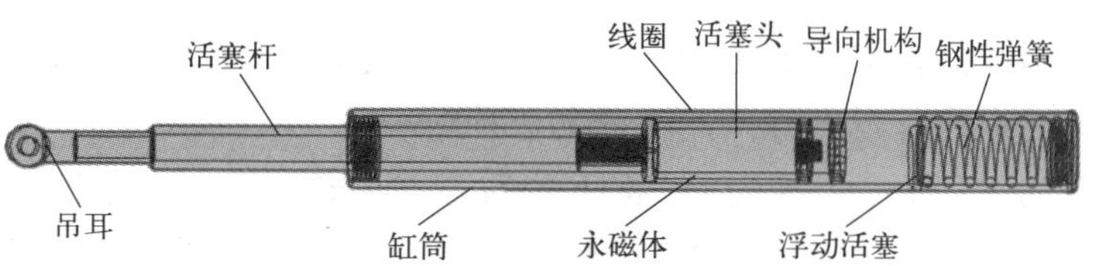

图 6-15 永磁体磁流变阻尼器装配图

本节所设计的永磁体磁流变阻尼器是参考某款磁流变阻尼器进行改进设计的，在原有的磁流变阻尼器基础上增加一个圆柱形永磁体。永磁体的加入使得磁路设计变得复杂，为满足磁路设计的合理性以及最大输出阻尼力大于1000N的要求，在设计之初，对永磁体磁流变阻尼器确定结构参数时需要考虑对磁路设计的影响，两者设计的好坏对阻尼器性能都有较大影响，为此需要反复计算比较，最后综合考虑得到阻尼器主要部件的尺寸如表6-1所示。

表6-1 永磁体磁流变阻尼器结构尺寸

结构名称	代号	尺寸大小 /mm
活塞杆直径	D	20
活塞外径	D_1	29
缸筒内径	D_n	30
缸筒外径	D_w	36
工作间隙	h	0.5
阻尼通道长度	l	10
永磁环内径	D_{yn}	20
永磁环外径	D_{yw}	26
浮动活塞直径	D_f	30
内部弹簧长度	l_t	15

6.2 磁流变阻尼器建模与仿真

6.2.1 馈能型内置永磁环式磁流变阻尼器建模

（1）电磁线圈阻尼通道内磁感应强度计算

由上述设计的馈能型内置永磁环式磁流变阻尼器结构可知，要想建立该种阻尼器力学模型，首先得计算阻尼通道内的磁感应强度。由上述阻尼器工作原理可知，阻尼通道内的磁场由电磁线圈和永磁环两部分提供。因此，可以先分别计算电磁线圈和永磁环在阻尼通道内单独作用所激发的磁感应强度，然后将两部分进行叠加计算出所设计的阻尼器阻尼通道内的磁感应强度。

由单匝电磁线圈在阻尼通道内任意一点产生的磁感应强度叠加，可得到整个电磁线圈在阻尼通道内任意一点所产生的磁感应强度。

设有长度为L、线圈半径为r、总匝数为N、通电电流为I的电磁线圈，S为阻尼通道内任意一点，S点位于XOZ平面内，在电磁线圈上任取一段长度为$\mathrm{d}z$的电磁线圈，则此段电磁线圈在S点产生的磁感应强度如图6-16所示。

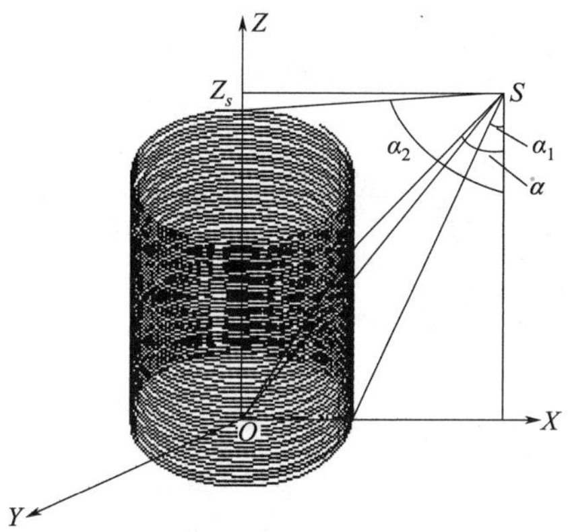

图 6-16　电磁线圈坐标图

S 点的磁感应强度计算公式为：

$$\mathrm{d}\boldsymbol{B}=\frac{3\mu_0 nIr^2(x_s-x)(z_s-z)\mathrm{d}z}{2b^5}\boldsymbol{i}+[\frac{\mu_0 nIr^2}{2b^3}-\frac{3\mu_0 nIr^2(x_s-x)^2}{2b^5}] \tag{6-1}$$

式中，μ_0为真空磁导率；n为电磁线圈的匝数密度（单位长度的线圈匝数）；b为点 S 到微段 d_Z 的距离；x_s、z_s为源点的空间坐标（磁场源位置）；x、z为场点的空间坐标（观测点位置）。

由图 6-16 可得：

$$\sin\alpha=\frac{x-r}{b} \tag{6-2}$$

$$\cos\alpha=\frac{z_s}{b} \tag{6-3}$$

式中，α为电磁线圈上某微段 dz 到目标点 S 的连线与 Z 轴之间的夹角。

则：

$$b=\frac{x-r}{\sin\alpha} \tag{6-4}$$

$$\cos\alpha=\frac{(z_s-z)\sin\alpha}{x-r} \tag{6-5}$$

则：

$$\mathrm{d}\frac{\cos\alpha}{\sin\alpha}=\mathrm{d}\frac{z_p-z}{x-r} \tag{6-6}$$

式中，z_p为目标点S的Z坐标。

则：

$$\frac{-\mathrm{d}\alpha}{(\sin\alpha)^2}=\frac{-\mathrm{d}z}{x-r}\Rightarrow \mathrm{d}z=\frac{x-r}{(\sin\alpha)^2}\mathrm{d}\alpha \tag{6-7}$$

将式（6-2）～式（6-7）代入式（6-1）可得：

$$\mathrm{d}\boldsymbol{B}=\frac{3\mu_0 Ir^2 n(\sin\alpha)^2\cos\alpha}{2(x-r)^2}\mathrm{d}\alpha\boldsymbol{i}+\left[\frac{\mu_0 Ir^2 n\sin\alpha}{2(x-r)^2}-\frac{3\mu_0 Ir^2 n(\sin\alpha)^3}{2(x-r)^2}\right]\mathrm{d}\alpha\boldsymbol{k} \tag{6-8}$$

则整个电磁线圈在S点产生的磁感应强度为：

$$\begin{aligned}\boldsymbol{B}&=\int_{\alpha_1}^{\alpha_2}\mathrm{d}\boldsymbol{B}\\&=\int_{\alpha_1}^{\alpha_2}\left\{\frac{3\mu_0 Ir^2 n(\sin\alpha)^2\cos\alpha}{2(x-r)^2}\mathrm{d}\alpha\boldsymbol{i}+\left[\frac{\mu_0 Ir^2 n\sin\alpha}{2(x-r)^2}-\frac{3\mu_0 Ir^2 n(\sin\alpha)^3}{2(x-r)^2}\right]\mathrm{d}\alpha\boldsymbol{k}\right\}\end{aligned} \tag{6-9}$$

对式（6-9）求定积分可得：

$$\begin{aligned}\boldsymbol{B}=&\frac{\mu_0 Ir^2 n}{2(x-r)^2}[(\sin\alpha_2)^3-(\sin\alpha_1)^3]\boldsymbol{i}+\frac{\mu_0 Ir^2 n}{2(x-r)^2}[-\cos\alpha_2\\&+\cos\alpha_1+(\sin\alpha_2)^2\cos\alpha_2+\frac{2}{3}(\cos\alpha_2)^2-(\sin\alpha_1)^2\cos\alpha_1-\frac{2}{3}(\cos\alpha_1)^2]\end{aligned} \tag{6-10}$$

将上述数据代入式（6-10）可得阻尼通道内磁感应强度与电流之间的关系为：

$$\boldsymbol{B}=0.8130I\boldsymbol{i}+0.2946I\boldsymbol{k} \tag{6-11}$$

至此，完成计算电磁线圈在阻尼通道内产生的磁感应强度，同时得出阻尼通道内磁感应强度与电流的关系，为后期建立悬架系统力学模型与仿真打下基础。

根据上述电磁线圈和永磁环分别在阻尼通道内产生的磁感应强度计算结果，可求得所设计的阻尼器阻尼通道内的磁感应强度为：

$$\begin{aligned}\tilde{\boldsymbol{B}}&=\sqrt{(B_x+B_x')^2+(B_z+B_z')^2}\\&=\sqrt{(0.8130I+0.4753)^2+(0.2946I+0.414)^2}\end{aligned} \tag{6-12}$$

式中，B_x为磁场在X方向的分量；B_z为磁场在Z方向的分量。

至此，完成内置永磁环式磁流变阻尼器阻尼通道内磁感应强度计算。

（2）馈能型内置永磁环式磁流变阻尼器力学模型

由内置永磁环式磁流变阻尼器力学模型和馈能装置力学模型可得所设计的阻尼器力学模型为：

$$
\begin{aligned}
F = & F_\mathrm{d} + F' \\
= & \frac{3\eta l[\pi(D^2-d^2)]^2}{4\pi D h^3}v + \frac{3l\pi(D^2-d^2)}{4h}\times\{-55040\times[(0.8130I+0.4753)^2 \\
& +(0.2946I+0.414)^2]+115180\times\sqrt{(0.8130I+0.4753)^2+(0.2946I+0.414)^2}-6730\} \\
& +\frac{\pi Dl}{h}v+\pi Dl\times\{-55040\times[(0.8130I+0.4753)^2+(0.2946I+0.414)^2] \\
& +115180\times\sqrt{(0.8130I+0.4753)^2+(0.2946I+0.414)^2}-6730\}+\frac{2\pi}{\bar{l}}(\frac{60\kappa v}{\bar{l}}+\frac{2\pi\bar{I}a}{\bar{l}})
\end{aligned}
\tag{6-13}
$$

式中，F 为阻尼器的输出阻尼力；F_d 为基础黏性阻尼力；F' 为与磁流变效应、馈能结构耦合的附加力；η 为磁流变液的动力黏度；l 为阻尼通道的有效长度；D 为阻尼通道的外直径；d 为阻尼器通道的内直径；h 为阻尼通道的间隙宽度；v 为阻尼器的压缩速度；k 为馈能结构的特征参数；I 为励磁线圈的控制电流 。

至此，完成所设计的馈能型内置永磁环式磁流变阻尼器力学模型的建立，为后续半主动悬架的仿真研究做准备。

（3）馈能型内置永磁环式磁流变阻尼器能量收集理论模型

由馈能型内置永磁环式磁流变阻尼器结构特征可知，馈能装置通过克服阻尼器阻尼力做功，达到回收能量的目的。故建立的馈能型阻尼器能量收集理论模型如下：

$$P_1 = W/t = F_\mathrm{d}S/t = F_\mathrm{d}v \tag{6-14}$$

$$P=P_1\eta' \tag{6-15}$$

$$W' = Pt \tag{6-16}$$

式中，W 为阻尼力 F_d 在 S 上做的功；S 为阻尼器活塞位移；P_1 为输入功率；F_d 为馈能型磁流变阻尼器产生的阻尼力；v 为阻尼器的压缩速度；P 为发电功率；η' 为发电机发电效率；W' 为馈能装置在时间 t 内收集的总能，即发电能量。

6.2.2　馈能磁流变阻尼器阻尼特性建模与仿真

馈能磁流变阻尼力的力学建模主要由三部分组成，主要部分是由磁流变液流经带有磁场的阻尼通道时产生的阻尼力 F_c，另一部分是丝杠、齿轮啮合产生的机械摩擦力 F_v，还有一部分则是馈能装置在反电动势下形成的阻尼力 F_g。因此可得出内置滚珠丝杠式馈能阻尼器的数学模型，总阻尼力 F 可表示为：

$$F = F_\mathrm{c} + F_\mathrm{v} + F_\mathrm{g} \tag{6-17}$$

（1）滚珠丝杠与馈能装置阻尼力建模

为了实现阻尼器良好的隔振效果和对阻尼力的精确控制，需要建立准确的阻尼力动力学模型。本节研究了目前关于磁流变阻尼器的几种力学模型，常用的主要有Bingham模型、双线性模型、非线性滞回环双黏滞模型、双Sigmoid模型这几种动力学模型。以上动力学模型都基于阻尼器的力学特性曲线建立，通过方程来拟合特性曲线，同时引入对应实际物理量的参数进行修正，基本可以模拟阻尼器的动力学特性。

由于滚珠丝杠在螺母和螺旋槽之间做滚动摩擦，忽略润滑油的阻力，得出滚珠丝杠阻尼力 F_v 为：

$$F_v = \frac{\pi D_w^2 \left(r_m \dot{\omega}_g\right)^{1.95}}{16g} \tag{6-18}$$

$$\dot{\omega}_g = \frac{2\pi v}{L} \tag{6-19}$$

式中，D_w 为滚珠直径；r_m 为滚珠圆心到轴心距离；$\dot{\omega}_g$ 为角速度；v 为线速度；L 为导程；g 为重力加速度。

馈能装置在反向发电时，会产生反电动势磁场来阻止电机转动，电机的磁场阻力 F_g 可表示为：

$$F_g = \frac{k_e^2(30\dot{\omega}_g L - \pi v n_s)}{30rL} \tag{6-20}$$

$$k_e = \frac{PNn\varphi}{60a} \tag{6-21}$$

式中，k_e 为电机反电动势系数；n_s 为传动比；r 为线圈电阻；n 为转速；φ 为每极磁通；P 为极对数；N 为电枢总导体数；a 为支路对数。

（2）馈能性能建模及仿真

电磁能量捕获装置的电压受转速、传动比和电机反电动势系数影响，可表示为：

$$U = \frac{NPn^2\varphi n_s}{60aL} \tag{6-22}$$

$$P_u = \frac{U^2}{R_u} \tag{6-23}$$

式中，U 为馈能电压；P_u 为馈能功率；R_u 为保护电阻。

根据馈能电压公式可得电磁能量捕获装置所收集到的电压值，假定接入固定电阻50Ω，根据欧姆定律可得出电流值。因此得出振幅与馈能电压、电流之间的仿真结果如图 6-17 所示。由于整流换向齿轮箱进行了机械整流作用，所得出的馈能信号均为正值。

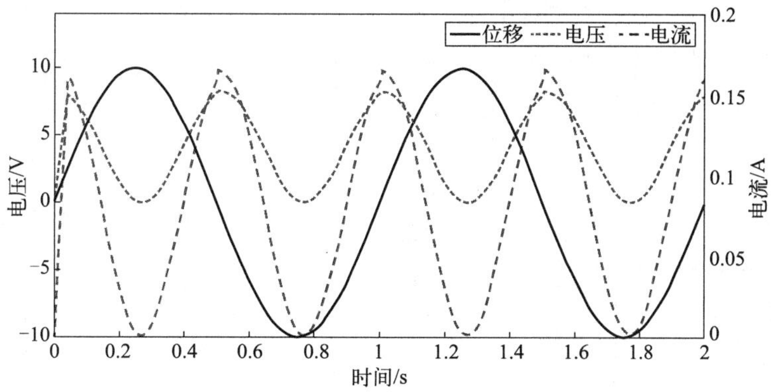

图 6-17　振幅 10mm、频率 1Hz 馈能性能仿真

由图 6-17 可知，通过电磁能量捕获装置收集到的电压可达 8.16V，电流 0.14A，并且波形近似于振幅正弦曲线，峰值出现在速度最大处，由此可见振幅和速度是馈能效率的重要影响参数，后续试验将进行馈能性能的分析对比测试。

6.2.3　永磁体磁流变阻尼器建模与仿真

建立精确的阻尼器力学模型，是研究半主动悬架的前提和基础。首先通过研究永磁体磁流变阻尼器阻尼通道内磁场分布，分别计算线圈和永磁体在阻尼通道内产生的磁场强度后，利用叠加原理，对阻尼通道内的磁场进行叠加处理；建立永磁体磁流变阻尼器力学模型，在此基础上基于 MATLAB/Simulink 建立阻尼器仿真模型，并进行仿真试验。

利用阻尼力与速度以及阻尼力与磁场强度的关系建立的关系式在 MATLAB/Simulink 软件中搭建起仿真图，如图 6-18 所示。在各个模块中输入相关参数，将正弦激励作为模型输入信号。因为磁场强度与电流有关，设置电流分别为−0.6A、0A、0.6A、1A。活塞行程设置为 6mm、10mm、20mm，频率设置为 3Hz，进行仿真试验，得出阻尼力-位移仿真结果图，阻尼力-速度仿真结果图如图 6-19 ～图 6-24 所示。

线条从上至下依次为 1A、0.6A、0A、−0.6A 所对应的关系曲线。由仿真结果可以看出：一方面，随着线圈输入电流的增大，示功曲线所围成的面积也逐渐变大，永磁体磁流变阻尼器输出的阻尼力也越来越大；另一方面，由于加入了永磁体，在没有电流输入线圈时，永磁体能单独提供磁场，阻尼器仍然能提供一定大小的阻尼力，有效地避免了电路出现断路时阻尼器不能发挥作用的故障问题，验证了所加入永磁体的优越性。

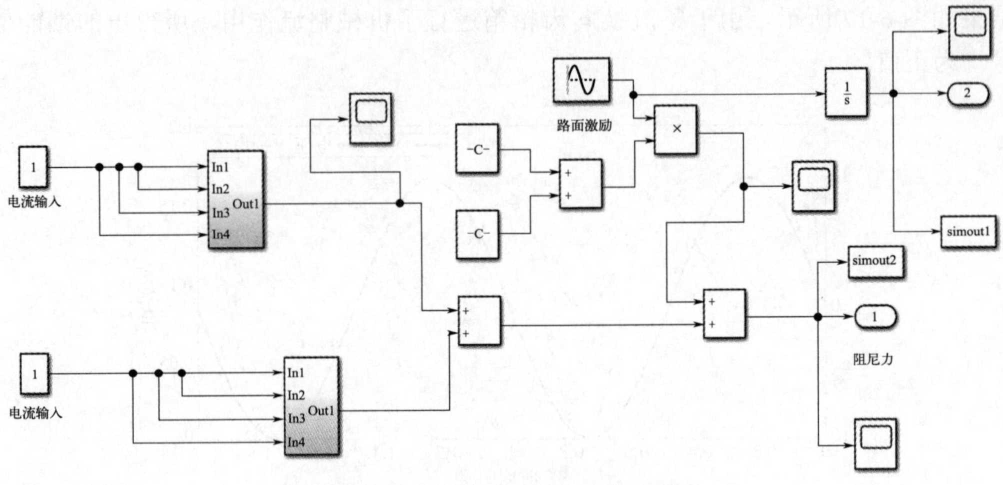

图 6-18 永磁体磁流变阻尼器仿真模型

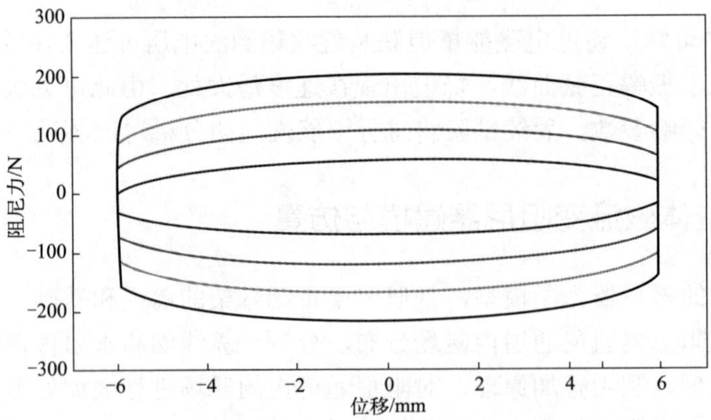

图 6-19 活塞行程为 6mm 的阻尼器位移-阻尼力关系曲线

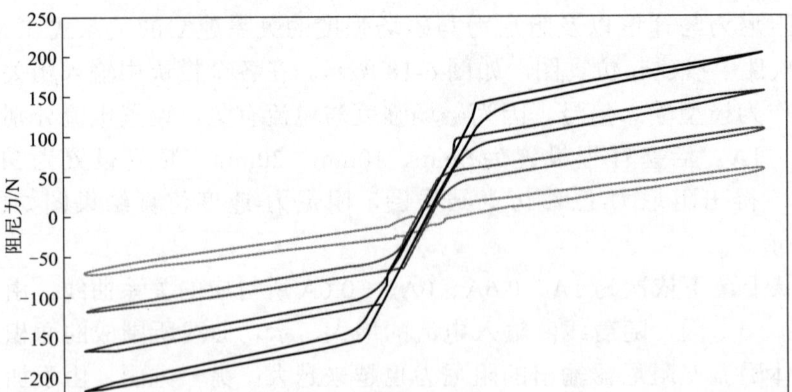

图 6-20 活塞行程为 6mm 的阻尼器速度-阻尼力关系曲线

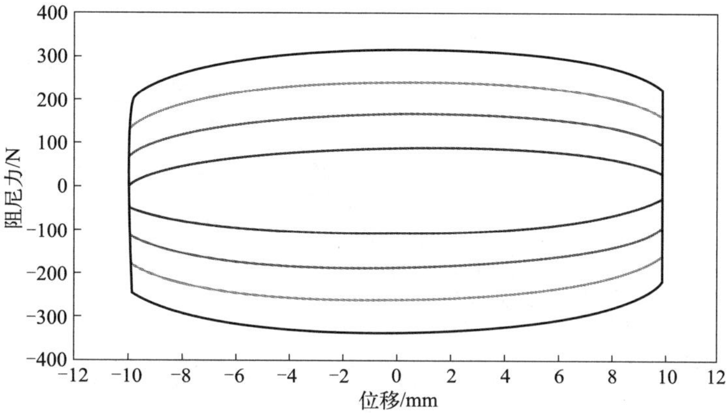

图 6-21　活塞行程为 10mm 的阻尼器位移-阻尼力关系曲线

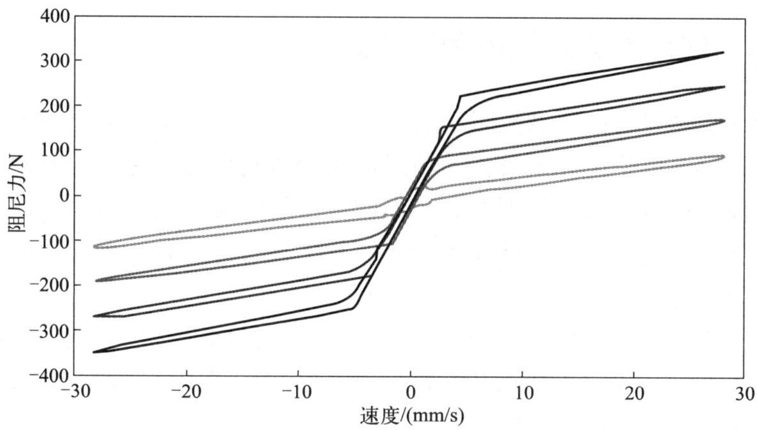

图 6-22　活塞行程为 10mm 的阻尼器速度-阻尼力关系曲线

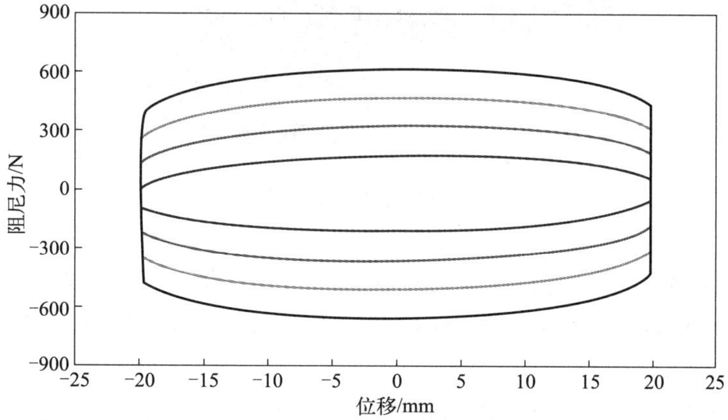

图 6-23　活塞行程为 20mm 的阻尼器位移-阻尼力关系曲线

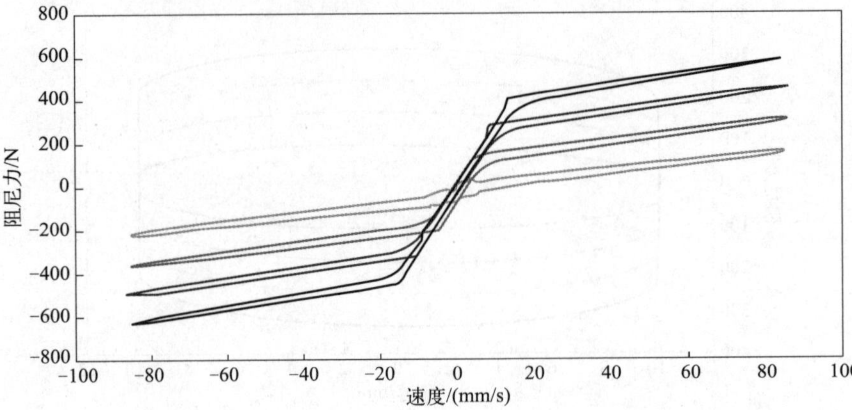

图 6-24 活塞行程为 20mm 的阻尼器速度-阻尼力关系曲线

6.2.4 永磁体磁流变阻尼器台架试验

为了验证所研究的馈能悬架阻尼器的工作性能，需要构建馈能阻尼器试验台进行台架试验。通过试验验证所设计的阻尼器是否达到设定目标，同时检验所建立的阻尼器数学模型和仿真试验是否准确。不同于传统磁流变阻尼器试验，本次试验需要增加馈能特性的测试，因此试验平台增加了相关的传感器及数据采集设备。

（1）试验平台

为了验证所设计的阻尼器是否满足性能要求，根据设计尺寸制作阻尼器实物进行阻尼和馈能试验，其中丝杠以及齿轮采用米思米公司的标准件，其余件采用机加工件制作，所组装的阻尼器如图 6-25 所示。

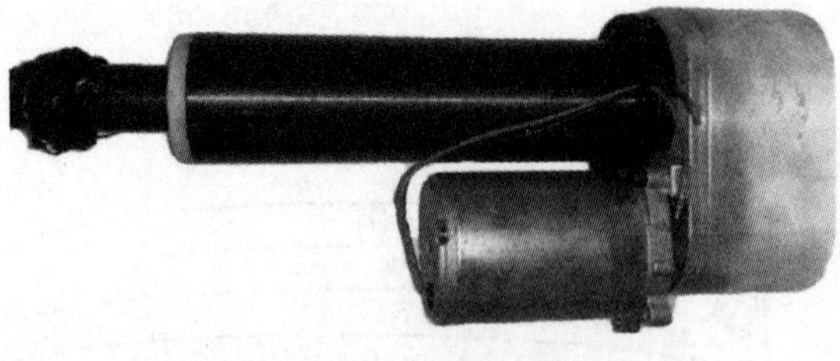

图 6-25 馈能磁流变阻尼器实物图

将丝杠螺母缠绕在漆包线上，使用黄蜡管穿过两头导线，并将导线穿出至阻尼器外部，同时使用环氧树脂胶均匀涂抹在线圈周围，保证线圈外部绝缘。

（2）测试设备

本次试验测试设备包含了长春科新试验仪器有限公司生产的阻尼器振动试验台、深圳市安泰信科技有限公司生产的 BB502-2 型稳压直流电源和西安乐拓精益信息科技有限公司的虚拟示波器，搭建了馈能磁流变阻尼器性能测试系统。

其中振动试验台由两部分组成，分别为试验台架和试验台控制系统，试验台架由台架本体、激振装置、力传感器、位移传感器以及配套供油供电装置组成，如图 6-26（a）所示，试验台控制系统如图 6-26（b）所示。

平台框架：下部安装了供油泵、电机以及配套管路，上部安装有导向杆，起到阻尼器垂向运动的导向作用，保证了设备的平稳运行。

激振装置：安装于台架下部柜体内，使用电机带动偏心轮来产生垂直的位移，并且振动位移可以通过手动调节偏心距来实现。

力传感器：安装于平台框架上部，与阻尼器上连接头刚性连接，用于测量阻尼力的大小，测量范围为−6000 ～ 6000N，测量精度为 ±1N，实物图如图 6-26（c）所示。

位移传感器：安装于台架下部柜体中，一端固定，另一端与激振装置刚性连接，用于测量阻尼器实际位移值，测量范围为 0 ～ 120mm，测量精度为 0.5mm，实物图如图 6-26（d）所示。

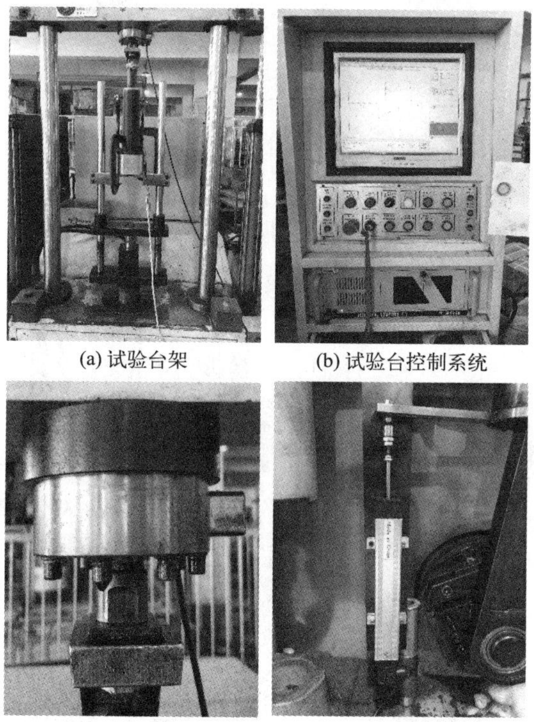

(a) 试验台架　(b) 试验台控制系统

(c) 力传感器　(d) 位移传感器

图 6-26　试验台架

相比于传统磁流变阻尼器试验平台，本节的馈能阻尼器试验台增加了针对电能信号的馈能数据采集装置。采用 OSCA02 型主机作为虚拟示波器，其性能参数参照表 6-2 所示，实物图如图 6-27 所示；同时使用电压传感器 IDM-01 和电流传感器 C05A 进行测量。电压传感器直接并联至阻尼器发电机输出端，电流传感器通过 50Ω 的电阻串联连接至输出端，实现了电压、电流以及功率的实时测量，记录并显示在电脑软件界面。电压传感器和电流传感器实物图分别如图 6-28 和图 6-29 所示。

表6-2 虚拟示波器性能参数

名称	输入耦合	电压测量范围	电流测量范围	传感器接口类型	可测量值	采样间隔	文件存储格式	解码协议
参数	AC/DC	−80 ~ 80V	0 ~ 30A	2 通道 BNC 座	最大值，最小值，平均值，RMS，频率，周期，占空比，幅值	0.1ms ~ 1s	Txt、csv、excel、jpg	CAN、RS-232、RS-485

图 6-27 虚拟示波器主机

图 6-28 电压传感器

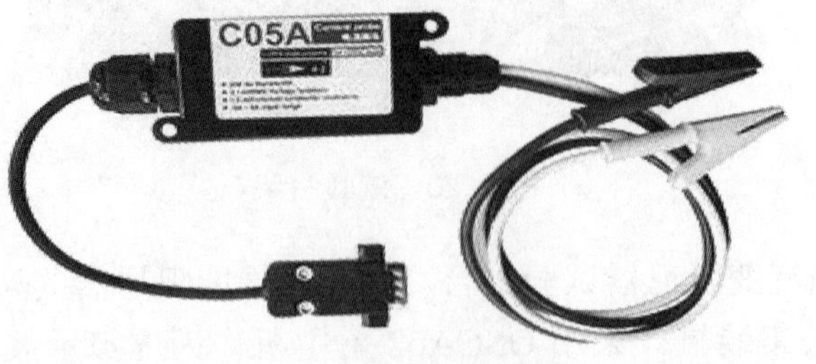

图 6-29 电流传感器

（3）试验方案

阻尼器试验变量参数为振幅、频率以及通电电流，通过测量不同工况下的阻尼力值和电流电压值进行阻尼器的性能测试。试验具体操作步骤如下。

首先启动试验台控制系统，用手动按钮调节台架上下位置直到满足阻尼器安装尺寸要求，将阻尼器上连接头孔套入力传感器销，下部通过两个夹钳将齿轮箱固定在激振平台上，打开顶盖，倒入磁流变液，完成阻尼器的台架安装。

然后将励磁线圈的两根引出线接入稳压直流电源，电流传感器串联接至发电机正负极上，同时串联一个50Ω的保护电阻，电压传感器并联接至发电机正负极上，电流传感器和电压传感器分别接入虚拟示波器A和B通道，虚拟示波器连接计算机，完成所有线路连接。

最后手动调节阻尼器行程螺栓，设置激振频率，同时启动示波器操作软件，调节至合适的电流和电压量程，采集信号频率设置为100次/s，设置试验台控制系统和示波器软件在每次试验结束后输出EXCEL文件，以方便后期进行数据分析和处理，至此完成阻尼器试验的所有步骤。

所搭建的测试平台如图6-30所示。

图6-30　馈能磁流变阻尼器性能测试平台

1—试验台架；2—磁流变阻尼器；3—力传感器；4—激振装置；
5—试验台控制系统；6—稳压直流电源；7—虚拟示波器；8—计算机

（4）示功特性试验

试验以振幅 10mm，频率为 0.25Hz、0.5Hz、1Hz 的正弦波信号作为位移输入，励磁线圈分别输入 0A、0.5A、1A、1.5A 的直流电，进行阻尼力和位移的测试，测试结果如图 6-31（a）～（c）所示。

以振幅 20mm，频率为 0.25Hz、0.5Hz 的正弦波信号作为位移输入，励磁线圈分别输入 0A、0.5A、1A、1.5A 的直流电，进行阻尼力和位移的测试，测试结果如图 6-31（d）～（e）所示。

以振幅 30mm，频率为 0.25Hz 的正弦波信号作为位移输入，励磁线圈分别输入 0A、0.5A、1A、1.5A 的直流电，进行阻尼力和位移的测试，测试结果如图 6-31（f）所示。

根据采集到的各工况下的阻尼力-位移数据，使用 MATLAB 软件绘制的示功图曲线如图 6-31（a）～（f）所示，同时将试验结果与仿真结果进行对比得出如下结论：

① 随着励磁线圈输入电流的增大，阻尼力也在增加，并且示功图分布均匀。台架试验曲线与仿真曲线不同的一点是，仿真曲线光滑，呈现中间大、两边小的椭圆形状；而试验图呈现出不规则的方形，并且边缘波动，这是由丝杠凹槽在不同位

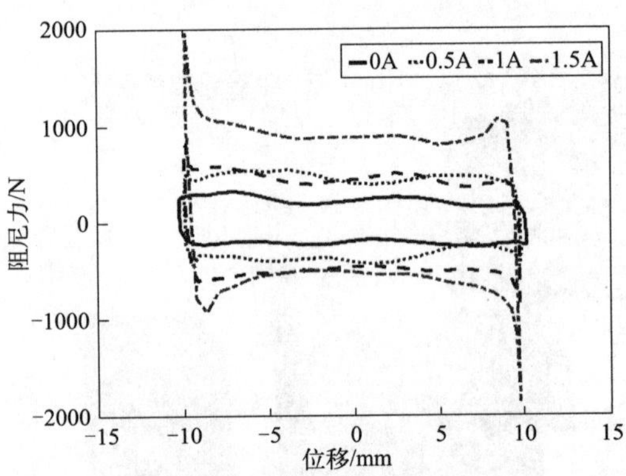

(a) 位移10mm,频率0.25Hz

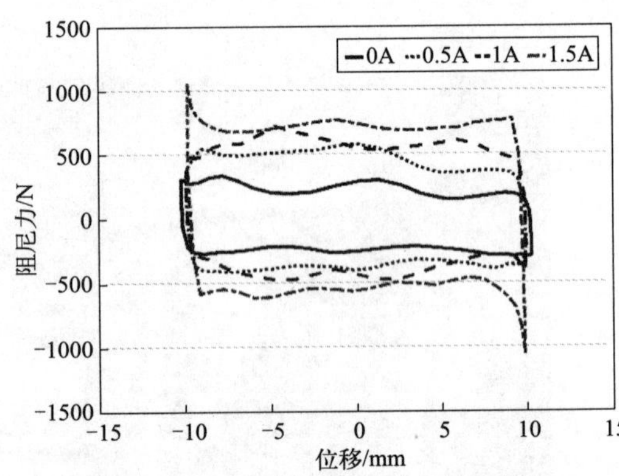

(b) 位移10mm,频率0.5Hz

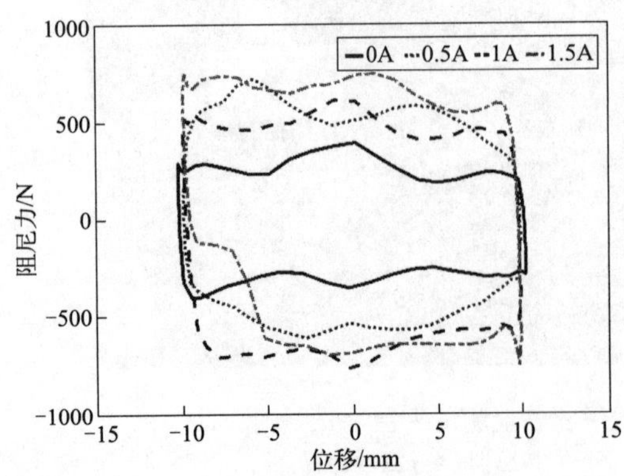

(c) 位移10mm,频率1Hz

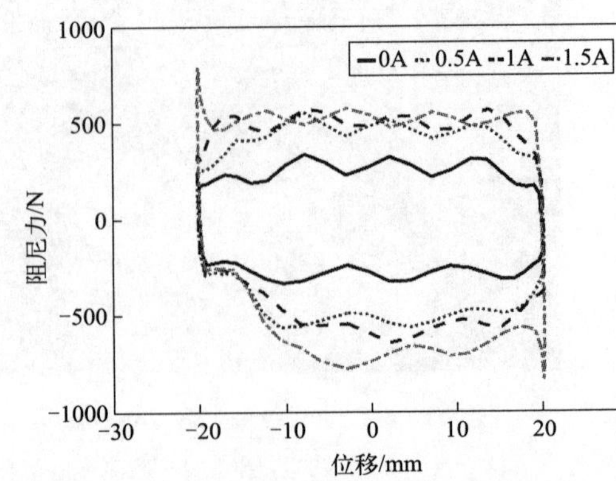

(d) 位移20mm,频率0.25Hz

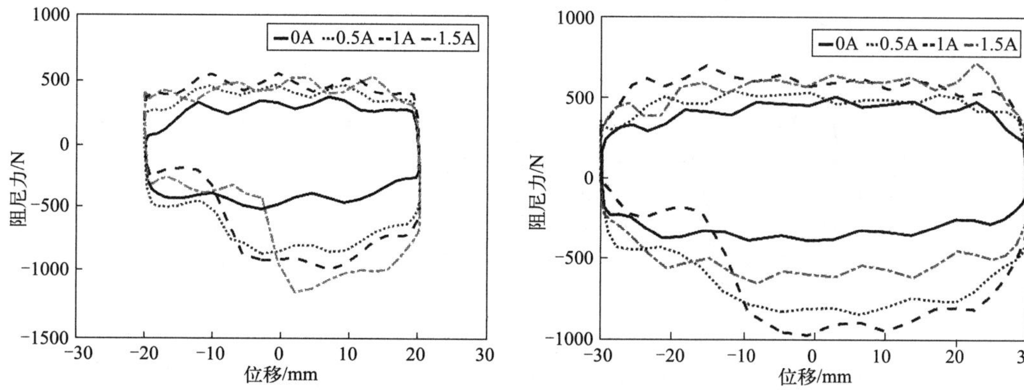

(e) 位移20mm,频率0.5Hz　　(f) 位移30mm,频率0.25Hz

图 6-31　阻尼力-位移测试曲线

置下产生的摩擦力不均所致。在示功图两侧处产生畸变是由活塞头惯性作用在换向时产生惯性力所致。

② 随着频率的加快，阻尼力呈变小趋势；当线圈输入电流为0A时，三种频率下均可以输出400N的阻尼力，试验证明解决了传统MRD在无电流下无法输出阻尼力的弊端。

③ 当振幅为10mm，频率为0.25Hz时，达到试验最大阻尼力要求2000N，满足轿车悬架阻尼力要求，并且试验数据和仿真结果相近，证明了针对馈能阻尼器的建模准确。

④ 馈能特性试验：试验以振幅10mm，频率为0.25Hz、0.5Hz、1Hz的正弦波信号作为位移输入，对励磁线圈输入1.5A的直流电，进行电压和电流的测试，测试结果如图6-32（a）～（c）所示；以振幅20mm，频率为0.25Hz、0.5Hz的正弦波信号作为位移输入，对励磁线圈输入1.5A的直流电，进行电压和电流的测试，测试结果如图6-32（d）～（e）所示；以振幅30mm，频率为0.25Hz的正弦波信号作为位移输入，对励磁线圈输入1.5A的直流电，进行电压和电流的测试，测试结果如图6-32（f）所示。

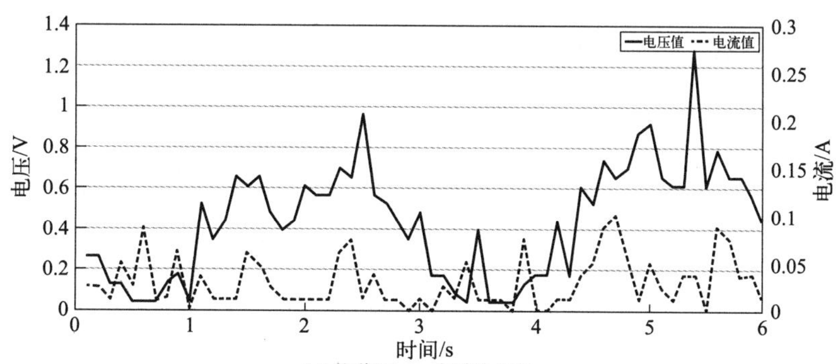

(a) 位移10mm,频率0.25Hz

图 6-32

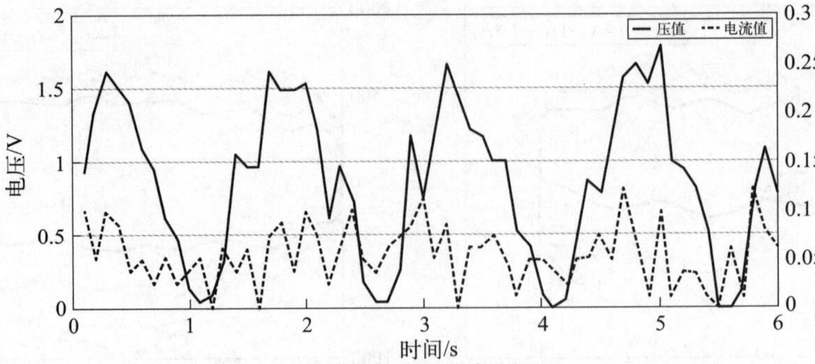

(b) 位移10mm,频率0.5Hz

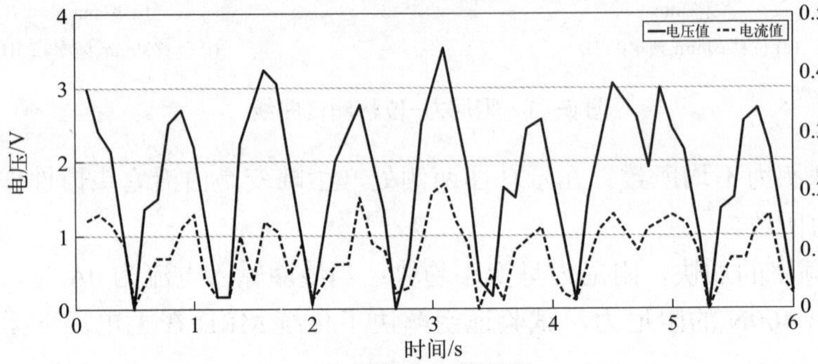

(c) 位移10mm,频率1Hz

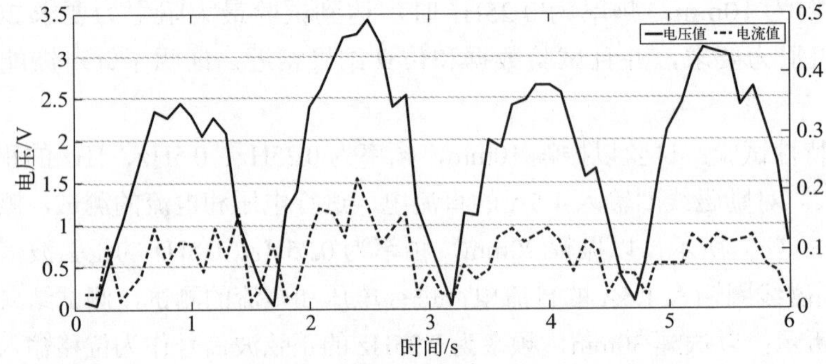

(d) 位移20mm,频率0.25Hz

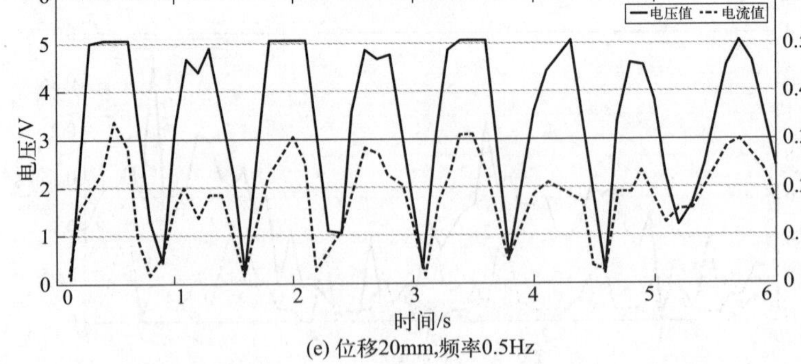

(e) 位移20mm,频率0.5Hz

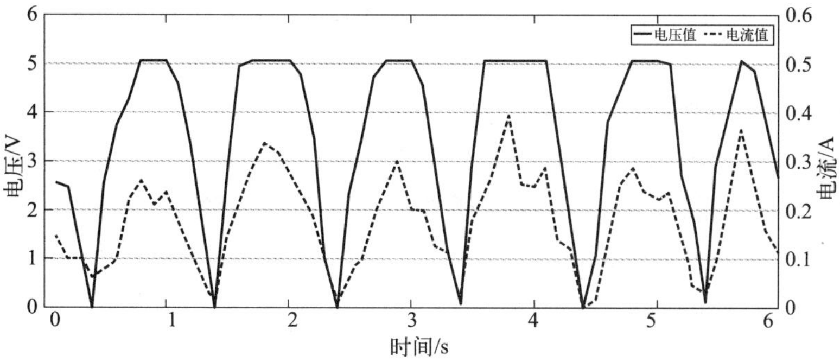

(f) 位移30mm,频率0.25Hz

图 6-32 阻尼器馈能性能试验结果

根据电压电流传感器采集到的信号，利用虚拟示波器进行数据导出，使用 MATLAB 软件进行电压电流-时间的曲线绘制，同时与仿真结果进行对比，得出如下结论：

① 仿真结果与台架试验结果基本一致，偏差较小，说明针对阻尼器馈能信号的建模较精确，可以在一定程度上替代台架试验数据。

② 随着位移的波动，馈能信号也随之波动，电流值和电压值保持同步升降趋势，频率和位移频率保持一致，馈能信号峰值出现在活塞速度最大处。

③ 由于整流增速齿轮箱的作用，电流方向始终保持一致，未出现负值，证明齿轮箱工作稳定。

为了进一步研究馈能磁流变阻尼器的阻尼特性和馈能特性，根据试验数据整理得出的最大阻尼力、最小阻尼力、馈能电压幅值和馈能电流幅值。试验结果表明，阻尼力受输入电流影响，输入电流越大，阻尼力越大，与仿真结果趋势相同；阻尼力还受频率和位移影响，频率越高，位移越大，阻尼力越大。

总之，建立了馈能阻尼器的试验台架和阻尼器样件，根据制定的试验方案分别进行了阻尼力性能试验和馈能性能试验。根据试验结果分析，所设计的阻尼器满足了悬架的阻尼力输出要求，并且还具有一定的能量捕获能力。

6.3 磁流变阻尼器半主动悬架系统控制算法研究

6.3.1 滑模控制器

滑模控制（Sliding Mode Control,SMC）是一种特殊的非线性控制，其特点在于系统的“结构”并不是固定的，而是根据当前的状态有目的地不断变化。因滑模控制的滑动模态可以设计且与系统参数以及扰动无关，故这种控制具有物理实现简单、响应速度快、对系统建模误差与匹配不确定性具有良好的鲁棒性等优点。因此，对汽车半主动悬架滑模控制研究具有重要的意义。

目前，将滑模控制运用到汽车半主动悬架控制系统中主要是利用实际被控系统与参考模型之间的误差来设计滑模控制器的。本章将针对 2 自由度 1/4 车体悬架动力学模型，结合滑模控制理论，设计出一个多输入系统的滑模控制器，并以此为基础对半主动悬架控制系统进行研究。

（1）滑模控制器设计

设存在一个控制系统为：

$$\dot{\boldsymbol{x}} = f(\boldsymbol{x},\boldsymbol{u},t) \qquad \boldsymbol{x} \in R^n, \boldsymbol{u} \in R^m, t \in R \tag{6-24}$$

式中，$\boldsymbol{x}$ 为系统的状态向量，维度为 n；$\boldsymbol{u}$ 为控制输入向量，维度为 m；t 为时间变量；R 为实数集。$f(\boldsymbol{x}, \boldsymbol{u}, t)$ 为描述系统动态的非线性函数，它定义了状态 $\boldsymbol{x}$ 如何随时间演化，受控制输入 $\boldsymbol{u}$ 和时间 t 的影响。

其切换函数为：

$$\boldsymbol{s}(\boldsymbol{x}), \boldsymbol{s} \in R^m \tag{6-25}$$

式中，$\boldsymbol{s}$ 为 m 维切换函数向量。$\boldsymbol{s}(\boldsymbol{x})$ 为切换函数，它是状态向量 $\boldsymbol{x}$ 的函数，用于定义滑模控制的切换面。

则控制函数为：

$$u = \begin{cases} u^+(x), \boldsymbol{s}(\boldsymbol{x}) > 0 \\ u^-(x), \boldsymbol{s}(\boldsymbol{x}) < 0 \end{cases} \tag{6-26}$$

式中，$u^+(x) \neq u^-(x)$。

为实现滑模控制，需满足三个条件，即：

① 滑动模态存在，即满足式（6-26）；

② 满足可达性条件，即在切换面以外运动的点都将在有限时间内运动到切换面上；

③ 需保证滑模运动的稳定性。

达到以上三个条件后便可实现滑模控制。

滑模控制器的设计包括滑模切换函数的设计和滑模动态控制律的设计。

（2）滑模切换函数设计

$$\begin{cases} (m_s + c)\ddot{x}_s - c\ddot{x}_t + (a+b)\dot{x}_s - (a+b)\dot{x}_t + k_s x_s - k_s x_t \\ = -u(m_t + c)\ddot{x}_t - c\ddot{x}_s - (a+b)\dot{x}_s + (a+b)\dot{x}_t - k_s x_s + (k_s + k_t)x_t - k_t x_r = u \end{cases} \tag{6-27}$$

$$\Rightarrow\begin{cases}(m_s+c)(m_t+c)\ddot{x}_s-c(m_t+c)\ddot{x}_t+(m_t+c)(a+b)\dot{x}_s-(m_t+c)(a+b)\dot{x}_t\\+k_s(m_t+c)x_s-k_s(m_t+c)x_t=-(m_t+c)u\\c(m_t+c)\ddot{x}_t-c^2\ddot{x}_s-c(a+b)\dot{x}_s+c(a+b)\dot{x}_t-ck_sx_s+c(k_s+k_t)x_t-ck_tx_r=cu\end{cases}$$

（6-28）

$$\Rightarrow\begin{cases}(m_sm_t+cm_s+cm_t)\ddot{x}_s+[(m_t+c)(a+b)-c(a+b)]\dot{x}_s\\-[(m_t+c)(a+b)-c(a+b)]\dot{x}_t+m_tk_sx_s-(m_tk_s+ck_t)x_t-ck_tx_r\\=-m_tu(m_sm_t+cm_s+cm_t)\ddot{x}_t-m_s(a+b)\dot{x}_s\\+m_s(a+b)\dot{x}_t-m_sk_sx_s+(m_sk_s+m_sk_t+ck_t)x_t-(m_s+c)k_tx_r\\=(m_s+c)u\end{cases}\tag{6-29}$$

$$\Rightarrow\begin{cases}\ddot{x}_s=-\dfrac{m_t(a+b)}{m_sm_t+cm_s+cm_t}\dot{x}_s+\dfrac{m_t(a+b)}{m_sm_t+cm_s+cm_t}\dot{x}_t-\dfrac{m_tk_s}{m_sm_t+cm_s+cm_t}x_s\\+\dfrac{m_tk_s+ck_t}{m_sm_t+cm_s+cm_t}x_t+\dfrac{ck_t}{m_sm_t+cm_s+cm_t}x_r-\dfrac{m_t}{m_sm_t+cm_s+cm_t}u\\\ddot{x}_t=\dfrac{m_s(a+b)}{m_sm_t+cm_s+cm_t}\dot{x}_s-\dfrac{m_s(a+b)}{m_sm_t+cm_s+cm_t}\dot{x}_t+\dfrac{m_sk_s}{m_sm_t+cm_s+cm_t}x_s\\-\dfrac{m_sk_s+m_sk_t+ck_t}{m_sm_t+cm_s+cm_t}x_t+\dfrac{(m_s+c)k_t}{m_sm_t+cm_s+cm_t}x_r+\dfrac{m_s+c}{m_sm_t+cm_s+cm_t}u\end{cases}\tag{6-30}$$

式中，m_s 为车身质量；m_t 为车轮质量；c 为悬架阻尼；a、b 为与悬架结构连接刚度相关的系数；k_s 为悬架弹簧刚度；k_t 为轮胎刚度；x_s 为车身垂直位移；x_t 为车轮垂直位移；x_r 为路面输入位移；u 为半主动悬架的控制输入。

选取系统状态变量为：$\boldsymbol{X}=\begin{bmatrix}\dot{x}_s & x_s & x_t & \dot{x}_t & x_r\end{bmatrix}$；输入变量为 $\boldsymbol{U}$；车轮路面输入为 $\boldsymbol{W}$，则系统的状态方程可表示为

$$\dot{\boldsymbol{X}}=\boldsymbol{AX}+\boldsymbol{BU}+\boldsymbol{EW}\tag{6-31}$$

式中，$\boldsymbol{A}$ 为系统输入矩阵；$\boldsymbol{B}$ 为控制矩阵；$\boldsymbol{E}$ 为扰动矩阵。

$$\boldsymbol{A}=\begin{bmatrix}-\dfrac{m_t(a+b)}{m_sm_t+cm_s+cm_t} & -\dfrac{m_tk_s}{m_sm_t+cm_s+cm_t} & \dfrac{m_tk_s+ck_t}{m_sm_t+cm_s+cm_t} & \dfrac{m_t(a+b)}{m_sm_t+cm_s+cm_t}\\1 & 0 & 0 & 0\\0 & 0 & 0 & 1\\\dfrac{m_s(a+b)}{m_sm_t+cm_s+cm_t} & \dfrac{m_sk_s}{m_sm_t+cm_s+cm_t} & -\dfrac{m_sk_s+m_sk_t+ck_t}{m_sm_t+cm_s+cm_t} & -\dfrac{m_s(a+b)}{m_sm_t+cm_s+cm_t}\end{bmatrix}$$

$$\boldsymbol{B}=\begin{bmatrix} -\dfrac{m_t}{m_s m_t + cm_s + cm_t} \\ 0 \\ 0 \\ \dfrac{m_s + c}{m_s m_t + cm_s + cm_t} \end{bmatrix}$$

$$\boldsymbol{E}=\begin{bmatrix} \dfrac{ck_t}{m_s m_t + cm_s + cm_t} \\ 0 \\ 0 \\ \dfrac{(m_s + c)k_t}{m_s m_t + cm_s + cm_t} \end{bmatrix}$$

则 2 自由度 1/4 车体悬架系统状态方程和滑模切换函数为：

$$\begin{cases} \dot{\boldsymbol{X}} = \boldsymbol{AX} + \boldsymbol{BU} + \boldsymbol{EW} \\ \boldsymbol{S} = \boldsymbol{CX} \end{cases} \tag{6-32}$$

式中，$\boldsymbol{S}$为滑模面矩阵；$\boldsymbol{C}$为系数矩阵。

（3）滑模控制律的设计

在设计切换函数时通常先忽略状态方程中的外部扰动，然后在滑模控制律的设计中再加以考虑。

因 rank（$\boldsymbol{B}$）=1，$\boldsymbol{B}$ 为列满秩，则 $\boldsymbol{B}$ 可分解为：

$$\boldsymbol{B} = \begin{bmatrix} \boldsymbol{B}_1 \\ \boldsymbol{B}_2 \end{bmatrix} \tag{6-33}$$

其中：

$$\boldsymbol{B}_1 = \begin{bmatrix} -\dfrac{m_t}{m_s m_t + cm_s + cm_t} \\ 0 \\ 0 \end{bmatrix}$$

$$\boldsymbol{B}_2 = \frac{m_s + c}{m_s m_t + cm_s + cm_t}$$

由 $\det(\boldsymbol{B}_2) \neq 0$，故存在一个非奇异线性变换矩阵 $\boldsymbol{Q}$ 使得

$$\boldsymbol{X}' = \boldsymbol{Q}\boldsymbol{X}$$

则式（6-33）可转变为：

$$\begin{cases} \dot{\boldsymbol{X}}' = \boldsymbol{A}'\boldsymbol{X}' + \boldsymbol{B}'\boldsymbol{U} + \boldsymbol{E}\boldsymbol{W} \\ \boldsymbol{S}' = \boldsymbol{C}'\boldsymbol{X}' \end{cases} \tag{6-34}$$

其中：

$$\boldsymbol{Q} = \begin{bmatrix} \boldsymbol{I}_3 & -\boldsymbol{B}_1\boldsymbol{B}_2^{-1} \\ 0 & 1 \end{bmatrix} = \begin{bmatrix} 1 & 0 & 0 & \dfrac{m_t}{m_s + c} \\ 0 & 1 & 0 & 0 \\ 0 & 0 & 1 & 0 \\ 0 & 0 & 0 & 1 \end{bmatrix}$$

$$\boldsymbol{A}' = \boldsymbol{Q}\boldsymbol{A}\boldsymbol{Q}^{-1} = \begin{bmatrix} -\dfrac{cm_s(a+b)}{(c+m_s)(m_s m_t + cm_s + cm_t)} & -\dfrac{ck_s m_t}{(c+m_s)(m_s m_t + cm_s + cm_t)} & \dfrac{c^2 k_t + ck_s m_t + cm_s k_t - cm_t k_t - m_t m_s k_t}{(c+m_s)(m_s m_t + cm_s + cm_t)} & \dfrac{m_t(a+b)(c + cm_t + m_s m_t - cm_s - m_s^2)}{(c+m_s)(m_s m_t + cm_s + cm_t)} \\ 1 & 0 & 0 & -\dfrac{m_t}{m_s + c} \\ 0 & 0 & 0 & 1 \\ \dfrac{m_s(a+b)}{m_s m_t + cm_s + cm_t} & \dfrac{k_s m_s}{m_s m_t + cm_s + cm_t} & -\dfrac{ck_t + k_s m_s + k_t m_s}{m_s m_t + cm_s + cm_t} & -\dfrac{m_s(a+b)(c + m_s + m_t)}{(c+m_s)(m_s m_t + cm_s + cm_t)} \end{bmatrix}$$

$$= \begin{bmatrix} \boldsymbol{A}'_{11} & \boldsymbol{A}'_{12} \\ \boldsymbol{A}'_{12} & \boldsymbol{A}'_{22} \end{bmatrix}$$

$$\boldsymbol{B}' = \boldsymbol{Q}\boldsymbol{B} = \begin{bmatrix} 0 \\ 0 \\ 0 \\ \dfrac{c + m_s}{m_s m_t + cm_s + cm_t} \end{bmatrix} = \begin{bmatrix} 0 \\ \boldsymbol{B}'_2 \end{bmatrix}$$

$$\boldsymbol{B}'_2 = \frac{c + m_s}{m_s m_t + cm_s + cm_t}$$

$$C' = CQ^{-1} = \begin{bmatrix} C_1' & C_2' \end{bmatrix}$$

经过上述变换后，原系统状态方程和切换函数可转化为形式上的二次型如式（6-35）所示。

$$\begin{cases} \dot{X}_1' = A_{11}'X_1' + A_{12}'X_2' \\ \dot{X}_2' = A_{21}'X_1' + A_{22}'X_2' + B_2'U \\ S' = C_1'X_1' + C_2'X_2' \end{cases} \tag{6-35}$$

设计滑模控制器必须确定滑模切换函数系数矩阵 C 中各元素的值。本章将采用极点配置法来确定系数矩阵 C。根据滑模控制实现条件可知，需满足滑模运动条件，即：

$$\begin{cases} S' = C_1'X_1' + C_2'X_2' = 0 \\ \dot{S}' = C_1'\dot{X}_1' + C_2'\dot{X}_2' = 0 \end{cases} \tag{6-36}$$

将式（6-36）代入式（6-35）中可得：

$$\dot{X}_1' = (A_{11}' - A_{12}'C_2'^{-1}C_1')X_1' \tag{6-37}$$

设有 $F = C_2'^{-1}C_1'$，使得（$A_{11}' - A_{12}'F$）的极点均在复平面的左半平面内。

根据上述系统，求得可满足条件的 F 为：

$$F = \begin{bmatrix} 19.8823 & -0.0657 & 17.2742 \end{bmatrix}$$

则：

$$C' = \begin{bmatrix} C_1' & C_2' \end{bmatrix} = \begin{bmatrix} C_2'F & C_2' \end{bmatrix}$$

取 $C_2' = I$，

则：

$$C' = \begin{bmatrix} 19.8823 & -0.0657 & 17.2742 & 1 \end{bmatrix}$$

则：

$$C = C'Q = \begin{bmatrix} 19.8823 & -0.0657 & 17.2742 & 3.4763 \end{bmatrix}$$

至此，根据 2 自由度 1/4 车体悬架力学模型和滑模控制理论，完成了切换函数的设计。

在完成滑模控制切换函数设计后，根据 2 自由度 1/4 车体悬架力学模型，启动控制量 U_f，进入滑态 $S = 0$，本章采用指数趋近律，取指数趋近律为：

$$\frac{\mathrm{d}S}{\mathrm{d}t} = -\varepsilon \mathrm{sign}(S) - kS \tag{6-38}$$

则方程（6-33）可转化为：

$$\begin{cases}\dot{\boldsymbol{X}} = \boldsymbol{AX} + \boldsymbol{BU}_f + \boldsymbol{EW} \\ \boldsymbol{S} = \boldsymbol{CX}\end{cases} \tag{6-39}$$

将式（6-38）代入式（6-37）可得：

$$\boldsymbol{U} = -(\boldsymbol{CB})^{-1}\boldsymbol{CAX} - (\boldsymbol{CB})^{-1}\boldsymbol{CEW} - \varepsilon\text{sign}(\boldsymbol{S}) - k\boldsymbol{S} \tag{6-40}$$

式中，ε与k为可调参数。

至此，完成滑动模态控制律的设计。同时，通过式（6-40）即可实现半主动悬架的滑模控制。

6.3.2　果蝇优化算法概述

群智能优化算法主要运用在寻优问题中，是人们受到自然界规律的启发，根据其原理，利用数学语言对种群内的生物间相互竞争与合作的规律进行描述，并用仿真软件找出寻优问题的最优解而提出的一系列模仿求解问题的算法。

目前，国内外对群智能优化算法的研究有很多，常见的群智能优化算法主要包括蚁群优化算法、粒子群优化算法、鱼群优化算法以及萤火虫优化算法等。果蝇优化算法 (Fruit Fly Optimization Algorithm，FOA) 是一种新颖的群智能优化算法，其优点在于具有良好的全局优化性能。相对于其他群智能算法，果蝇算法具有复杂度小、编程易于实现、稳定性较好、参数少且计算量小等优点。目前，国内外学者们对果蝇优化算法进行了许多研究，将该算法应用于众多领域，并取得了良好的效果。因此，本章将运用果蝇优化算法对滑模控制器的参数进行寻优。

果蝇优化算法是通过模仿果蝇觅食过程而提出的。果蝇根据在空气中搜索到的气味而向食物或同伴聚合地点的方位飞行。由果蝇觅食的特性，可将果蝇优化算法的步骤分为以下几步。

① 随机初始化果蝇群体位置（X、Y）、种群大小 n 以及迭代次数；

② 赋予果蝇个体觅食的随机距离（X_i、Y_i）与方向

$$X_i = X + \text{Random} \quad \text{Value} \tag{6-41}$$

$$Y_i = Y + \text{Random} \quad \text{Value} \tag{6-42}$$

③ 估计食物位置与原点的距离 Dist，计算出味道浓度判定值 S

$$\text{Dist} = \sqrt{X_i^2 + Y_i^2} \tag{6-43}$$

$$S = \frac{1}{\text{Dist}} \tag{6-44}$$

④ 将味道浓度判定值 S 代入味道浓度判定函数中，分别求出各个果蝇个体的味道浓度 Smelli

$$\text{Smelli} = \text{Function}(S_i) \tag{6-45}$$

⑤ 找出该果蝇群体中味道浓度最佳的果蝇

$$[\text{bestSmell} \quad \text{bestIndex}] = \max(\text{Smell}) \tag{6-46}$$

⑥ 保留最佳的味道浓度与 X、Y 的坐标，使果蝇群体飞向该位置，其中：

$$\text{Smellbest} = \text{bestSmell} \tag{6-47}$$

$$X_{\text{axis}} = X(\text{bestIndex}) \tag{6-48}$$

$$Y_{\text{axis}} = Y(\text{bestIndex}) \tag{6-49}$$

⑦ 重复执行步骤⑤，并判断味道浓度是否优于前一次迭代的味道浓度，若优于则执行步骤⑥。

6.3.3 FOA-SMC 算法

本书将结合了果蝇优化算法的滑模控制策略简称为 FOA-SMC。利用果蝇算法寻找滑模控制器最佳参数，需确定果蝇算法的适应度函数。2 自由度 1/4 车体悬架性能指标包括车身加速度 $\ddot{x}_s$、动挠度 $(x_s - x_t)$ 以及车身位移 x_s。故本节所采用的果蝇算法的适应度函数如式（6-50）所示。

$$\begin{cases} f(x) = \dfrac{AVB(x)}{AVB_{\text{pas}}} + \dfrac{SWS(x)}{SWS_{\text{pas}}} + \dfrac{DTD(x)}{DTD_{\text{pas}}} \\ AVB(x) < AVB_{\text{pas}} \\ SWS(x) < SWS_{\text{pas}} \\ DTD(x) < DTD_{\text{pas}} \end{cases} \tag{6-50}$$

式中，$AVB(x)$ 为车身加速度 $\ddot{x}_s$ 的均方根值；$SWS(x)$ 为动挠度 $(x_s - x_t)$ 的均方根值；$DTD(x)$ 为车身位移 x_s 的均方根值。

由果蝇优化算法步骤寻找出滑模控制器可调参数最优值的过程如下：

① 分别计算出被动悬架 $AVB(x)$、$SWS(x)$、$DTD(x)$ 数值；

② 随机初始化果蝇群体位置（X、Y）、种群大小 n 以及迭代次数；

③ 赋予果蝇个体觅食的随机距离（X_i、Y_i）与方向；

④ 预估食物位置与原点的距离 $D_i = \sqrt{X_i^2 + Y_i^2}$，并计算出味道浓度判定值 $S_i = \dfrac{1}{D_i}$；

⑤ 利用 S_i 乘以 ε、k 的初始值得到新的 ε、k 值，并代入滑模控制仿真模型，得到 $AVB(x)$、$SWS(x)$、$DTD(x)$ 数值，计算出 $f(x)$ 值，获得味道浓度判定值；

⑥ 找出 $f(x)$ 的最小值；

⑦ 保留最佳浓度值与种群位置；

⑧ 重复执行步骤③～⑥进行迭代寻优，对比该次迭代所得最小值与上次迭代所得最小值，若前者小于后者，则执行步骤⑦，否则继续寻优，并判断迭代次数是不是达到最大迭代次数，若是，则结束程序，否则执行步骤⑧继续寻优。

6.3.4　半主动悬架仿真计算

为了检验所设计的滑模控制器和果蝇优化算法对悬架控制的效果以及馈能型阻尼器的能量回收效率，将利用 MATLAB/Simulink 仿真软件以多种工况下的输入信号作为路面输入进行仿真建模，并将仿真结果与传统被动悬架以及 PID 控制所得仿真结果进行对比分析。1/4 车体悬架动力学模型参数如下：m_s=330kg，m_t=50kg，k_s=20000N/m，k_t=210000N/m。

（1）白噪声输入信号仿真实验

以白噪声信号作为路面输入信号，分别模拟汽车在 A、B、C 三种路面上行驶，取路面不平度系数 $G_q(n_0)$ 分别为 $16\times10^{-6}\text{m}^3$、$64\times10^{-6}\text{m}^3$、$256\times10^{-6}\text{m}^3$，车速分别取 40m/s 与 60m/s，参考空间频率为 $n_0=0.1\text{m}^{-1}$。利用 MATLAB/Simulink 软件建立路面输入仿真模型，获得上述三种路面输入信号如图 6-33 所示。

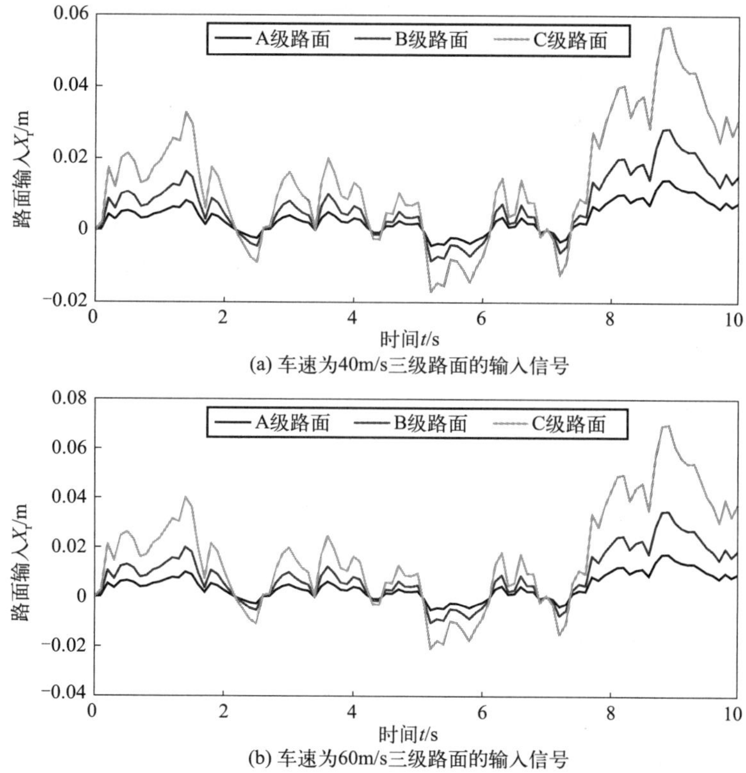

图 6-33　路面输入信号曲线

① 工况 A：A 级路面 40m/s 速度仿真实验。为了进一步对所设计的滑模控制器和果蝇优化算法对悬架系统的控制效果进行说明，此处将分别计算出仿真所得车身加速度、车身位移以及动挠度的均方根值并加以比较分析，结果如表 6-3 所示。

表6-3　A级路面40m/s速度仿真实验结果对比

评价指标	被动悬架	PID 控制	SMC	FOA-SMC
车辆动挠度均方根 /mm	1.396	1.374	1.297	1.316
车身加速度均方根 / (m/s^2)	0.175	0.174	0.133	0.118
车身位移均方根 /mm	5.453	5.432	4.888	4.825

由表 6-3 可以看出，在 A 级路面 40m/s 速度工况下，以白噪声信号作为输入信号的仿真实验中，与传统被动悬架相比，PID 控制对车辆动挠度均方根值、车身加速度均方根值以及车身位移均方根值的改善程度分别是：1.58%、0.57% 和 0.39%；SMC 对车辆动挠度均方根值、车身加速度均方根值以及车身位移均方根值的改善程度分别是：7.09%、24.00% 和 10.36%；FOA-SMC 对车辆动挠度均方根值、车身加速度均方根值以及车身位移均方根值的改善程度分别是：5.73%、32.57% 和 11.52%。由此可见，在 A 级路面 40m/s 速度工况下，所设计的滑模控制器和果蝇优化算法可有效地提高汽车行驶过程中的乘坐舒适性和操纵稳定性。

② 工况 B：B 级路面 40m/s 速度仿真实验。完成仿真实验后，工况为 B 级路面 40m/s 速度的仿真实验结果如图 6-34 所示。

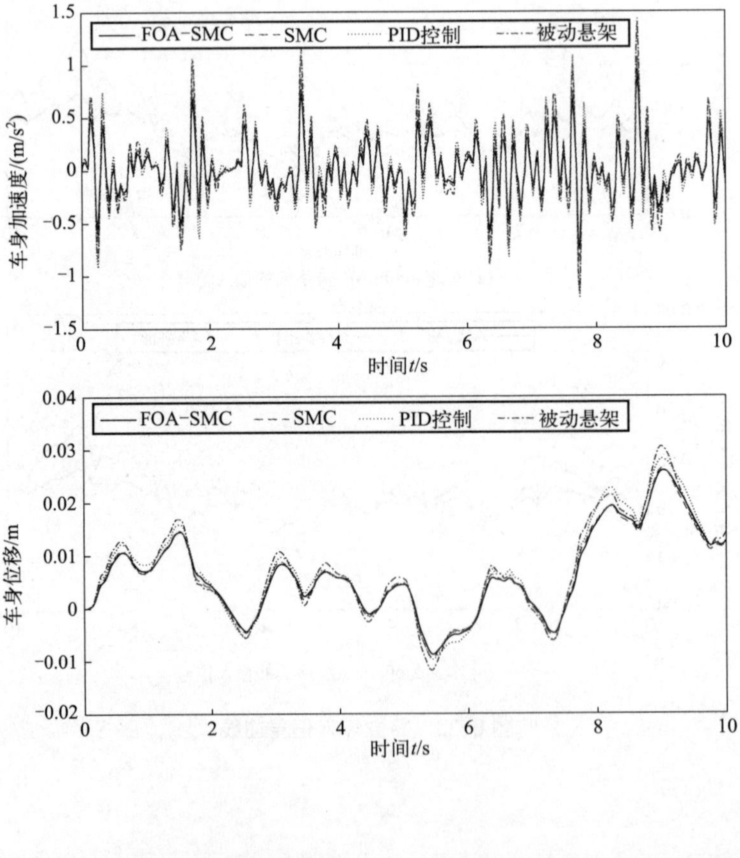

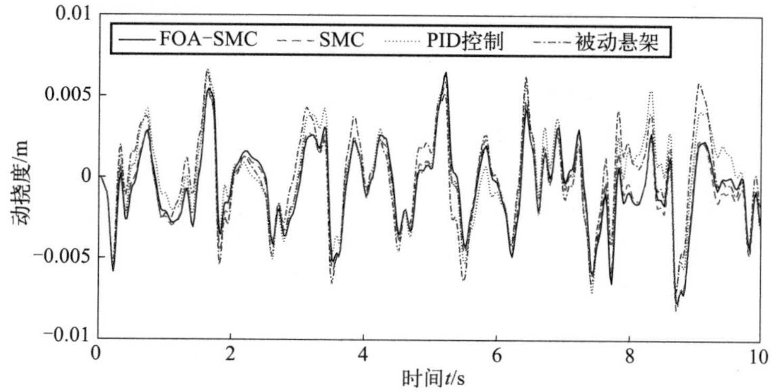

图 6-34 B 级路面 40m/s 速度仿真实验曲线

为了进一步对所设计的滑模控制器和果蝇优化算法对悬架系统的控制效果进行说明，此处将分别计算出仿真所得车身加速度、车身位移以及动挠度的均方根值并加以比较分析，结果如表 6-4 所示。

表6-4 B级路面40m/s速度仿真实验结果对比

评价指标	被动悬架	PID 控制	SMC	FOA-SMC
车辆动挠度均方根 /mm	2.796	2.751	2.595	2.629
车身加速度均方根 / (m/s^2)	0.351	0.348	0.267	0.235
车身位移均方根 /mm	10.92	10.88	9.827	9.638

由表 6-4 可以看出，在 B 级路面 40m/s 速度工况下，以白噪声信号作为输入信号的仿真实验中，与传统被动悬架相比，PID 控制对车辆动挠度均方根值、车身加速度均方根值以及车身位移均方根值的改善程度分别是：1.61%、0.85% 和 0.37%；SMC 对车辆动挠度均方根值、车身加速度均方根值以及车身位移均方根值的改善程度分别是：7.19%、23.93% 和 10.01%；FOA-SMC 对车辆动挠度均方根值、车身加速度均方根值以及车身位移均方根值的改善程度分别是：5.97%、33.05% 和 11.74%。由此可见，在 B 级路面 40m/s 速度工况下，所设计的滑模控制器和果蝇优化算法可有效地提高汽车行驶过程中的乘坐舒适性和操纵稳定性。

③ 工况 C：C 级路面 40m/s 速度仿真实验。完成仿真实验后，工况为 C 级路面 40m/s 速度的仿真实验结果如图 6-35 所示。

为了进一步对所设计的滑模控制器和果蝇优化算法对悬架系统的控制效果进行说明，将分别计算出仿真所得车身加速度、车身位移以及动挠度的均方根值并加以比较分析，结果如表 6-5 所示。

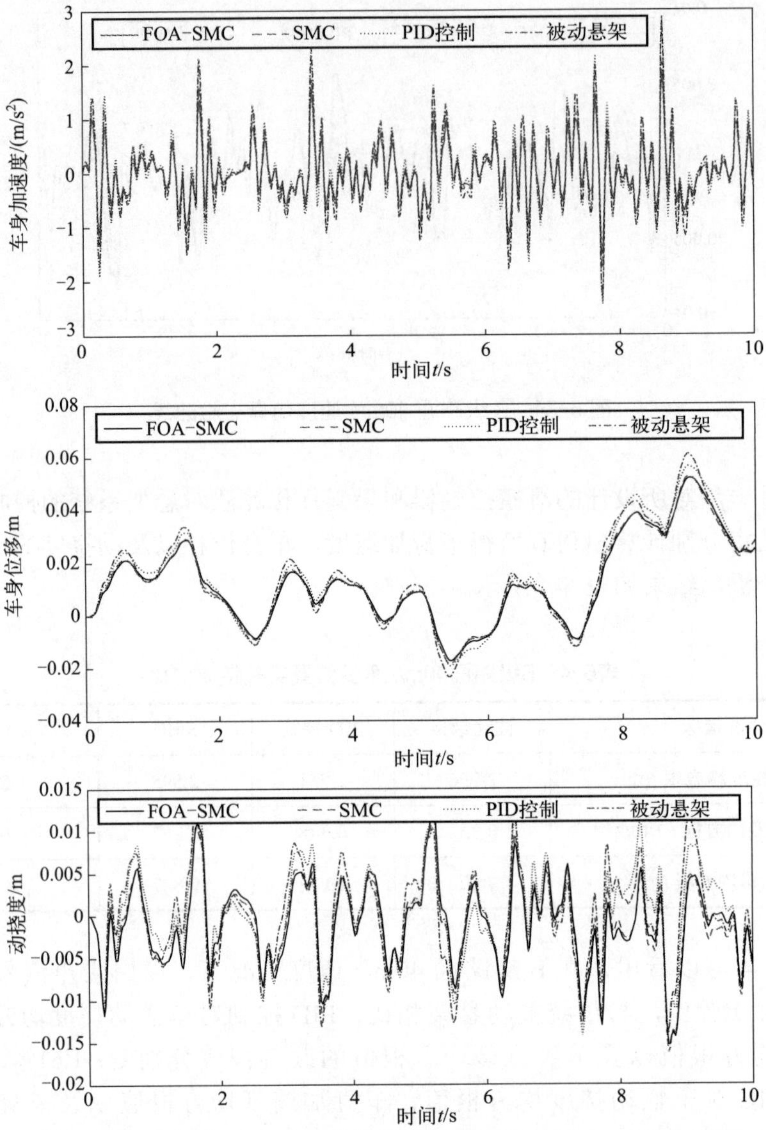

图 6-35 C 级路面 40m/s 速度仿真实验曲线

表6-5 C级路面40m/s速度仿真实验结果对比

评价指标	被动悬架	PID 控制	SMC	FOA-SMC
车辆动挠度均方根 /mm	5.585	5.491	5.195	5.257
车身加速度均方根 / (m/s^2)	0.702	0.694	0.532	0.470
车身位移均方根 /mm	21.83	21.70	19.66	19.27

由表 6-5 可以看出，在 C 级路面 40m/s 速度工况下，以白噪声信号作为输入信号的仿真实验中，与传统被动悬架相比，PID 控制对车辆动挠度均方根值、车

身加速度均方根值以及车身位移均方根值的改善程度分别是：1.68%、1.14% 和 0.60%；SMC 对车辆动挠度均方根值、车身加速度均方根值以及车身位移均方根值的改善程度分别是：6.98%、24.22% 和 9.94%；FOA-SMC 对车辆动挠度均方根值、车身加速度均方根值以及车身位移均方根值的改善程度分别是：5.87%、33.05% 和 11.73%。由此可见，在 C 级路面 40m/s 速度工况下，所设计的滑模控制器和果蝇优化算法可有效地提高汽车行驶过程中的乘坐舒适性和操纵稳定性。

④ 工况 D：A 级路面 60m/s 速度仿真实验。完成仿真实验后，工况为 A 级路面 60m/s 速度的仿真实验结果如图 6-36 所示。

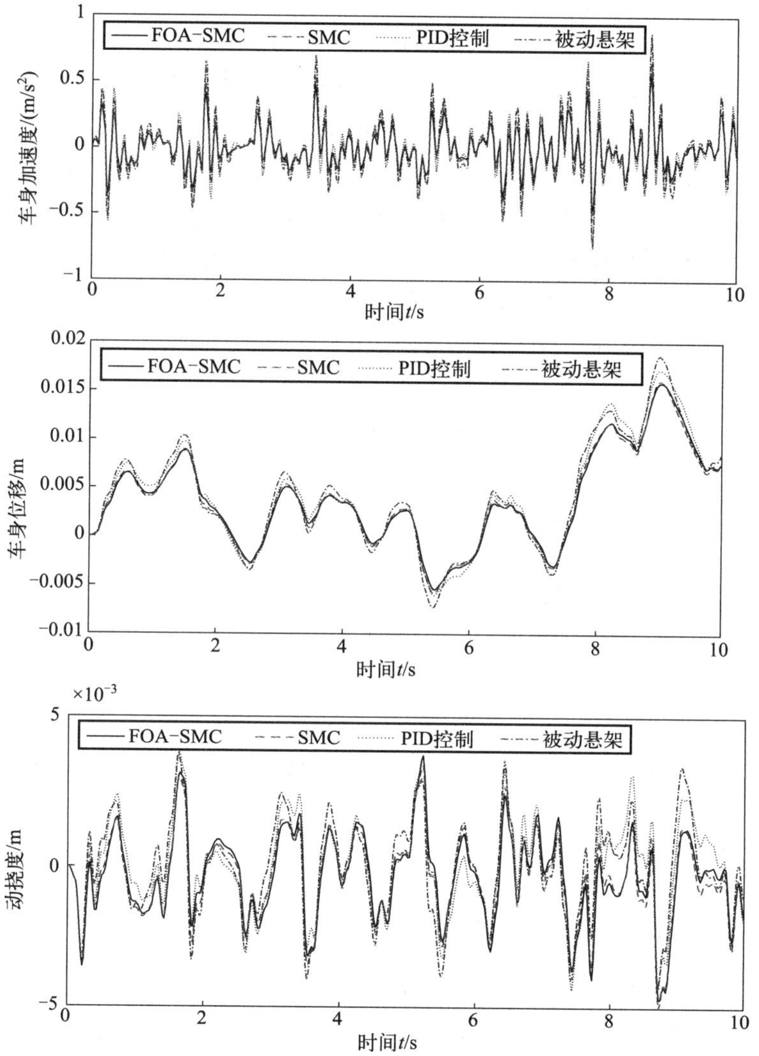

图 6-36　A 级路面 60m/s 速度仿真实验曲线

为了进一步对所设计的滑模控制器和果蝇优化算法对悬架系统的控制效果进行说明，将分别计算出仿真所得车身加速度、车身位移以及动挠度的均方根值加以比较分析，结果如表 6-6 所示。

表6-6 A级路面60m/s速度仿真实验结果对比

评价指标	被动悬架	PID 控制	SMC	FOA-SMC
车辆动挠度均方根 /mm	1.712	1.686	1.592	1.616
车身加速度均方根 / (m/s^2)	0.215	0.213	0.164	0.144
车身位移均方根 /mm	6.693	6.667	5.994	5.905

由表 6-6 可以看出，在 A 级路面 60m/s 速度工况下，以白噪声信号作为输入信号的仿真实验中，与传统被动悬架相比，PID 控制对车辆动挠度均方根值、车身加速度均方根值以及车身位移均方根值的改善程度分别是：1.52%、0.93% 和 0.39%；SMC 对车辆动挠度均方根值、车身加速度均方根值以及车身位移均方根值的改善程度分别是：7.01%、23.72% 和 10.44%；FOA-SMC 对车辆动挠度均方根值、车身加速度均方根值以及车身位移均方根值的改善程度分别是：5.61%、33.02% 和 11.77%。由此可见，在 A 级路面 60m/s 速度工况下，所设计的滑模控制器和果蝇优化算法可有效地提高汽车行驶过程中的乘坐舒适性和操纵稳定性。

⑤ 工况 E：B 级路面 60m/s 速度仿真实验。完成仿真实验后，工况为 B 级路面 60m/s 速度的仿真实验结果如图 6-37 所示。

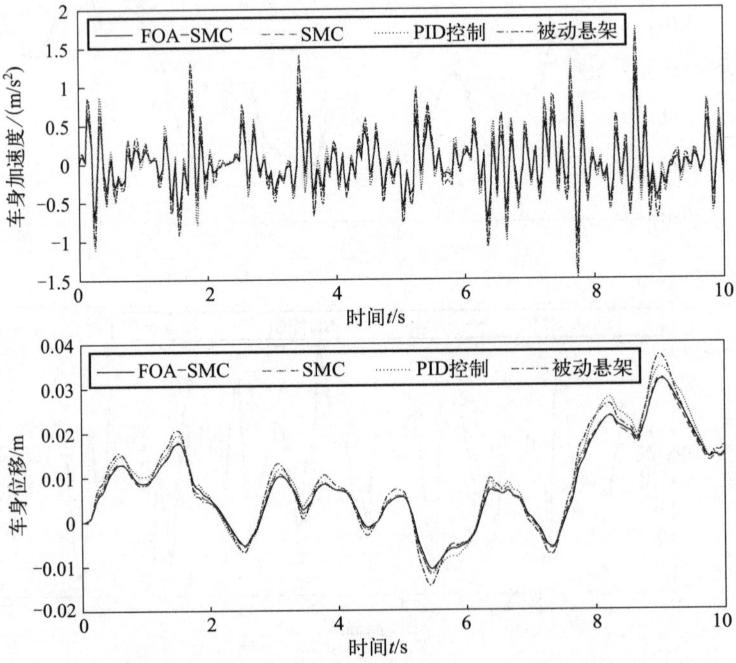

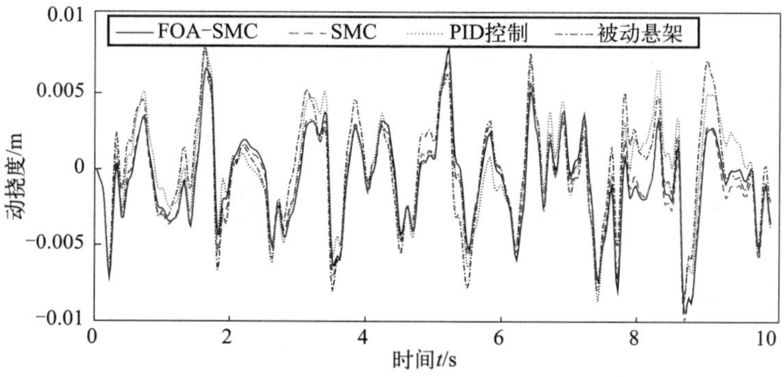

图 6-37 B 级路面 60m/s 速度仿真实验曲线

为了进一步对所设计的滑模控制器和果蝇优化算法对悬架系统的控制效果进行说明，将分别计算出仿真所得车身加速度、车身位移以及动挠度的均方根值加以比较分析，结果如表 6-7 所示。

表6-7 B级路面60m/s速度仿真实验结果对比

评价指标	被动悬架	PID 控制	SMC	FOA-SMC
车辆动挠度均方根 /mm	3.420	3.368	3.170	3.215
车身加速度均方根 / (m/s^2)	0.429	0.425	0.326	0.287
车身位移均方根 /mm	13.36	13.31	12.02	11.79

由表 6-7 可以看出，在 B 级路面 60m/s 速度工况下，以白噪声信号作为输入信号的仿真实验中，与传统被动悬架相比，PID 控制对车辆动挠度均方根值、车身加速度均方根值以及车身位移均方根值的改善程度分别是：1.52%、0.93% 和 0.37%；SMC 对车辆动挠度均方根值、车身加速度均方根值以及车身位移均方根值的改善程度分别是：7.31%、24.01% 和 10.03%；FOA-SMC 对车辆动挠度均方根值、车身加速度均方根值以及车身位移均方根值的改善程度分别是：6.001%、33.10% 和 11.75%。由此可见，在 B 级路面 60m/s 速度工况下，所设计的滑模控制器和果蝇优化算法可有效地提高汽车行驶过程中的乘坐舒适性和操纵稳定性。

⑥ 工况 F：C 级路面 60m/s 速度仿真实验。完成仿真实验后，工况为 C 级路面 60m/s 速度的仿真实验结果如图 6-38 所示。

为了进一步对所设计的滑模控制器和果蝇优化算法对悬架系统的控制效果进行说明，将分别计算出仿真所得车身加速度、车身位移以及动挠度的均方根值加以比较分析，结果如表 6-8 所示。

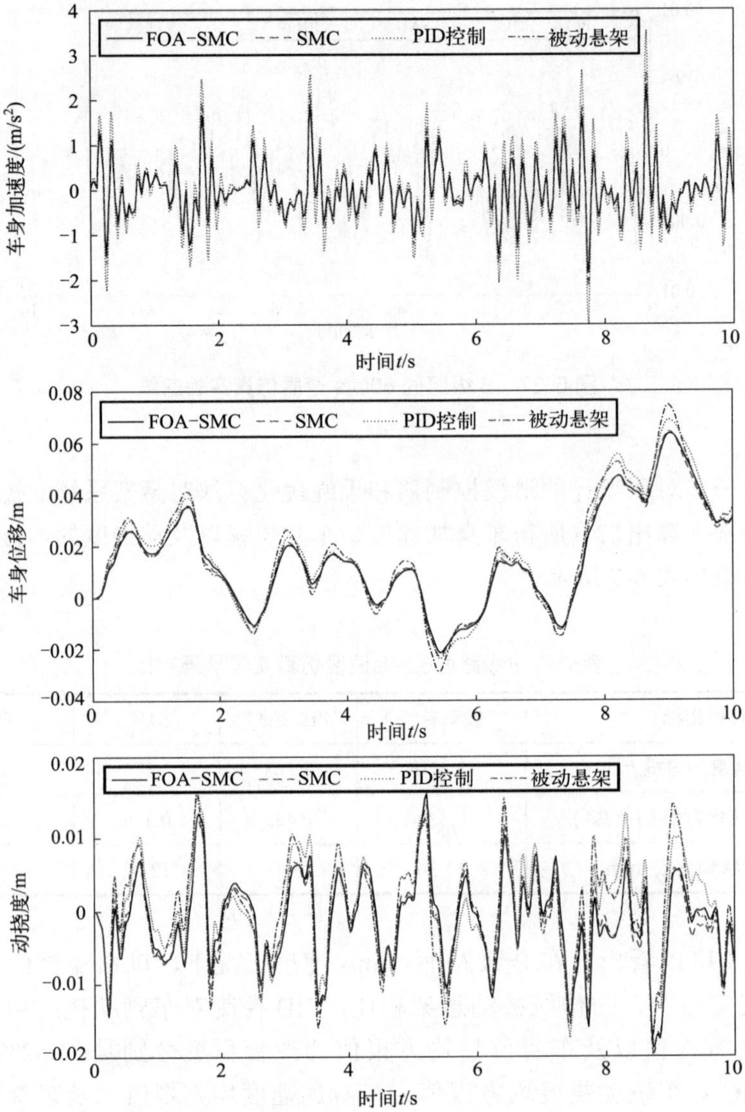

图 6-38　C 级路面 60m/s 速度仿真实验曲线

表6-8　C级路面60m/s速度仿真实验结果对比

评价指标	被动悬架	PID 控制	SMC	FOA-SMC
车辆动挠度均方根 /mm	6.841	6.742	6.348	6.439
车身加速度均方根 / (m/s^2)	0.860	0.850	0.653	0.756
车身位移均方根 /mm	26.74	26.52	24.07	23.61

由表 6-8 可以看出，在 C 级路面 60m/s 速度工况下，以白噪声信号作为输入信号的仿真实验中，与传统被动悬架相比，PID 控制对车辆动挠度均方根值、车身加

速度均方根值以及车身位移均方根值的改善程度分别是：1.45%、1.16% 和 0.82%；SMC 对车辆动挠度均方根值、车身加速度均方根值以及车身位移均方根值的改善程度分别是：7.21%、24.07% 和 9.99%；FOA-SMC 对车辆动挠度均方根值、车身加速度均方根值以及车身位移均方根值的改善程度分别是：5.87%、33.05% 和 11.71%。由此可见，在 C 级路面 60m/s 速度工况下，所设计的滑模控制器和果蝇优化算法可有效地提高汽车行驶过程中的乘坐舒适性和操纵稳定性。

（2）阶跃信号仿真实验

用脉冲阶跃信号来模拟汽车经过路面凸起物时的瞬时信号，以此作为输入信号进行仿真实验也是经常用来检验悬架系统工作性能的方法。此处采用的脉冲阶跃信号函数如式（6-51）所示。

$$f_t=\begin{cases}0, & t<0\\ \dfrac{2}{3}t, & 0\leqslant t<0.075\\ 0.05, & 0.075\leqslant t<0.275\\ -\dfrac{2}{3}t+\dfrac{7}{30}, & 0.275\leqslant t<0.35\\ 0, & t\geqslant 0.35\end{cases}\tag{6-51}$$

根据式（6-51）建立 MATLAB/Simulink 阶跃输入信号图如图 6-39 所示。

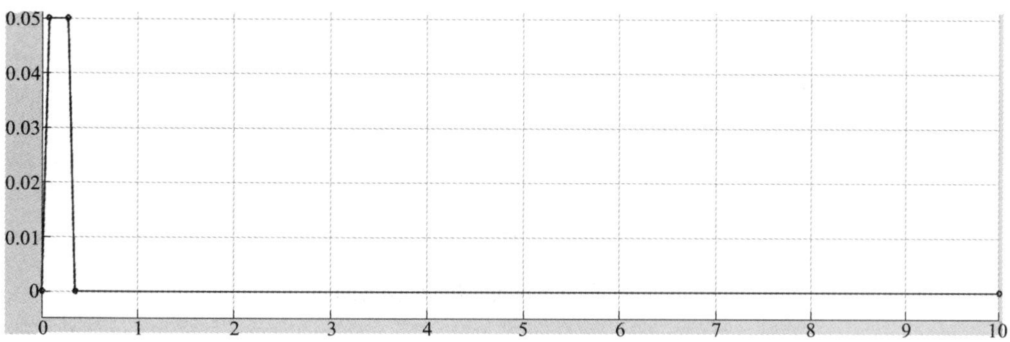

图 6-39　阶跃输入信号图

完成仿真后，仿真结果如图 6-40 所示。

为了进一步对所设计的滑模控制器和果蝇优化算法对悬架系统的控制效果进行说明，将分别计算出仿真所得车身加速度、车身位移以及动挠度的均方根值并加以比较分析，结果如表 6-9 所示。

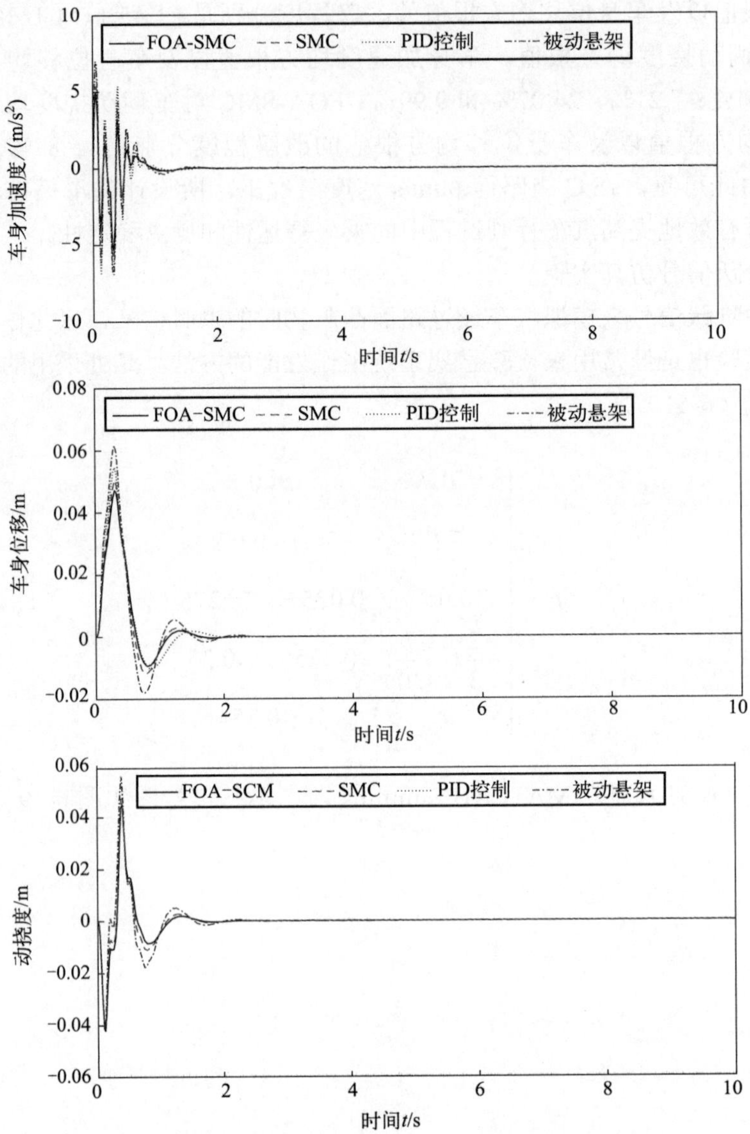

图 6-40 阶跃输入信号仿真实验曲线

表6-9 阶跃输入信号仿真实验结果对比

评价指标	被动悬架	PID 控制	SMC	FOA-SMC
车辆动挠度均方根 /mm	11.15	10.55	9.795	9.964
车身加速度均方根 / (m/s^2)	1.586	1.589	1.220	1.089
车身位移均方根 /mm	15.48	13.31	12.35	11.69

由表 6-9 可以看出，在阶跃输入信号仿真实验中，与传统被动悬架相比，PID 控制对车辆动挠度均方根值、车身加速度均方根值以及车身位移均方根值的改善

程度分别是：5.38%、−0.19% 和 14.02%；滑模控制对车辆动挠度均方根值、车身加速度均方根值以及车身位移均方根值的改善程度分别是：12.15%、23.08% 和 20.22%；FOA-SMC 控制对车辆动挠度均方根值、车身加速度均方根值以及车身位移均方根值的改善程度分别是：10.64%、31.34% 和 24.48%。由此可见，在以阶跃信号作为输入信号的工况下，所设计的滑模控制器和果蝇优化算法可有效地提高汽车行驶过程中的乘坐舒适性和操纵稳定性。

参考文献

[1] 陈双，宗长富．车辆主动悬架的遗传粒子群 LQG 控制方法 [J]．汽车工程，2015(2).

[2] 王锎，何立东，邢健，等．磁流变阻尼器控制双跨转子轴系振动研究 [J]．振动与冲击，2015(2).

[3] 张磊，张进秋，彭志召，等．车辆半主动悬架改进型天棚阻尼控制算法 [J]．汽车工程，2015(8).

[4] 彭志召，张进秋，岳杰，等．具有并联常通孔的磁流变阻尼器设计与分析 [J]．机械工程学报，2015(8).

[5] 陈忠海，杨全，宁响亮，等．磁流变阻尼器的设计、试验及其减振性能研究 [J]．地震工程与工程振动，2014(1).

[6] 郁书好，杨善林，苏守宝．一种改进的变步长萤火虫优化算法 [J]．小型微型计算机系统，2014(6).

[7] 郭耀辉，陈恩伟，陆益民，等．磁流变阻尼器等效线性阻尼系数计算 [J]．中国机械工程，2014(13).

[8] 戴亦宗，陈龙．基于最大粒子群算法的汽车主动悬架与 EPS 集成控制 [J]．测控技术，2014(4).

[9] 冯金芝，杨涛，郑松林．基于 NSGA-II 算法的悬架结构硬点多目标优化 [J]．汽车技术，2014(12).

[10] 周铁明，陈恩伟，陆益民，等．磁流变阻尼器的改进多项式模型及验证 [J]．振动与冲击，2014(7).

[11] 李伟平，柳超，张利轩，等．模糊 PID 控制在磁流变半主动悬架中的应用 [J]．机械科学与技术，2014(12).

[12] 吴小文，李擎．果蝇算法和 5 种群智能算法的寻优性能研究 [J]．火力与指挥控制，2013(4).

[13] 廖英英，刘永强，杨绍普，等．磁流变阻尼器逆向模型的建模、优化与仿真 [J]．振动、测试与诊断，2013(4).

[14] 韩俊英，刘成忠，王联国．动态双子群协同进化果蝇优化算法 [J]．模式识别与人工智能，2013(11).

[15] 孟杰，陈庆樟，张凯．基于模拟退火算法的汽车悬架最优控制研究 [J]．重庆交通大学学报（自然科学版），2013(3).

[16] 董立韡，董毅．基于磁流变阻尼器的多种控制组合振动台研究 [J]．科学技术与工程，2013(16).

[17] 薛晓敏，孙清，伍晓红，等．磁流变阻尼器滞回模型参数的敏感性分析及其简化模型 [J]．西安交通大学学报，2013(7).

[18] 岳永恒，王茂，赵强．饱和不确定磁流变阻尼器悬架系统反馈控制器的设计 [J]．汽车工程，2012(7).

[19] 王威，薛彦冰，宋玉玲，等．基于 GA 优化控制规则的汽车主动悬架模糊 PID 控制 [J]．振动与冲击，2012(22).

[20] 杨柳青，陈无畏，汪洪波．基于残差信息的汽车液压主动悬架故障诊断与隔离研究 [J]．中国机械工程，2012(14).

[21] 张步云，陈怀海，贺旭东，等．磁流变阻尼器减振特性实验研究 [J]．南京航空航天大学学报，2012(6).

[22] 王欣，杜康，秦斌，等．基于果蝇优化算法的 LSSVR 干燥速率建模 [J]．控制工程，2012(4).
[23] 柏宗春，李小宁．伺服摆动气缸内置式磁流变阻尼器优化设计 [J]．南京理工大学学报（自然科学版），2012(3).
[24] 来飞，黄超群．采用电磁作动器的车辆主动悬架的研究 [J]．汽车工程，2012(2).
[25] 李赵春，朱超，王炅．基于磁流变阻尼器的冲击缓冲系统控制方法 [J]．南京理工大学学报（自然科学版），2012(4).
[26] 顾晓蕾，唐志峰，吕福在，等．无源自适应磁流变阻尼器的磁场设计与研究 [J]．工程设计学报，2011(5).
[27] 谭锁奎，宋晓平，郭红燕，等．电流变液及其器件在汽车工业中的应用与发展 [J]．四川兵工学报，2011(4).
[28] 奉铜明，钟志华，闫晓磊，等．基于 NSGA-II 算法的多连杆悬架多目标优化 [J]．汽车工程，2010(12).
[29] 岳德坤．混合式磁流变阻尼器电磁系统设计 [J]．成都电子机械高等专科学校学报，2010(1).
[30] 曾洁如，谷正气，李伟平，等．基于遗传算法的半主动悬架模糊 PID 控制研究 [J]．汽车工程，2010(5).
[31] 吴明翔，陈俐，张建武．路面检测车新型主动悬架 LQG 控制的研究 [J]．振动与冲击，2009(9).
[32] 丁阳，张路，李忠献．两种全通道有效磁流变阻尼器的设计及性能分析 [J]．振动工程学报，2008(6).
[33] 刘建，马明星．多级可调的车辆半主动悬架控制算法研究 [J]．扬州大学学报（自然科学版），2008(3).
[34] 于国军，杜成斌，孙立国．一种新型复合 MR 阻尼器的设计与磁路仿真分析 [J]．机械设计与研究，2007(3).
[35] 宋晓琳，于德介，金耀，等．基于 DNA 免疫算法的汽车主动悬架模糊规则优化 [J]．振动与冲击，2007(9).
[36] 文桂林，龚旭，李振磊，等．基于 ILMI 算法的车辆半主动悬架静态输出反馈控制 [J]．汽车工程，2007(6).
[37] 宋晓琳，殷智宏，郭孔辉，等．基于免疫算法的汽车主动悬架控制研究 [J]．汽车工程，2006(5).
[38] 庄德军，喻凡，林逸．汽车主动悬架多点预瞄控制算法设计 [J]．中国机械工程，2006(12).
[39] 余淼，廖昌荣，李锐，等．基于小波变换的磁流变悬架模糊控制算法 [J]．功能材料，2006(5).
[40] 侯志祥，吴义虎，申群太．基于混合遗传算法的主动悬架集成优化研究 [J]．汽车工程，2005(3).
[41] 马宝山，刘志刚，孙建民，等．自适应 LMS 算法在汽车悬架振动主动控制中的仿真研究 [J]．噪声与振动控制，2003(3).
[42] 王启瑞，朱婉玲，陈无畏，等．基于遗传算法和 LQG 控制的汽车半主动悬架结构和控制参数的集成优化研究 [J]．汽车工程，2002(3).

[43] 罗延科．基于灰色理论半主动悬架神经网络的遗传算法辨识 [J]．贵州工业大学学报（自然科学版），2001(4).
[44] 欧进萍，关新春．磁流变耗能器及其性能 [J]．地震工程与工程振动，1998(3).
[45] 周辰雨，张硕，武丽颖．基于 Backstepping 和 LQG 算法的车辆主动悬架控制研究 [J]．西南大学学报（自然科学版），2015(4).
[46] 孙立，董君伊，李东海．基于果蝇算法的过热汽温自抗扰优化控制 [J]．清华大学学报（自然科学版），2014(10).
[47] 于国军，杜成斌．一种复合磁流变阻尼器的设计及性能试验 [J]．力学季刊，2014(1).
[48] 李忠继，戴焕云，曾京．基于磁流变阻尼器的铁道车辆模糊半主动控制 [J]．交通运输工程学报，2014(5).
[49] 李军强，王娟，刘今越，等．三工作面旋转式磁流变阻尼器设计与实验 [J]．农业机械学报，2014(8).
[50] 张香成，徐赵东，王绍安，等．磁流变阻尼器的米氏模型及试验验证 [J]．工程力学，2013(3).
[51] 王雪刚，邹早建．基于果蝇优化算法的支持向量机参数优化在船舶操纵预报中的应用 [J]．上海交通大学学报，2013(6).
[52] 冯志敏，伍广彬，张刚．磁流变阻尼器设计与性能试验 [J]．农业机械学报，2012(12).
[53] 刘顺安，胡庆玉．PSO-BP 网络算法在汽车悬架优化中的应用 [J]．吉林大学学报（工学版），2009(3).
[54] 蔡路．磁流变阻尼器设计、仿真与试验研究 [D]．成都：西南交通大学，2015.
[55] 霍慧慧．果蝇优化算法及其应用研究 [D]．太原：太原理工大学，2015.
[56] 杜晓东．果蝇优化算法在配电网规划中的应用 [D]．保定：华北电力大学，2014.
[57] 吴珊．果蝇优化小波盲均衡算法研究 [D]．淮南：安徽理工大学，2014.
[58] 王瑞凯．在线式铁谱仪中磨粒的分布研究 [D]．南京：南京航空航天大学，2012.
[59] 房程程．电控悬架的硬件在环仿真研究 [D]．成都：西南交通大学，2011.
[60] 曹明柱．混合动力电动车驱动电机控制系统研究 [D]．合肥：安徽农业大学，2006.
[61] 杨孟刚．磁流变阻尼器在大跨度桥梁上的减震理论研究 [D]．长沙：中南大学，2004.
[62] 余淼．汽车磁流变半主动悬架控制系统研究 [D]．重庆：重庆大学，2003.
[63] 邸龙．磁流变阻尼器对建筑结构的减震研究 [D]．西安：西安建筑科技大学，2003.
[64] 潘之茂．磁流变阻尼控制器的研制及其性能测试系统设计 [D]．武汉：武汉理工大学，2003.
[65] 郭迎庆．磁流变阻尼结构的智能减震控制研究 [D]．西安：西安建筑科技大学，2003.
[66] 杨礼康．基于磁流变技术的车辆半主动悬挂系统理论与试验研究 [D]．杭州：浙江大学，2003.
[67] 廖昌荣．汽车悬架系统磁流变阻尼器研究 [D]．重庆：重庆大学，2001.
[68] 翁建生．基于磁流变阻尼器的车辆悬架系统半主动控制 [D]．南京：南京航空航天大学，2001.
[69] 陈双．基于电控空气悬架的轿车平顺性和操纵稳定性协调控制研究 [D]．长春：吉林大学，2012.

[70] 张清. 圆盘式磁力驱动器的涡流分析 [D]. 长春：吉林大学，2008.

[71] 胡云骢. 液压悬置动特性仿真与优化研究 [D]. 镇江：江苏大学，2020.

[72] 顾旭. 水冷式磁流变液离合器研究 [D]. 徐州：中国矿业大学，2021.

[73] 王怡钧. 发动机磁流变悬置动态特性及控制策略研究 [D]. 重庆：重庆理工大学，2022.

[74] 王瑞. 基于磁流变阻尼器的多维隔振平台研究 [D]. 哈尔滨：东北林业大学，2022.

[75] 付源. 基于双稳态屈曲梁负刚度的主动隔振技术研究 [D]. 哈尔滨：东北林业大学，2021.

[76] 熊磊，唐铃凤，陆快. 基于自抗扰控制的磁流变悬置减振系统研究 [J]. 蚌埠学院学报，2023(5).

[77] 蔡强，隗寒冰，邓召学，等. 锥形通道流动模式磁流变悬置磁路设计与优化 [J]. 重庆理工大学学报（自然科学版），2021(4).

[78] 申玉瑞，华德正，王宁宁，等. 改进果蝇优化算法的磁流变发动机悬置振动控制策略研究 [J]. 重庆理工大学学报（自然科学版），2021(8).

[79] 潘道远，程自力，肖平，等. SOA 优化 PID 控制在磁流变悬置系统中的应用 [J]. 机械设计与制造，2022(6).

[80] 潘乾鹏，周龙，吕宝占，等. 越野车半主动悬架的变论域模糊 PID 控制 [J]. 液压与气动，2022(6).

[81] 董小闵，于建强，杨茂举. 考虑温度因素的磁流变减振器的优化设计与实验 [J]. 振动与冲击，2016(8).

[82] 吴莹，李佳佳，农多敏，等. 减速带激励下汽车的非线性振动特性分析 [J]. 动力学与控制学报，2014(2).

[83] 刘伟，刘大维，陈焕明，等. 基于联合仿真的半主动悬架车辆行驶平顺性研究 [J]. 农业机械学报，2009(6).

[84] 邹得和. 德尔福的新一代 MagneRide 磁流变阻尼可调减振器 [J]. 汽车与配件，2008(20): 34-35.

[85] 唐欣，凌虹，胡克鳌. 磁流变液沉降稳定性研究现状与趋势 [J]. 磁性材料及器件，2004(3).